**Gert Prokop** Der Tod des Reporters

Gert Prokop

# Der Tod des Reporters

Kriminalroman



Bild und Heimat

ISBN 978-3-95958-104-2
1. Auflage dieser Sonderausgabe

Umschlaggestaltung: fuxbux, Berlin
Umschlagabbildung: © fotolia
Druck und Bindung: GGP Media GmbH, Pößneck

# 1

Lobenstein zog die Hand hinter dem Rücken hervor, präsentierte eine gelbe Rose zwischen Daumen und Zeigefinger, küsste Engelchen auf die Stirn und setzte sich auf die Schreibtischecke.
Engelchen lächelte. »Wie ich sehe, hattest du einen guten Urlaub.«
Er breitete theatralisch die Arme aus. »Wie kann es ein guter Urlaub gewesen sein? Ohne dich!«
»Ach, du.« Engelchen musterte ihn. »Du siehst ganz blass und verhärmt aus.« Das Mitleid in ihrer Stimme klang fast ehrlich.
»Haben die Frauen dich so schlecht behandelt?«
»Blass? Dabei habe ich alle Tage in der Sonne gelegen. Allein. Der einsamste Mann des ganzen Strandes. Ich habe in den unendlichen, wolkenlosen, azurblauen Himmel gestarrt und von dir geträumt. Du hättest mich sehen sollen, das Herz wäre dir zersprungen. Der Träumer von Teneriffa, ein rührendes Bild.«
»Ich bin gerührt. Willst du einen Kaffee? Ich habe gerade gebrüht.«
»Kaffee immer.«
Engelchen holte eine Tasse. Bevor sie den Schrank schloss, puderte sie schnell ihre Nase. Sie hatte neue Haare, aschblond mit ein paar koketten silberweißen Fäden.
»Du bist schon wieder hübscher«, sagte er. »Wem hast du den Skalp abgezogen?«
»Echt Menschenhaar! Aus Hongkong – und phantastisch billig. Wie sie das nur machen, so billig.«
»Hast du es nicht gelesen? Sie fangen abends die Mädchen

von der Straße und scheren sie kahl. Aber nur ganz junge Mädchen, keine älter als sechzehn. Für die guten Perücken müssen es Jungfrauen sein. Und bevor man sie kahl schert, werden sie entlaust und gebadet.«

Engelchen lachte auf, sie hätte beinahe den Kaffee verschüttet. »Du bist ein Spinner.«

»Großes Ehrenwort, die reine Wahrheit und nichts als die Wahrheit. Nächste Woche kannst du es in der REVUE lesen.«

»Da steht viel. Wenn ich das alles glauben würde!«

»Pass nur auf, dass Wilhelmi das nicht hört, sonst feuert er dich.«

»Sekretärinnen sind schwerer zu ersetzen als Redakteure.«

»Ganz schön eingebildet. Ist Wilhelmi da?«

»Nein«, sagte sie, »er ist beim Chef, große Konferenz.«

»Heute?«

»Gestern auch schon.«

»Was ist los?« Lobenstein lehnte sich vor und hielt ihr sein Ohr hin. »Sag endlich, ich verspreche auch, es nicht zu veröffentlichen.«

»Wer kann den Versprechungen eines Reporters glauben!« Engelchen lehnte sich zurück. »Die Auflage sinkt. Die ganze Redaktion sucht verzweifelt nach einem Schlager, der die Auflage wieder in die Höhe treiben kann. Gestern früh hat der Verleger den Chef zu sich zitiert.«

»Nicht so viel Politik, mein Lieber«, Lobenstein ahmte Bechers kicksende, sich überschlagende Fistelstimme täuschend echt nach, »die Leser honorieren das nicht. Ich muss Sie als Leiter des Verlages darauf hinweisen, dass die Auflage das A und O unseres Unternehmens ist.« Dann, mit normaler Stimme: »Ruf mal vorne an und frage, wann Wilhelmi wiederkommt.«

»Wozu?«, fragte Engelchen. »Denkst du, Frau Bentzig traut sich, deinetwegen die Konferenz zu stören?«
Lobenstein angelte sich das Telefon und wählte die Nummer des Chefsekretariats. »Grüß Gott, Frau Bentzig, hier spricht Lobenstein. Ich hoffe, es geht Ihnen gut. Was macht die Leber? – Ja, natürlich. – Ich höre, Herr Wilhelmi ist bei Doktor Naumann. Würden Sie bitte mal fragen, wie lange es dauert? – Doch, es wird ihm schon recht sein; sagen Sie ihm nur, dass ich warte. – Ja, ich bin bei Fräulein Engelmann.«
»Ganz schön eingebildet«, meinte Engelchen.
»Man darf sich nicht unter Wert verkaufen.«
Es dauerte fast fünf Minuten, bis die Antwort kam. »Naumann erwartet dich um drei Uhr«, sagte Engelchen.
»Na, bitte, wer sagt's denn, sogar der Chef persönlich.«
»Hoffentlich hast du einen guten Vorschlag.«
»Der Korruptionsskandal im Beschaffungsamt, in ein paar Wochen soll der Prozess beginnen. Ich will eine Serie über die Rüstungsskandale seit neunundvierzig machen, nur die größten, versteht sich.«
Engelchen rümpfte die Nase. »Das wird es kaum sein, was die REVUE jetzt braucht. Zu wenig Pepp und zu viel Politik. Mach doch mal was Freundliches, was fürs Herz, na, du weißt schon.«
»Unsere Zeit ist nicht freundlich, meine Liebe, ich bin Journalist und kein Schnulzenschreiber.«
»Entschuldige, ich vergaß, du hast eine Berufung. Lobenstein sagt, wie's ist. Na, dann viel Spaß heute Nachmittag.«

# 2

Naumann bot Whisky an und eine extrafeine Brasil. »Hat Wilhelmi aus Rio mitgebracht. Ich freue mich, Sie zu sehen, Lobenstein. Wie war der Urlaub? Hübsche Eroberung gemacht?« Er zwinkerte ihm zu. »Sie kommen wie gerufen. Ich habe da eine Bombensache für Sie. Taufrisch. Vor fünfzehn Minuten aus dem Fernschreiber gezogen.« Er reichte ihm eine lange Telexfahne. Lobenstein las.

»upi/frankfurt + + + starreporter tot aufgefunden + + + john j. joergensen (jjj), geb. 17. 2. 1922 + freischaffender reporter für presse und fernsehen wurde heute Vormittag in der naehe von frankfurt tot aufgefunden + fundort der leiche ist die eilenbergbruecke an der autobahn frankfurt–heidelberg + vermutliche todesursache: sturz von der bruecke + vermutliche todeszeit: mitternacht + es ist noch ungeklaert, ob es sich um unfall, mord oder selbstmord handelt + joergensen wurde vor zehn fahren international bekannt, als er …«

Und dann folgte eine lange Aufzählung von Reportagen und Berichten, durch die JJJ berühmt geworden war, das Interview mit dem Sultan von Obidan, zwei Stunden bevor der von seinem Sohn erdrosselt worden war; Reportagen aus Algerien und dem Kongo; Jörgensen hatte als Erster veröffentlicht, dass sich der Schah von Persien von Soraya scheiden lassen und Farah Diba heiraten wollte. Seine Fernsehberichte über eine Floßfahrt durch das Indische Meer waren in aller Welt gesendet worden, ebenso sein Bericht über den geheimnisvollen Romancier Milos Temper. Vor wenigen Wochen erst hatte er mit einer Story über die Südtiroler Bombenleger Aufsehen erregt und im vorigen Jahr mit der über den Baulandskandal in Bayern beinahe die Regierung gestürzt, wenn

es nicht in Bayern gewesen wäre, wo Regierungen nicht von Zeitungen und nicht durch Skandale gestürzt werden können.
Jörgensen hatte unverschämte Honorare verlangt und bekommen, erst in diesem Jahr hatte er sich eine Farm am Kilimandscharo gekauft. Auch die REVUE hatte einige seiner Berichte gedruckt.
»Wilhelmi lässt schon das Material zusammenstellen«, sagte der Chef. »Kriminalrat Maurach bearbeitet den Fall selbst. Ich habe Sie bei ihm avisiert.«
Lobenstein legte die Meldung auf den Schreibtisch. »Eigentlich wollte ich ja an das Bundeswehrbeschaffungsamt …«
»Mann, Lobenstein, wo bleibt Ihre berühmte Nase? Das hier ist doch eine Bombenstory! Der Tod des Reporters. Dazu seine Geschichte. Vom Agenturfotografen zum Starreporter – eine Märchenkarriere! Frauengeschichten, Sensationen, Expeditionen – Politik von hinten gesehen –, was der Leser sonst nie erfährt. Ich denke an eine große Serie. Acht bis zehn Fortsetzungen. Sein Leben, Leute über ihn. Seine Mutter lebt noch; ein paar Mädchen, mit denen er geschlafen hat, werden Sie schon auftreiben. Und einige prominente Ehefrauen. Aber da seien Sie lieber vorsichtig. Wir haben noch ein paar Dutzend Fotos im Archiv, die wir mal von Jörgensen angekauft haben, als er noch nicht so teuer war. Die sind jetzt Gold wert. Fliegen Sie nach Kapstadt und interviewen Sie die Frau von dem, na, Sie wissen schon, der Mann mit der Herztransplantation …«
»Blaiberg.«
»Blaiberg. Jörgensen hat doch einen Monat bei ihm gelebt. Ich sage Ihnen, in der Geschichte steckt mehr drin als in sämtlichen Skandalen unseres hübschen Ländchens

zusammen, mehr, als Sie sich im schönsten Marihuana-Rausch träumen lassen können. Unsere Auflage ist in den letzten Wochen fast um hunderttausend gesunken. Die Geschichte kommt wie gerufen. Und Sie werden das schreiben. Die Ankündigung geht heute noch in die Druckerei. Doppeltes Honorar, wenn es ein Knüller wird, und wenn nicht, soll Sie der Teufel holen.« Naumann trommelte mit beiden Händen einen Marschrhythmus auf die Tischplatte. »Wilhelmi leitet das Unternehmen. Sie haben alle Vollmachten. Vor allem, schalten Sie die Konkurrenz aus, so weit das nur irgend möglich ist. Schraudenbach sitzt jetzt bei der Mutter von Jörgensen, oder er ist die längste Zeit unser Korrespondent gewesen. Sie kannten Jörgensen doch?«
»Kaum. Wir sind uns ein paarmal über den Weg gelaufen.« Lobenstein paffte an seiner Brasil und sah dem Rauch nach. »Man müsste die Story finden, wegen der Jörgensen umgebracht wurde.«
»Ja, das wäre nicht schlecht, aber verplempern Sie Ihre Zeit nicht damit. Im Augenblick sollen Sie nur die Story finden, die uns wieder auf die Beine hilft.« Naumann legte die Hände flach auf den Schreibtisch – der dicke rötliche Flaum auf den Handrücken vibrierte leise –, lehnte sich langsam in seinem hohen Ledersessel zurück, schloss die Augen, reckte seine Schultern hoch, dass der Hals in seinen massigen Oberkörper zu kriechen schien und das Doppelkinn sich zu einer festen Wulst zusammenschob, öffnete die Lider schließlich zu einem schmalen Spalt. »Der Fall wird Schlagzeilen machen, ganz egal, ob es Unfall oder Mord war ...«
»Oder Selbstmord.«
»Kein Selbstmord. JJJ hätte nie Selbstmord gemacht. Er war nicht der Typ dafür. Und wenn doch, dann mit dem Wagen,

mit dreihundert Sachen einen Abhang hinunter. Oder ein Fallschirmabsprung, und die Leine nicht gerissen. Er hätte auch seinen Tod noch genießen wollen. Eine Autobahnbrücke – einfach lächerlich. Sie werden sehen, er wurde ermordet.«
Naumann nahm seine Zigarre aus dem Aschenbecher, tupfte die Asche vorsichtig ab und entfachte die Glut mit ein paar kurzen Paffern neu. »Ich will mich auf kein Risiko einlassen. Bei Ihnen weiß ich, dass Sie alles herausholen. ›Der Tod des Reporters‹ – wie finden Sie den Titel?«
Lobenstein schwieg.
»Sie wissen, ich bin ein störrischer Esel. Ich liebe es gar nicht, eine Entscheidung zurücknehmen zu müssen, und ich habe Sie bereits bei Maurach avisiert. Oder trauen Sie sich die Sache etwa nicht zu?«
Naumann sah müde aus. Das Netz der feinen Linien und Falten in seinem Gesicht hatte sich in den vergangenen Wochen weiter ausgedehnt und vertieft. Das Weiß seiner Augen war von roten Adern durchzogen. Lobenstein beobachtete, wie Naumann ihn durch die halbgeöffneten Lider belauerte. Ja, er würde die Story machen. Er wusste nun genau, wie dringend die REVUE sie brauchte. Und er war der Einzige, der es in der kurzen Zeit schaffen konnte und der greifbar war. Lobenstein verkniff sich ein Grinsen.
»Und das Beschaffungsamt?«, fragte er. »Der Prozess fängt in ein paar Wochen an.«
»Lassen Sie doch den alten Hut, Lobenstein. Wen interessiert das noch? Dass es Korruption gibt, weiß auch so jeder. Gut, ich lass die Geschichte für Sie reservieren. Machen Sie erst einmal die Jörgensen-Story, dann können Sie in Gottes Namen das Beschaffungsamt anpinkeln.«
»Doppeltes Honorar, sagten Sie?«

Naumann lachte. »Wenn es ein Knüller wird, habe ich gesagt.«
»Haben Sie schon jemals etwas anderes von mir bekommen?«

Mit Wilhelmi wurde er schnell einig, obwohl sie sich nicht mochten. Einmal hatte Lobenstein ihn in der Redaktionskonferenz einen Schmierfinken genannt. Wilhelmi war blass geworden, hatte aber nur erwidert: »Wer nimmt schon ernst, was ein Reporter sagt. Reporter werden dafür bezahlt, große Worte zu machen.« Und Lobenstein hatte gekontert: »Mancher wird für hundert Mark zum Dichter.« Aber wenn es um eine Story für die REVUE ging, hatten persönliche Ressentiments keine Rolle zu spielen. Wilhelmi hatte alle Mitarbeiter seiner Abteilung für die Jörgensen-Dokumentation eingesetzt, die Korrespondenten der Redaktion waren per Fernschreiben auf alle Leute gehetzt worden, die Jörgensen gekannt hatten und von denen man interessante Aussagen erwarten konnte. Einen seiner Männer hatte Wilhelmi im Polizeipräsidium postiert, der sammelte dort alle Informationen; ein Bildreporter war unterwegs, die Stelle zu fotografieren, an der Jörgensens Leiche gefunden worden war, und Schraudenbach, der Münchner Korrespondent, hatte eben angerufen, es war ihm gelungen, vor allen anderen zu Jörgensens Mutter vorzudringen und die alte Dame vor der übrigen Presse abzuschirmen.
»Am besten, Sie fahren kurz bei der Polizei vorbei«, meinte Wilhelmi, »sehen zu, was sich dort tut, und dann ab nach München.« Er legte Lobenstein eine dicke Mappe hin, Material über Jörgensen; ein kurzer Lebenslauf, die wichtigsten Veröffentlichungen, Berichte über seine Berichte, Expeditionen und Fernsehsendungen, ein Stapel Notizen und

Meldungen, dazu Fotos, vor allem vier Tüten mit den unveröffentlichten Aufnahmen.
»Wollen Sie fliegen, oder fahren Sie mit dem Wagen?«
»Versuchen Sie doch, in der Abendmaschine für mich buchen zu lassen.«
»Ist schon erledigt, Abflug neunzehn Uhr zwanzig. Ich veranlasse, dass in München am Flughafen ein Mietwagen für Sie bereitsteht.«

## 3

Bis zum Präsidium brauchte Lobenstein fast eine dreiviertel Stunde. Am Hauptbahnhof brach der Verkehr ganz zusammen, ein Unfall. Im Nu stauten sich die Autos, ein Hupkonzert dröhnte über den Platz. Lobenstein fluchte. Zu Fuß wäre er längst da gewesen. Er versuchte einen Haken zu schlagen und in die Kaiserstraße zu entwischen, aber auf die Idee waren andere auch gekommen, nun saß er fest. Anfahren, drei Wagenlängen vorwärts, bremsen, warten, anfahren, bremsen, anfahren – die Auspuffgase drangen trotz der geschlossenen Fenster in den Wagen und würgten in der Kehle. Jemand klopfte an sein Fenster. Ein Mädchen. Er kurbelte die Scheibe herunter. »Fahren Sie doch in einer halben Stunde weiter«, sie lachte ihn auffordernd an, »dann sind Sie ebenso schnell zu Hause. Parken Sie inzwischen bei mir. Vier Häuser weiter können Sie Ihren Wagen auf dem Hof unterstellen und Tee mit mir trinken.«
Der Trick war neu. Sie fasste sein Lachen als Zustimmung auf. »Hundert«, sagte sie, »ohne Extras. Aber inklusive

Parkplatz und Tee. Du wirst zufrieden sein. Es gibt keinen Wunsch, den ich dir nicht erfüllen kann.«
Er winkte ab und drehte das Fenster wieder hoch. Am Theater lösten sich die Autokolonnen auf. Lobenstein fädelte sich in die rechte Fahrbahn ein und jagte zum Präsidium. Dort gab es jetzt sogar Parkplatz genug.
Wilhelmis junger Mann saß mit einem Dutzend anderer Reporter in Maurachs Vorzimmer. Lobenstein winkte ihn heraus und ließ sich berichten, was es bisher an Fakten gab.
»Jörgensens Leiche ist vormittags gegen elf von einem Radfahrer entdeckt worden, der den Landweg unter der Autobahnbrücke am Eilenberg benutzt hat. Die Leiche lag in einem großen Gebüsch und hätte wahrscheinlich Tage oder sogar Wochen unentdeckt liegen können; der Weg ist eigentlich nur ein Pfad durch verwahrlostes Gelände und wurde kaum noch benutzt. Von der Autobahn wäre die Leiche nur zu sehen gewesen, wenn man direkt über dem Gebüsch gestanden und hinuntergesehen hätte. Aber wer würde an dieser Stelle sein Auto parken und sich auf die Brücke stellen? Jörgensen ist offensichtlich von der Brücke herab in das Gebüsch gestürzt worden. Todesursache sind wahrscheinlich die Kopfverletzungen, aber ob die von dem Sturz herrühren oder ihm schon vorher zugefügt wurden, kann erst die Obduktion ergeben.« Der Kollege sah auf seine Notizen. »Die Leiche war völlig ausgeraubt.«
»Wieso hat man ihn dann so schnell identifiziert?«
»Einer der Beamten hat Jörgensen erkannt. Er ist ja erst vor zwei Wochen mit seiner Südtirol-Geschichte im Fernsehen aufgetreten. Man hat ein paar Leute vom Fernsehen kommen lassen, die haben ihn identifiziert.«
»Andere Hinweise?«

»Keine. Die ganze Meute ist sauer. Die Morgenzeitungen brauchen bald Material.«
»Keine Angst. Sie werden sich schon was zusammenschreiben. Ich geh mal zu Maurach rein.«
»Wenn Sie reinkommen. Er hat sich gut abgeschirmt.«
Lobenstein lachte. Sie warteten einen Augenblick, bis ein Beamter in das Zimmer gehen wollte. Lobenstein hielt ihn zurück. »Geben Sie Herrn Maurach meine Karte.« Er drückte dem Beamten eine Visitenkarte in die Hand.
Der wollte sie gleich zurückgeben. »Kriminalrat Maurach ist für niemanden zu sprechen.«
»Wenn er nicht in einer Minute die Karte hat, dürften Sie Schwierigkeiten mit Ihrer Karriere bekommen.«
Der Beamte sah ihn prüfend an. Lobenstein lächelte. »Geben Sie sie ihm. Es ist besser.«
Der Kriminalbeamte kam bald wieder, nickte Lobenstein zu, führte ihn den Gang hinunter und durch die Zimmer wieder zurück in Maurachs Büro.
Der Kriminalrat begrüßte ihn freundlich und bat ihn, Platz zu nehmen. »Wenn der Bundeskanzler ermordet worden wäre, könnte es nicht schlimmer sein«, stöhnte er. »Womit habe ich das nur verdient. Wenn ich den Bestien in meinem Vorzimmer nicht bald was zum Fraß vorwerfen kann, zerreißen sie mich morgen in ihren Artikeln.«
»Was Neues?«
»Nichts. Woher auch. Wir sind froh, dass wir ihn so schnell identifiziert haben. Und ich sage Ihnen, ich hätte drei Tage kein Wort von dem Fall nach außen dringen lassen, wenn nicht die Fernsehleute dabei gewesen wären.«
»Was glauben Sie, war es Unfall oder Mord?«
»Mit Glauben ist mir nicht geholfen. Glauben ist ein Wort,

das ich vor Jahren aus meinem Wortschatz gestrichen habe. Am Fundort gibt es keine Spuren von Gewaltanwendung. Die Leiche weist andererseits so viele Verletzungen auf, dass wir noch nichts Genaues sagen können. Kann alles vom Sturz herrühren, da sind ein Haufen Steine.«

»Ist es sicher, dass er von der Brücke gestürzt ist? Kann nicht jemand die Leiche vom Pfad aus in das Gebüsch gelegt haben?«

»Nein, ausgeschlossen. Das ist fast das Einzige, was wir mit absoluter Sicherheit sagen können.«

»Was halten Sie von Selbstmord?«

»Und wie soll er dahin gekommen sein? Es ist schließlich ein ganzes Eckchen vor der Stadt. Kein Auto in der Nähe. Zu Fuß? Glauben Sie, dass ein Mann wie Jörgensen so weit zu Fuß geht?«

»Ich glaube auch nie etwas«, entgegnete Lobenstein lächelnd. »Ich will Fakten.«

»Wir haben sein Auto gesucht. Oder irgendein anderes herumstehendes Auto. Wir wissen ja noch nicht einmal, ob er mit seinem Wagen nach Frankfurt gekommen ist. Auf den nächstgelegenen Parkplätzen war nichts, auch nicht an der Raststätte, und die ist eigentlich schon zu weit entfernt, um bis zur Eilenbergbrücke zu Fuß zu laufen. Wir haben heute Nachmittag die ganze Gegend abgesucht. Jemand muss ihn dorthin gefahren haben. Wer? Warum? Warum hat sich noch niemand gemeldet? Die Nachricht von seinem Tod ist inzwischen durch den Rundfunk gekommen. Ich bin fast sicher, dass es weder ein Unfall noch ein Selbstmord war.«

»Was geschieht weiter?«

»Wir haben München um Amtshilfe gebeten. Und die haben Gott sei Dank alle Bürokratie fallen lassen und gleich

angefangen, obwohl das offizielle Gesuch an die bayerische Staatspolizei nicht vor morgen da sein wird.«
Maurach steckte sich eine neue Zigarette an. Der Aschenbecher war voller Kippen, der Raum stank nach kaltem Rauch.
»Wir wissen noch nichts. Nicht, warum er in Frankfurt war, woran er gerade arbeitete, wenig über seine privaten Verhältnisse. Es ist einfach zu früh. Aber sagen Sie das mal Ihren lieben Kollegen draußen.« Er machte eine Handbewegung auf die Tür zum Vorzimmer und grunzte verächtlich. »Sollen sie morgen alle sein Bild bringen. Vielleicht melden sich Zeugen. Ich glaube nicht an den lieben Gott, aber hier könnte er ruhig mal helfen.«
»Die Zeitungen werden den Fall schon groß aufmachen.« Beide lachten.
»Ein gefundenes Fressen«, sagte Maurach. »Da könnt ihr euch wieder richtig austoben. Tausend Möglichkeiten für Spekulationen, was?«
»Oder mehr. Wann rechnen Sie mit dem Obduktionsbefund?«
»Morgen früh. Rufen Sie mich an.«
»Das wird unser junger Mann besorgen. Ich will heute noch nach München. Können Sie mich bei Ihren Kollegen avisieren?«
Maurach sah ihn an. Seine Mundwinkel verzogen sich zu einem spöttischen Lächeln. »Wird wenig Sinn haben. Kammhuber persönlich.«
»Na, dann gute Nacht.«
Maurach grinste. »Ich glaube, er mag Sie nicht besonders.«
»Dafür liebt er den TAG.«
»Ich denke, er ist überhaupt nicht mehr gut auf die Presse zu sprechen, aber wer ist das schon.«
»Und warum sprechen Sie mit mir?«

Maurach zuckte mit den Schultern. »Freuen Sie sich, dass Sie nicht wie die anderen im Vorzimmer hocken müssen.«

»Ich würde nicht im Vorzimmer hocken, nicht eine halbe Stunde.«

»Ach ja, ich vergaß, dass Sie der berühmte Lobenstein sind.«

»Doch nicht etwa deshalb?«

»Bilden Sie sich nur nicht zu viel ein. Ob Lobenstein oder ein anderer ... Doktor Naumann hat mich angerufen und Ihr Verleger auch.«

Lobenstein überlegte, woher sich Maurach und Becher kennen mochten. Vielleicht hatte der Verleger Maurach einen Posten versprochen, wenn der eines Tages den Polizeidienst satt haben sollte. Becher besaß nicht nur den Verlag, sondern noch ein halbes Dutzend anderer Betriebe. Hatte nicht neulich jemand erwähnt, in den Becher-Werken sollte eine Art Betriebsschutz aufgebaut werden, wie in anderen Konzernen, eine Betriebswehr? Vielleicht hatte Maurach schon einen Vertrag in der Tasche.

»Ich bedanke mich«, sagte Lobenstein. »Ich darf Sie vielleicht wieder anrufen? Aus München.«

»Sie dürfen. Viel Spaß mit Kammhuber.«

Kurz nach sieben saß Lobenstein wieder im Wagen. Die Zeil, Frankfurts Prachtstraße, war nahezu verödet. Schaufenster und Leuchtreklamen warfen ihr Licht ins Leere. Es war überall das Gleiche, eine einzige Fehlkonstruktion, unwirtliche Innenstädte, in denen niemand mehr wohnte, in die morgens der Verkehr brandete, blecherne Heuschreckenschwärme, die nach Büro- oder Ladenschluss wieder aus der Stadt flüchteten. Ihm sollte es recht sein. So erreichte er sein Flugzeug wenigstens.

Er hatte sogar noch Zeit, vom Flughafen aus in der Redaktion der FRANKFURTER NACHRICHTEN anzurufen. Man sagte ihm, Benno Bornig sei schon nachmittags nach Hause gefahren. Lobenstein versuchte es dort. Bornig nahm erst nach dem sechsten Klingeln den Hörer ab.

»Hallo, Benno, hast du von Jörgensen gehört?«

»Ja. Ich kann es noch gar nicht glauben.«

»Du musst mir helfen. Ich soll eine Serie für die REVUE schreiben.«

»Du? Das ist doch nicht deine Strecke. Ich denke, du willst nur noch sozialkritische Themen machen?«

»Der Mensch denkt, der Chef lenkt. Naumann selbst hat mich gebeten, und ich denke mir, in diesen lausigen Zeiten ist es gar nicht verkehrt, sich seine Chefs ein wenig zu verpflichten. Hilfst du mir? Ich habe Jörgensen ja kaum gekannt.«

»Willst du heute noch rumkommen?«

»Nein, ich muss schnell nach München, aber ich melde mich, sobald ich zurück bin. Denk inzwischen ein bisschen für mich.«

## 4

In München wartete ein junger Mann an der Information auf ihn. Er hatte den Mietwagen zum Flughafen gebracht.

»Haben Sie Lust, mich in die Stadt zu fahren?«, fragte Lobenstein. »Ich habe eine lange Nacht vor mir, da könnte ich eine halbe Stunde Entspannung gebrauchen.«

Er hatte Lust. Zumal für den angebotenen Zehnmarkschein.

»Student?«, fragte Lobenstein.

Der andere nickte. »Germanistik und Philosophie.«
»Wie kann man nur Philosophie studieren! Die ganze Philosophie unserer Zeit lässt sich in drei Sätze zusammenfassen: Hast du was, bist du was. Und: Fressen oder gefressen werden. Und: Den Letzten beißen die Hunde. Was wollen Sie denn mal werden?«
»Ich weiß noch nicht. Vielleicht Journalist.«
»Dazu brauchen Sie wahrhaftig nicht zu studieren. Rausgeworfene Zeit. Clever müssen Sie sein. Hartnäckig. Dickfellig. Den Leuten auf den Pelz rücken. Unter die Haut kriechen. Wenn man Sie vorne rausschmeißt, hinten wieder reinkriechen. Graben, suchen, finden, erfinden. Sichern Sie sich einen Job. Fallen Sie auf durch ein, zwei verblüffende Sachen, und dann gebrauchen Sie die Ellenbogen, und stoßen Sie sich nach oben, den steilen, dornigen, schmutzigen Weg zur Spitze.«
»Haben Sie das so gemacht?« Der Student sah ihn von der Seite an.
»Sie wissen, wer ich bin?«
»Deshalb habe ich mir den Job bei der Studentenvermittlung geben lassen. Eigentlich sollte ein anderer den Wagen für Sie herausbringen. Ich habe Sie ihm abgekauft. Für einen Fünfer.«
Lobenstein musste lachen. »Das ist zwar nicht das erste Mal, dass ich verkauft worden bin, aber wohl noch nie so billig.«
»Ich dachte mir, Sie könnten vielleicht einen jungen Mann in München brauchen, der Ihnen zur Hand geht.«
»Kann sein.«
Als sie an der Luisenstraße angelangt waren, sagte Lobenstein: »Warten Sie. Wenn es länger dauert, bekommen Sie Bescheid. Vielleicht kann ich Sie wirklich brauchen.«

Die Haustür war offen. Lobenstein sah auf der Haustafel nach. Jörgensen: zweite Etage links.
Auf den Stufen zum dritten Stock hockte ein blasser, ältlicher Mann, eine Kamera schussbereit auf den Knien. Als Lobenstein stehen blieb und das Messingschild mit den beiden Löwenköpfen studierte, sprach er ihn an: »Sie sind von der Polizei?«
Lobenstein lachte. »Kein Bulle.«
»Verwandter?«
»Auch nicht.«
»Dann hat's keinen Zweck. Die lassen keinen rein. Wir haben es den ganzen Nachmittag versucht. Die anderen haben schon alle aufgegeben.«
»Aber Sie sitzen noch.«
Der Fotograf lächelte schief. »Einmal muss ja jemand rauskommen. Oder ich komm rein. Ich geb nie auf. Kommen Sie rein? Können Sie mich nicht mitnehmen? Zehn Prozent.« Er wartete auf Lobensteins Reaktion. Da Lobenstein sich wieder zur Tür umwandte, erhöhte er. »Zwanzig Prozent. Wenn ich 'ne Serie schießen kann, können wir beide gut dran verdienen, okay?«
»Mal sehen.« Lobenstein klingelte. Drinnen rührte sich nichts. Er klingelte noch einmal. Jemand kam.
»Hier ist Lobenstein«, rief er in das Schlüsselloch.
Die Tür wurde um einen Spaltbreit geöffnet. Die Kette war vorgelegt. Auf dem Korridor brannte kein Licht.
»Schraudenbach?«, fragte Lobenstein leise in das Dunkel und trat einen Schritt zurück, damit der andere sein Gesicht sehen konnte. Die Tür wurde wieder geschlossen. Er hörte, wie die Kette gelöst wurde. Der Fotograf erhob sich von seinen Stufen und nahm die Kamera hoch.

»Mach keinen Quatsch«, warnte Lobenstein. »Sonst gibt's Ärger.« Die Tür öffnete sich, Lobenstein schloss sie schnell hinter sich. Dann erst ging das Licht im Korridor an. Es war Schraudenbach. Sie begrüßten sich.

»Gute Arbeit«, sagte Lobenstein. »War schwer, was?«

Schraudenbach führte ihn in die Küche. »Wir haben Zeit. Sie ist gerade eingeschlafen. Ich dachte ein paarmal, sie bekommt einen Herzanfall und bleibt mir weg. Wer weiß, was die anderen dann aus mir gemacht hätten. Ich hab die Schlagzeilen schon gesehen: ›Die gramgebeugte Mutter musste sterben, weil REVUE die übrige Presse ausschalten wollte.‹ Eine Zeitlang hat die Nachbarin geholfen, aber die musste dann nach ihren Kindern sehen, und ich hatte Angst, dass bei dem ewigen Rein und Raus doch noch einer von den Burschen durchschlüpft. Sind noch viele draußen?«

»Nur einer, so ein mickriger Bildreporter.«

»Der Pepperl.« Schraudenbach lachte. »Er hofft immer, einmal den großen Fang an Land zu ziehen. Er wird es nie schaffen. Er bleibt ein kleiner, stinkender Fisch.«

»Waren viele da?«

»Klar. Von TAG zwei besonders smarte Jungen, die drohten mit einem Verfahren vor dem Presserat. Und die MÜNCHNER ILLUSTRIERTE hat mir ein Angebot gemacht. Tausend Eier, wenn ich ihnen die alte Dame überlasse. Eine Stunde später haben sie noch mal angerufen und mir einen Posten in der Redaktion dazu angeboten. Die scheinen es eilig zu haben.«

»Ich sag's dem Chef, dass Sie sich eine Extraprämie verdient haben. Wie weit sind Sie mir ihr?«

»Sie ist völlig durcheinander. Sie hat gar nicht mitbekommen, dass ich was von ihr will. Ich habe gesagt, dass ich ein Freund von ihrem Sohn war.«

»Waren Sie das?«
»Ich habe ihn gekannt. Und ich glaube, es gibt überhaupt niemanden, den man als seinen Freund bezeichnen könnte.«
Sie gingen in das Zimmer hinüber. Frau Jörgensen lag zusammengesunken in einem überdimensionalen Ohrenbackensessel, die Füße auf einem Hocker.
»Das ist Herr Lobenstein«, erklärte Schraudenbach. Lobenstein rückte einen Stuhl heran und setzte sich zu ihr. »Mein herzliches Beileid.« Scheißberuf, dachte er. Statt wirklich Mitgefühl zu haben und Mitleid, musst du sie jetzt rumkriegen, einen Vertrag mit dir zu machen, den sie morgen vielleicht nicht mehr unterschreiben würde. Er beobachtete ihr Gesicht, ein kleines, müdes Gesicht, ihre Augen, die sich nur kurz öffneten, durch ihn hindurchsahen und sich wieder schlossen. Er hätte ihr am liebsten die Hand auf den Arm gelegt und sie gestreichelt, aber er saß steif da, und es fiel ihm schwer, sie anzusprechen. Sie versteht nicht, was hier vorgeht, dachte er. Wie soll sie es auch verstehen. Wer versteht schon eine solche Nachricht in dem Augenblick, da er sie empfängt.
»Viele Leute werden Sie jetzt sprechen wollen«, begann er zögernd, »Zeitungen, das Fernsehen. Ihr Sohn war ein bekannter Mann.«
»Ich will niemanden sehen.«
Sie öffnete die Augen erst, als er nicht weitersprach.
»Haben Sie jemanden, der sich um Sie kümmern kann?«
»Nein«, antwortete sie leise. »Ich habe niemanden mehr. Die Nachbarin …«
»Wir werden für Sie sorgen«, sagte Lobenstein. »Eine Pflegerin wird sich Ihrer annehmen. Wir werden Sie vor Besuchern bewahren und vor Belästigungen schützen. Der Polizei müssen Sie natürlich Auskunft geben. Aber sonst niemandem. Und

wenn Sie sich besser fühlen, möchten wir, dass Sie uns etwas von Ihrem Sohn erzählen. Herr Schraudenbach wird Sie betreuen.«

Sie schickte Schraudenbach ein dankbares Lächeln. »Er hat sich so um mich bemüht.«

»Gut, ich halte das dann schriftlich fest.«

Sie blickte Lobenstein verständnislos an.

»Damit wir nachweisen können, dass wir berechtigt sind, für Sie zu sorgen. Und andere abwehren können, wenn jemand Sie belästigen will.«

Frau Jörgensen hatte schon wieder die Augen geschlossen. Lobenstein wartete, aber sie schien eingeschlafen zu sein. Schraudenbach winkte ihn hinaus.

»Lassen wir sie schlafen. Ich telefoniere inzwischen nach einer Pflegerin. Setzen Sie schon den Vertrag auf.« Lobenstein erinnerte sich an den Studenten, der immer noch unten im Wagen wartete. Er sagte es Schraudenbach. »Er scheint ganz clever zu sein. Ich weiß nicht, wer Ihnen hier in München sonst zur Verfügung steht.«

Schraudenbach lachte bitter auf. »Sie wissen doch, wie großzügig unsere Firma ist. Ich muss alles alleine machen. Ja, wenn mal was Außergewöhnliches ist, schicken sie jemand. Aber nicht zur Unterstützung, sondern Leute, die selbst die Story machen.«

Lobenstein klopfte ihm kameradschaftlich auf die Schulter. »Ich bin für faire Zusammenarbeit. Und ich bin keiner, der andere aus ihrer Story ausbootet. Aber das ist nicht Ihre Story, oder?«

»Entschuldigen Sie, es war nicht auf Sie gemünzt. – In der großen Tasche in der Küche finden Sie eine Reiseschreibmaschine und Kopfbogen.«

Lobenstein entwarf den Vertrag, der der REVUE nicht nur die Rechte an den Aussagen von Frau Jörgensen sicherte, sondern auch an allen unveröffentlichten Aufzeichnungen, Manuskripten, Notizen und Fotos, die Jörgensen hinterlassen hatte, vorbehaltlich schon bestehender Rechte anderer. Schraudenbach rief einen Rechtsanwalt an und bestellte ihn in die Luisenstraße. Dann versuchte er vergeblich, bei der Polizei Informationen zu bekommen.

»Was hat die Münchener Polizei bisher unternommen?«

»Nicht viel. Die Mutter kurz befragt, aber die wusste nichts, und seine Wohnung versiegelt. Wenn es hoch kommt, haben sie jemand vor die Haustür gestellt, der heute Nacht aufpasst.«

»Was glauben Sie, gibt es eine Chance, bald an Jörgensens Material heranzukommen? Wenn die Polizei nicht mitspielt, ist unser Vertrag einen Dreck wert.«

»Ich werde morgen mal mit Kommissar Weitzner sprechen. Wir kennen uns ganz gut.« Schraudenbach goss sich Kaffee ein. »Wollen Sie auch?«

Lobenstein nickte. »Erwähnen Sie aber um Gottes willen nicht meinen Namen. Wenn Kammhuber erfährt, dass ich mitmische, ist der Bart ab.«

»Was haben Sie mit Kammhuber?«

»Das wissen Sie nicht?«

Schraudenbach schüttelte den Kopf.

Lobenstein lehnte sich zurück und steckte sich eine Zigarette an. »Sie sollten ab und zu die Konkurrenz lesen, Schraudenbach.«

»Sollte ich?«

»Ich hatte Kammhuber in der KONTAKT angegriffen, weil seine Leute in Schwabing den Einbrecher erschossen haben, statt ihn mit einem Schuss ins Bein an der Flucht zu hindern. Eigentlich wollte ich es in der REVUE bringen, aber Naumann hatte kalte Füße bekommen.«

»Versteh ich nicht. Darüber hat sich doch die ganze Presse aufgeregt. Ich habe selbst was für die ABENDZEITUNG geschrieben, weil die REVUE wieder mal nichts von mir haben wollte: ›In München sitzt das Eisen locker. Warum wird erst geschossen und dann gedacht?‹«

»Ja, ja, aber ich habe dezent auf Kammhubers große Zeit bei der Nazipolizei hingewiesen.«

»Musste das sein?«

»Ich denke schon. Ich bin der Meinung ...«

Schraudenbach erfuhr nicht mehr, welcher Meinung Lobenstein war. Es klingelte. Die Pflegerin stand vor der Tür. Hinter ihr der Pepperl mit schussbereiter Kamera. Lobenstein zog die Pflegerin schnell in den Flur und schlug dem Fotografen die Tür vor der Nase zu. Sie ließen die Pflegerin eine Verpflichtung unterschreiben, nicht gegen die Interessen der REVUE zu handeln, bevor sie sie zu Frau Jörgensen hineinschickten.

»Am besten, Sie bringen die alte Frau gleich ins Bett«, sagte Schraudenbach und ging wieder in die Küche. »Wo der Notar bloß bleibt?«

Sie mussten noch eine halbe Stunde warten. Hinter dem Rechtsanwalt stand der Fotograf bereit und klemmte seinen Fuß zwischen die Tür.

»Wie sieht's aus«, fragte er, »komm ich noch zu meinem Bild?«

»Bild ist nicht«, sagte Lobenstein. »Die alte Dame ist völlig erledigt.«

»Mann, genau das, was ich brauche. Die schmerzgebrochene Mutter. Lassen Sie mich rein!«
»Nichts da. Wir sind von der REVUE.«
»Scheiße! Ist doch immer dasselbe. Die Großen machen sich dicke, und unsereins ist Neese.« Er packte seinen Apparat und wollte Lobenstein fotografieren, wie der den Eingang versperrte. »Auch nicht schlecht«, sagte er und grinste.
Lobenstein drückte ihm die schussbereite Kamera herunter. Der Reporter protestierte. »Das ist Behinderung. Wir haben Pressefreiheit. Ich kann hier fotografieren, so viel ich will. Ich hab 'nen Presseausweis. Ihr seid auch nichts Besseres.«
Er hätte sicher noch länger geredet, aber Lobenstein unterbrach ihn. »Ich mache Ihnen einen Vorschlag. Sie können Ihr Foto morgen schießen. Für uns.«
»Okay.« Pepperl war die Freundlichkeit selbst.
Der Notar hatte inzwischen den Vertrag beglaubigt, aber er wollte noch Frau Jörgensen sehen. Die lag im Bett und schlief. Schraudenbach weckte sie auf. Frau Jörgensen las den Vertrag nicht durch und wollte ihn auch nicht vorgelesen haben. »Es wird schon richtig sein«, sagte sie müde.
»Kann ich mich darauf verlassen, dass Sie bis morgen früh niemanden in die Wohnung lassen?«, fragte Lobenstein die Pflegerin.
»Sie können sich darauf verlassen, dass ich auch Sie jetzt hinauswerfe oder die Polizei rufe. Die Frau muss endlich schlafen. So ein Skandal!«
Frau Jörgensen weinte.
»Scheißberuf«, sagte Lobenstein zu Schraudenbach, als sie hinausgingen.
Der Student saß noch immer im Wagen und wartete. Sie ließen sich zu einer Kneipe in Schwabing fahren und

verdrückten Riesenportionen Weißwürstel. Dabei befragten sie den Studenten. Das Ergebnis stellte sie zufrieden. Sie engagierten ihn.

»Herr Schraudenbach wird morgen Erkundigungen über Sie einholen«, erklärte Lobenstein. »Wehe Ihnen, wenn Sie uns nicht die Wahrheit gesagt haben, Möbius. Oder wenn Sie irgendwann unfair werden. Das überleben Sie nicht.«

»Keine Angst. Ich bin froh, für Sie arbeiten zu können.«

»Dann fahren Sie mich jetzt ins Hotel.«

Lobenstein war todmüde. Zu müde. Er konnte nicht einschlafen. Er stand schließlich auf und blätterte in den Unterlagen, die er von Wilhelmi bekommen hatte.

Jörgensens Leben bot Stoff genug für ein ganzes Buch. Allein Dutzende von Skandalen, über die er berichtet, und nicht wenige, die er mit seinen Berichten ausgelöst hatte. Genug Material, auf das die Zeitungen sich jetzt stürzen und das sie noch einmal aufwärmen konnten. Und spekulieren, warum Jörgensen ermordet worden war. Als Lobenstein endlich ins Bett kroch, zeichnete sich am Horizont schon der erste Streifen Tageslicht ab. Die Story über Jörgensens Leben war reine Routinesache, sagte er sich, Fleißarbeit, richtig auswählen und pointieren. Aber er brauchte eine zündende Idee, die dem Ganzen Pfeffer geben konnte, eine Idee, die die Leser packte und die sie nur in der REVUE, nur in seinem Bericht finden konnten. Er musste schnell herausfinden, woran Jörgensen zuletzt gearbeitet hatte. Die tödliche Story. Wenn es eine gab. Und er allein müsste sie entdecken.

# 5

Das Telefon holte Lobenstein aus dem Schlaf. Er brauchte ein paar Sekunden, um munter zu werden und den Hörer abzunehmen.
»Guten Morgen«, sagte eine freundliche Stimme. »Sieben Uhr. Wir wünschen Ihnen einen angenehmen Tag.«
»Hallo!«, rief er zurück. »Legen Sie noch nicht auf. Ich brauche Zeitungen. Alle Morgenzeitungen, die greifbar sind.«
Dann bestellte er Frühstück und ging duschen. Als er aus dem Badezimmer kam, stand das Frühstückstablett auf dem Tisch, und auf dem Stuhl lag ein Stapel Zeitungen.
Er zog sich schnell an, goss Kaffee ein und blätterte die Zeitungen durch. Alle berichteten groß über den Jörgensen-Fall, die meisten auf der ersten Seite, und jede hatte eine andere Vermutung, wer Jörgensen umgebracht haben könnte. Es gab kaum einen seiner Berichte aus den letzten zwei Jahren, der nicht mit dem Mord in Zusammenhang gebracht wurde; die Südtiroler Terroristen wurden ebenso genannt wie der Hamburger Callgirl-Ring und der Baulandskandal in Bayern, die palästinensische Befreiungsarmee ebenso wie der israelische Geheimdienst, der Münchner Bankier Abegger, dem er ein Millionengeschäft verdorben, ebenso wie ein Dutzend Ehemänner, denen er Hörner aufgesetzt hatte.
Lobenstein legte die Zeitungen beiseite. Alles Quatsch, Spekulationen. Keiner wusste, was los war. Jeder wollte nur eine Schlagzeile, die die Konkurrenz übertreffen sollte. Er ließ sich mit Wilhelmi verbinden und informierte ihn über den Besuch bei Frau Jörgensen.
»Nicht schlecht«, sagte Wilhelmi. »Saubere Arbeit. Bestellen Sie Schraudenbach, dass ich sehr zufrieden bin. Es wird ihm

guttun. Er war schon auf der Abschussliste. Das sagen Sie ihm natürlich nicht. Hoffentlich kommen Sie bald an das Jörgensen-Material heran. Ich werde den Verleger bitten, mal im Präsidium in München anzurufen.«

»Haben Sie schon in die Zeitungen gesehen?«, fragte Lobenstein.

»Sollte ich?« Wilhelmi gähnte ungeniert ins Telefon. »Was schreiben denn die lieben Kollegen?«

Lobenstein gab ihm einen kurzen Überblick. »Wenn Sie mich fragen, alles Unsinn«, schloss er seine telefonische Presseschau.

»Was glauben Sie?«, fragte Wilhelmi. »Steckt eine Story dahinter?«

»Wahrscheinlich. Hoffentlich finde ich sie.«

»Hauptsache, Sie schreiben eine anständige Story für uns. Sie sind nicht als Detektiv engagiert.«

»Ich habe nicht gesagt, dass ich den Mörder finden will, sondern die Story, hinter der Jörgensen her war.«

»Nun gut«, sagte Wilhelmi, »rufen Sie mich heute Abend wieder an.«

Lobenstein ließ sich mit dem Frankfurter Polizeipräsidium verbinden. Maurach war noch nicht da. Oder er ließ sich verleugnen. Neue Informationen gäbe es noch nicht, sagte seine Sekretärin.

Der Journalist setzte sich an den kleinen Schreibtisch unter dem Fenster und sortierte seine Notizen. Kurz darauf klopfte Schraudenbach. Ausgeschlafen, rotwangig, strahlend und eingehüllt in eine Wolke Rasierwasserduft, der für Lobensteins Geschmack zwei Nummern zu süß war. Er stand auf und öffnete das Fenster.

»Ein wundervoller Tag, nicht wahr?«, sagte Schraudenbach.

»Man soll den Tag nicht vor den Spätnachrichten loben«, entgegnete Lobenstein. »Wie geht es der alten Dame?«

»Vor einer halben Stunde schlief sie noch. Unser Student ist jetzt bei ihr und wartet, bis wir uns melden.« Schraudenbach setzte sich, hob den Deckel der Kaffeekanne an und sah in die Kanne. »Wollen Sie auch noch einen? Wir haben doch noch Zeit?«

»Bestellen Sie für mich Juice und Mineralwasser. Ich bin gleich fertig.«

Schraudenbach blätterte in den Zeitungen. »Die Presse ist dicke da. Der Kennedy-Mord hat kaum mehr Schlagzeilen gemacht.«

»Ein Opfer in den eigenen Reihen verpflichtet«, sagte Lobenstein; dann salbungsvoll: »Es hat einen unserer Besten getroffen!«

»Ich möchte wissen, wie viele Zeitungsleute Jörgensen die Pest an den Hals gewünscht haben oder in Versuchung geraten sind, ihm den Hals umzudrehen.«

Lobenstein sah Schraudenbach fragend an.

»Na, er war doch nicht gerade beliebt. Kunststück. Ich finde, er hatte ziemlich raue Methoden, wenn er andere aus einem Thema ausbooten wollte, an dem er selbst interessiert war. Und er hatte zu viel Erfolg, um Freunde zu haben.«

Lobenstein nickte. »Nichts macht unbeliebter als Erfolg. Wie gut kannten Sie Jörgensen?«

»Wir waren mal so gut wie befreundet. In seiner ersten Zeit als Freischaffender. Ich habe ihm damals manchen Job verschafft, aber dann ... ja, gewiss, Jörgensen war immer freundlich, wenn wir uns mal über den Weg liefen, aber die Mauer, die er um sich baute, wurde immer undurchdringlicher. Es war nicht mehr an ihn heranzukommen. Und dass er mal mit einem Tipp herausgerückt wäre … Wissen Sie, Lobenstein, ich habe ihn sogar direkt angesprochen, als ich in der Klemme saß, aber da hatte er angeblich selbst kein Thema, zehn Tage später kam er mit dem Baulandskandal heraus.«

»Was glauben Sie, wer hat ihn umgebracht?«

»Suchen Sie sich einen Mörder aus.« Schraudenbach zeigte auf den Zeitungsstapel. »Ein einmalig reichhaltiges Angebot. Und noch lange nicht vollständig.«

»Die Tiroler?«

»Warum sollten sie? Jörgensen hat sie doch fair behandelt. Kein Wort der Verurteilung. Nein, die waren doch froh, dass er ihnen die Gelegenheit verschafft hat, einmal im Fernsehen auftreten zu können. Es gibt eine Menge Leute, die mehr Grund hatten, ihn umzubringen. Er hat ziemlich gefährlich gelebt, finde ich.«

»Wer heute groß rauskommen will, muss schon etwas riskieren.«

»Das meine ich nicht. Sehen Sie …« Der Etagenkellner unterbrach das Gespräch. Schraudenbach tat drei Stück Zucker in eine Tasse. Ein viertes tunkte er mit den Fingern in den Kaffee, wartete, bis es durchtränkt war, und steckte es dann zwischen die Lippen, so naschte er ein halbes Dutzend. Er schmatzte jedes Mal, wenn er den Zucker in den Mund sog.

»Glauben Sie, dass Jörgensen immer alles veröffentlicht hat?«

»Wer tut das schon«, sagte Lobenstein.

»Aber bei ihm war es wohl Prinzip, stets etwas zurückzuhalten. Ich denke, so eine Art Lebensversicherung.« Lobenstein sah ihn überrascht an.

»Ist Ihnen nicht aufgefallen, dass es noch nie einen Prozess gegen Jörgensen gegeben hat? Etwa, weil er immer die Wahrheit geschrieben hat? Mein lieber Herr Lobenstein, wir wissen doch, wie das gemacht wird; eine Gegendarstellung in der Presse und die Mitteilung, man habe Verleumdungsklage erhoben, und wenn es dann, Monate später, tatsächlich zum Prozess kommt, interessiert sich kein Schwein mehr dafür. Nein, glauben Sie einem alten Hasen, Jörgensen hat immer noch was in der Tasche behalten. Etwas besonders Dreckiges. Und deshalb hat ihn nie einer verklagt. Jörgensen hat genau gewusst, wann er aufhören musste. Es wurde sogar gemunkelt, er ließe mit sich reden.« Schraudenbach grinste. »Wenn das Angebot hoch genug war. Oder glauben Sie, dass er seine Farm am Kilimandscharo und den Bungalow an der Costa Brava von seinen Honoraren gespart hat? Und seine Ausrüstung? Immer das Neueste vom Neuen. So viel kann einer einfach nicht mit Journalismus verdienen.«

»Sind das Ihre Vermutungen, oder wissen Sie etwas?« Schraudenbach lächelte überlegen und besah sich seine Fingernägel. Er hatte dicke Finger, die Nägel waren so kurz, dass Lobenstein der Verdacht kam, Schraudenbach würde sie abknabbern.

»Bankier Abegger hat mal gesagt, er wäre heute Multimillionär, wenn er Jörgensen damals eine halbe Million und nicht nur hunderttausend angeboten hätte. Übrigens Abegger.« Schraudenbach machte eine Kunstpause und steckte sich bedächtig eine Zigarette an. »Er ist verschwunden.«

»Glauben Sie etwa, dass Abegger der Mörder ist?«

»Wäre nicht schlecht, was? Der mordende Bankier. Könnte ein Titel von Edgar Wallace sein. Abegger hätte ein Motiv, und er hat nicht nur einmal lauthals erklärt, er würde Jörgensen eigenhändig umbringen.«

»Ach was. Mörder, die bellen, töten nicht.«

»Ich dachte, es würde Sie interessieren. Das ist doch eine

Bombenstory, ganz egal, ob er Jörgensen nun umgebracht hat oder nicht.« Es war nicht zu übersehen, dass Schraudenbach verärgert war.
Lobenstein lenkte ein. »Gut, bleiben Sie an der Sache, aber verschwenden Sie nicht zu viel Zeit darauf. Ich glaube nicht an einen Racheakt, schon gar nicht von einem Mann wie Abegger. Viel wichtiger ist, herauszufinden, woran Jörgensen gerade gearbeitet hat. Wenn er ermordet wurde, dann sicher wegen einer noch nicht veröffentlichten Geschichte. Um die Veröffentlichung zu verhindern.«
»Ich habe uns für heute Mittag beim Fernsehen verabredet, mit Gerster. Sie kennen ihn sicher.«
»Nur von seinen Sendungen.«
»Jörgensen hatte bei ihm einen Auftrag laufen. Man wollte sich am Telefon nicht dazu äußern, aber es soll nichts sein, was mit seinem Tod zu tun haben könnte.«
Sie sahen sich an und lachten. »Erst mal hören«, sagte Lobenstein. »Haben Sie Ihren Kommissar erreicht? Wir müssen schnell mit ihm sprechen. Vielleicht können wir wenigstens ein paar von Jörgensens Fotos freibekommen und ein bisschen in seinem Nachlass herumwühlen, wenn wir den Vertrag mit Frau Jörgensen vorweisen. Zumindest müssen wir unsere Rechte anmelden.«
»Ich habe heute früh schon im Präsidium angerufen. Sie sagten mir, Weitzner käme erst gegen neun.« Schraudenbach blickte auf die Uhr. »Ich kann es ja noch mal versuchen.«
Es dauerte eine Weile, bevor er Auskunft erhielt. Lobenstein beobachtete, wie er angespannt in den Hörer lauschte.
»Los«, Schraudenbach war ganz aufgeregt, »wir müssen sofort in die Hubertusallee. Kommissar Weitzner ist seit einer halben Stunde in Jörgensens Atelier.«

»Wo ist er?« Lobenstein hatte die Augen zu schmalen Schlitzen zusammengekniffen.
Schraudenbach stotterte vor Verlegenheit. »In Jörgensens Atelier.« Er sah Lobenstein hilflos an. »Entschuldigen Sie, aber …«
Lobenstein stand auf und zog seine Jacke an. »Wie lange waren Sie gestern bei Frau Jörgensen? Ich hoffe, Sie wundern sich nie mehr, dass die REVUE jemand aus Frankfurt schickt, wenn in München mal was Besonderes los ist.«

## 6

Vor dem Haus in der Hubertusallee stand ein Polizeiwagen. Die Tür zum Atelier wurde von einem Beamten in Uniform bewacht. Schraudenbach musste eine Weile verhandeln, ehe der den Kommissar herausrufen ließ.
»Hätt ich mir ja denken können, dass Sie das sind.« Weitzner sprach laut, sehr laut. Er schlug Schraudenbach auf die Schulter. »Grüß Gott, mein Lieber. Woher wissen Sie denn schon wieder, dass ich hier bin, he?«
Schraudenbach zuckte die Schultern. »Pressegeheimnis.«
»Wenn ich den erwisch, der mich an Sie verraten hat, dem zieh ich die Ohren lang. Aber nichts für ungut. Was haben Sie denn auf dem Herzen?«
Schraudenbach stellte Lobenstein vor und erklärte die Situation. Sie zeigten den Vertrag vor, und Weitzner studierte ihn sorgfältig.
»Nicht schlecht, die Herren«, sagte er. »Aber tut mir leid, ein wenig müssen Sie sich halt noch gedulden.«

»Und das heißt hier?«
»Bei dem Personalbestand der Münchner Polizei und den Fällen, die wir zu bearbeiten haben, etwa vier Monate, bis wir alles durchgesehen haben.«
»Fordern Sie doch ein paar Leute von der politischen Polizei an«, sagte Schraudenbach, »die haben genug.«
Weitzner lachte, dass es durch das Treppenhaus dröhnte. »Nicht schlecht. Nicht schlecht. Aber politisch wollen wir den Fall nicht sehen, nicht wahr. Politik verdirbt nicht nur den Charakter, sondern auch die schönsten Mordfälle.«
»Sie glauben nicht an politische Hintergründe?«, fragte Lobenstein.
»Wissen Sie, ich halt mich da erst einmal an die klassischen Motive: Geld, Frauen, Liebe, Hass. Wenn die Politik in meine Leichen kommt, wird's meist schmutzig.«
Einer von Weitzners Leuten steckte den Kopf durch die Tür. »Wir sind fertig mit den Fotos und Fingerabdrücken.«
»Ich komm schon.« Weitzner drehte sich um und wollte wieder in das Atelier gehen. »Rufen Sie mich morgen an, gell?«
»Fingerabdrücke?«, fragte Schraudenbach. »Wozu in Gottes Namen machen Sie Fingerabdrücke?«
»Sie wissen, dass ich Sie mag, Schraudenbach. Versprechen Sie mir, nichts zu veröffentlichen, bis ich es freigeb?«
»Wir machen keinen aktuellen Bericht, sondern eine Serie über Jörgensen. Sein Tod ist nur eine Seite der Geschichte. Uns interessiert sein Material. Fotos. Notizen. Ich befürchte nur, Sie brauchen wirklich Monate.«
»Ich will Ihnen was sagen, ich glaub, der Fall liegt ganz einfach. Ein gewöhnlicher Raubüberfall. Heute Nacht ist nämlich hier ausgeräumt worden.«
Schraudenbach und Lobenstein sahen ihn überrascht an.

»Gell, da staun' S'. Ein eiskalter Bursch muss das sein. Hat gedacht, er hat Zeit, bis die hessische Polizei der bayerischen Staatspolizei ein Brieflein geschrieben hat, man möchte doch, bitte schön, so freundlich sein, wieder mal ein bisschen zusammenzuarbeiten. Und recht hat er, normalerweise dauert das schon ein paar Tag', bis unsere Sankt Bürokratiusse sich geeinigt haben. Normalerweise würden wir schon warten, bis wir den offiziellen Bescheid vom Präsidium haben, den Kollegen aus Frankfurt Amtshilfe zu geben. Nach dem Anruf von Kriminalrat Maurach ist auch weiter nichts passiert, als dass ein Beamter bei der alten Frau Jörgensen die Schlüssel sichergestellt und die Wohnung versiegelt hat, nach dem Atelier hat gestern keiner gefragt. Da konnt' der Herr Täter in aller Seelenruhe heut Nacht hier das Zeug zusammenpacken und abhauen. Aber Pech hat er gehabt. Er ist gesehen worden, und seine Automarke wissen wir auch. Jetzt wird nach ihm gefahndet, und es kann nicht mehr lange dauern, dann haben wir ihn. Und wenn wir ihn haben, haben wir auch bald sein Geständnis. Und dann können Sie von mir aus hier machen, was Sie wollen.«
»Sind Sie sicher, dass der Einbruch und der Tod von Jörgensen zusammenhängen?«
»Kein Einbruch, mein Lieber. Kein Einbruch. Der Mann hat Schlüssel gehabt. Und das da«, er zeigte auf die Tür, »ist ein kompliziertes Sicherheitsschloss. Zu dem gibt's gewiss nicht dutzendweis Schlüssel. Und bei Jörgensens Leich' ist kein Schlüssel gefunden worden. Zählen Sie's zusammen. Zwei plus zwei gibt vier.«
»Wer hat ihn gesehen?«
»Der Hauswirt. Er ist wach geworden, weil ihn sein Podagra so geplagt hat, da hat er aus dem Fenster geschaut und

gesehen, wie ein Mann Metallkoffer aus dem Haus trägt und Taschen. Er hat erst gedacht, es sei der Jörgensen, aber dann hat er erkannt, es ist ein Fremder. Da hat er sich angezogen und ist runtergegangen, um nachzusehen, aber da ist der Mann schon eingestiegen und weggefahren. Die Autonummer hat er nicht merken können, aber den Typ, ein roter VW-Transporter. So viel wird's davon ja nicht geben, zumal mit Frankfurter Kennzeichen. Gell, da staun' S'.« Es war ihm anzusehen, wie er sich über ihre verblüfften Gesichter amüsierte.

»Wissen Sie was«, sagte er dann nach kurzem Überlegen. »Ich lass Sie jetzt ein. Sie können sich mal umschauen und mir gleich sagen, ob Ihnen was auffällt. Sie sind ja in dem Metier besser zu Haus als ich. Aber dass Sie mir nichts anfassen, bevor ich es Ihnen erlaub. Und kein Wort, bevor ich den Fall freigeb. Abgemacht?«

Sie versprachen es.

Das Atelier war eine ehemalige Mietwohnung, ein Zimmer als Dunkelkammer eingerichtet, das zweite als Arbeitsraum und Archiv, dazu eine typische Junggesellenküche, wenig Geschirr, aber eine Menge Gläser, ein großer Kühlschrank. Die Attraktion war das eigentliche Atelier, ein Riesenraum, der sich an die Wohnung anschloss, offensichtlich früher einmal eine Scheune oder eine Lagerhalle, wie man sie in dieser Gegend noch öfter antreffen konnte, Relikte aus der Zeit, als dies hier noch ein Vorort gewesen war und nicht mitten in der Stadt lag.

An der einen Atelierwand hing ein sogenannter endloser Hintergrund, eine riesige weiße Stoffbahn, die man über den ganzen Fußboden ausziehen konnte, dazu verschiedenfarbige Stoffhintergründe, die von der Decke herabgelassen werden

konnten, und überdimensionale Fotos, die wohl einmal als Hintergrund für Modellaufnahmen verwendet worden waren; der größte Teil des Raumes stand voller Requisiten, darunter ein Rettungsring, eine Ritterrüstung, alte Gewehre, Geweihe, mehrere Äxte, sogar ein Amboss. Alles sah unbenutzt aus, verschlissen und ungepflegt.
»Hat er auch Mode fotografiert?«, fragte Lobenstein erstaunt.
»Ich glaube nicht«, sagte Schraudenbach. »Vielleicht hat er das Atelier mit der ganzen Einrichtung übernommen und es einfach stehen lassen. In der letzten Zeit hat er ohnehin fast nur noch für das Fernsehen gearbeitet.«
Hier war offensichtlich nichts zu entdecken. Der Raum war schon seit Tagen oder Wochen nicht mehr betreten worden, eine feine Staubschicht lag auf dem Boden, sie war unberührt.
Sie gingen zurück in die Wohnung. Sie fanden nur eine Tasche mit Fotogerät, zu wertvoll, als dass ein Dieb sie einfach hätte stehen lassen, aber geradezu lächerlich, wenn man bedachte, wie viel Ausrüstung Jörgensen gehabt haben musste.
»Nun«, fragte Weitzner, »was halten Sie davon?«
»Jörgensen muss wenigstens noch zwei oder drei Fotoapparate samt Zubehör gehabt haben, und sicher nicht die schlechtesten«, antwortete Schraudenbach. »Und eine komplette Sechzehn-Millimeter-Film-Ausrüstung. Soviel ich weiß, hatte er auch eine eigene Normalfilmausrüstung und Ton. Wenigstens zwei Tonbandgeräte, wahrscheinlich drei. Und Kassettenrecorder. Dazu Licht, Akku-Leuchten, das sind allein zwei Riesenkoffer, dann Stative, Kassetten für Filmkameras.«
»Ich glaube nicht, dass Jörgensen so viel Geräte hatte«,

wandte Lobenstein ein. »Es ist üblich, dass man sich das beim Fernsehen oder einer Kamerafirma ausleiht. Oder hatte Jörgensen eine eigene Produktion?«
»Nein. Aber Geräte. Ich weiß es von einem Kameramann. In der Wohnung ist nichts?«
Nein, in der Wohnung sei nichts gefunden worden.
»Darf ich mal telefonieren?«, fragte Schraudenbach.
»Wozu?« Weitzner reagierte sofort misstrauisch.
»Ich will versuchen herauszubekommen, wo Jörgensen seine Apparate durchsehen und reparieren ließ, die werden am besten wissen, was er alles besessen hat, und irgendwo hat er das Zeug auch versichern lassen.«
»Telefonieren Sie draußen. Gegenüber ist eine Zelle.«
Bis auf Weitzner und seinen Assistenten hatten die Beamten das Atelier inzwischen verlassen. Lobenstein blätterte in dem Kalender auf dem Schreibtisch. Seit fünf Tagen war nichts mehr eingetragen worden, aber die wenigen Notizen zeigten, dass der Block ohnehin nicht regelmäßig benutzt worden war.
»Die Telefonnummern haben wir schon überprüft«, sagte Weitzner. »Fernsehen, SPIEGEL, zwei Münchner Zeitungen, eine Kameravertretung, der Schneider, Flughafen, ein paar Lokale und ein Mädchen.«
»Wer?«, fragte Lobenstein. »Darf man das wissen?«
»Natürlich nicht. Dienstgeheimnis. Am Siebzehnten.« Dabei machte Weitzner ein besonders strenges Dienstgesicht und drehte Lobenstein den Rücken zu. Lobenstein blätterte schnell zurück und schrieb sich die Nummer unter der Schreibtischplatte auf die linke Handfläche.
»Sie ist verreist«, sagte Weitzner und grinste.
Lobenstein schlenderte durch die Räume, Weitzners Assis-

tent lief wie ein Schoßhund hinter ihm her und beobachtete ihn. Lobenstein kramte in den Schränken. Es gab ein paar Dutzend Ordner voller Notizen, Zeitungsausschnitten, Briefen, Quittungen und Prospekte, Schränke mit Fotos, sauber in Kartons verpackt, die mit den Titeln oder Themen seiner großen Reportagen beschriftet waren, und Dutzende Kästen Negative. Alles war peinlich geordnet.

»Nichts durcheinanderbringen«, mahnte Weitzner. Und versuchen Sie gar nicht erst, was mitgehen zu lassen, ich merk's doch.«

Schraudenbach kam zurück. »Der Versicherungsvertreter ist nicht zu Hause. Ich habe hinterlassen, dass er Sie gleich anrufen soll, war doch richtig?«

Weitzner nickte freundlich. »Brav, brav, so gefallt ihr Journalisten mir.«

»Die Kamerawerkstatt sagt, so genau wüssten sie es auch nicht, aber sie haben mir einen Überschlag gemacht, Kamera-Ausrüstung, Licht- und Tonbandgeräte etwa siebzigtausend Mark, dazu die Foto-Ausrüstung.«

Weitzner pfiff mit spitzen Lippen. »Na, meine Herren, Grund genug, jemand umzubringen. Ich hoffe, wir haben ihn bald. Schon wegen der Frechheit. Der hat genau gewusst, was er wollte. Geht rein, packt die Ausrüstung zusammen und verschwindet. Wetten, ein Profi. Er wird versuchen, das Ganze ins Ausland zu bringen und dort abzusetzen.«

»Fünfzigtausend kann er selbst bei einem Schnellverkauf herausholen«, sagte Lobenstein. »Ich weiß zufällig, dass gute Geräte knapp sind, das Fernsehen braucht viel, die Werke kommen gar nicht so schnell nach, sie haben Lieferzeiten bis zu einem Jahr.«

»Aber die Geräte sind gezeichnet. Kameras haben Nummern«, warf Schraudenbach ein.
»Es gibt Gegenden, da nimmt man es nicht so genau, zumal wenn es billig ist, Länder, die sich ein eigenes Fernsehen aufbauen, und Journalisten, die ins große Fernsehgeschäft einsteigen wollen, außerdem Zwischenhändler, die die Spur zwischen Diebstahl und Käufer verwischen.«
Weitzner nickte. »Ist Ihnen etwas aufgefallen, was mir weiterhelfen könnt'?«
Schraudenbach schüttelte den Kopf.
»Nein, nichts«, sagte Lobenstein. »Vielleicht in der Dunkelkammer, da habe ich mich noch nicht umsehen können. Ihr junger Mann lässt mich nicht rein.«
Weitzner lachte. »Ja, wann ich was sag, gilt's auch.« Und zu dem jungen Beamten: »Lassen S' ihn schon ein. Aber schauen S' ihm auf die Finger. Das hier sind zwei ganz Gerissene, gell?« Dabei klopfte er Schraudenbach väterlich auf den Rücken.
Lobenstein ging in die Dunkelkammer. Auf den ersten Blick konnte er nichts Ungewöhnliches entdecken. Jemand musste vor nicht allzu langer Zeit hier gearbeitet haben, Entwickler und Fixierbad waren frisch, der Abfallkorb halb voll, auf dem Rand des Wasserbeckens hingen ein paar schwarze Streifen, offenbar Belichtungsproben, unter der Bildschere lagen Schnipsel auf dem Boden. Trockenpressen und Trockenschrank waren leer. In der Ecke des langen Arbeitstisches lag ein Stapel Vergrößerungen.
»Darf ich?«, fragte Lobenstein den Beamten. Der zuckte die Schultern. Es waren Landschaftsfotos aus den Alpen, aus der Schweiz oder aus Österreich. Unter den Fotos lagen die Negativtaschen. Während Lobenstein die Negative gegen das

Licht hielt, entdeckte er, dass in dem einen Vergrößerungsapparat ein schmaler Filmstreifen eingelegt war, ein Stück 16-mm-Kinofilm. Der Beamte stand in der Tür und sah in den Nebenraum. Lobenstein nahm den Film aus dem Apparat. Er hielt ihn gerade in der Hand, da kam Weitzner.
»Na, mein Lieber, haben Sie noch etwas gefunden?«
»Ich weiß nicht …«
»Ich hab auch nix erwartet.« Weitzner nahm ihn am Arm und zog ihn hinaus. »Wir haben uns ja schon umgesehen. Mit den Fotos ist nicht viel anzufangen, gelt?« Lobenstein ließ die Filmrolle in der Hosentasche verschwinden. »Drücken S' uns die Daumen, dass wir den Hallodri bald haben, dann können S' von mir aus hier alles auf den Kopf stellen. Wenn der Staatsanwalt es Ihnen erlaubt. Und warum sollte der nicht. Glauben Sie mir, in ein paar Tagen ist der Fall erledigt. Rufen Sie mich wieder an. Empfehle mich. Grüß Gott, die Herren. Wir machen hier Feierabend.«
Es war ein glatter Rausschmiss. Sie fragten, ob sie ihn zum Mittag einladen könnten. Weitzner lehnte ab. »Das könnt euch so passen. Beamtenbestechung. Und der Kammhuber haut mich in die Pfanne, noch dazu, wenn er erfährt, mit wem ich dinier.«
Lobenstein sah ihn überrascht an. »Sie wissen, wer …?«
»Ich weiß gar nichts. Ich weiß nur, was mit meinen Fällen zusammenhängt. Den Herrn Schraudenbach kenn ich. Und Sie hab ich gar nicht gesehen.«
»Sehen Sie«, sagte Schraudenbach, als sie auf der Straße standen, »die Polizei hat auch nichts von dem Atelier gewusst.«
»Ja«, entgegnete Lobenstein, »aber Sie arbeiten nicht für die Polizei, sondern für die REVUE.«
Sie hatten noch Zeit, in der Luisenstraße vorbeizusehen. Der

alten Frau Jörgensen ging es leidlich. Die Pflegerin las ihr aus dem Neuen Testament vor. Frau Jörgensen war gefasst und ruhig, bedankte sich, dass Schraudenbach und Lobenstein sich so rührend um sie kümmerten, und bestätigte die Vereinbarung. Ja, sie würde nur ihnen über ihren Sohn erzählen. Dann fragte sie Schraudenbach, wann die Polizei wohl den Leichnam freigeben würde, und fing wieder an zu weinen.

Lobenstein ging in die Küche und nahm Möbius mit.

»Schreiben Sie sich auf: 73 12 73, Birgitt. Finden Sie heraus, wer dahintersteckt. Aber so, dass niemand Sie mit uns in Verbindung bringt. Die Nummer stand in Jörgensens Kalender.«

»Endlich ein Auftrag nach meinem Geschmack. Ist schon so gut wie erledigt.«

Lobenstein ging in das Badezimmer, zog die Filmrolle aus der Tasche und hielt sie gegen die Lampe. Es war Positivmaterial. Auf den winzigen Bildern war so kaum etwas zu erkennen. Irgendwelche Leute, die aus einem Haus kamen, eine Straße.

Im Auto fragte Lobenstein, ob Schraudenbach einen zuverlässigen Fotografen an der Hand habe, bei dem sie schnell einen Film entwickeln oder Vergrößerungen kopieren lassen könnten.

»Ich habe mir zu Hause eine kleine Dunkelkammer eingerichtet«, sagte Schraudenbach. »Wenn Sie etwas haben, können Sie es mir geben. Was ist es denn?«

»Ich – ich wollte es nur wissen.«

# 7

»So, Sie sind also der Peter Lobenstein«, sagte Gerster, »ich habe Sie mir älter vorgestellt, ich weiß nicht warum.«

»Sicher weil ich so weise Gedanken von mir gebe.«

Sie lachten. Schraudenbach kicherte. Als Lobenstein ihm einen Blick zuwarf, verstummte er sofort und holte ein großgewürfeltes Taschentuch hervor, in das er sich laut schnäuzte.

»Jörgensen wollte eine Story für Sie machen. Verraten Sie mir, was für eine?«

»Warum nicht. Das ist kein Geheimnis. Und kein Motiv für einen Mord.« Gerster sah ihn spöttisch an. »Ich nehme an, Sie sind deshalb zu mir gekommen.«

»Vielleicht.«

»Jörgensen arbeitete an einer Geschichte über die ›Steuerflüchtlinge‹. Sie kennen das ja, die Unternehmen, die den Fiskus jedes Jahr um Hunderte von Millionen Steuergelder betrügen, indem sie ihre Geschäfte über Scheinfirmen in Liechtenstein oder Andorra oder der Schweiz abwickeln oder sich dort die Staatsangehörigkeit besorgen und so nur die niedrigeren Steuersätze zu zahlen haben. Er wollte dieser Tage in die Schweiz fahren.«

»Ein paar hundert Millionen sind zwar ein schönes Mordmotiv, aber die betreffenden Herren haben wohl feinere Methoden …«

»Zumal es wirklich kein Geheimnis ist, dass und wer Steuergelder auf diese Weise hinterzieht. Darüber redet sogar der Bundesfinanzminister im Bundestag.«

»Warum wollte denn Jörgensen dieses Thema anfassen? Ich kann mir nicht vorstellen, dass er einen alten Hut auftragen wollte.«

»So alt ist der Hut nicht. Im Fernsehen ist bisher nichts darüber gebracht worden. Aber Sie haben recht, für Jörgensen war es eigentlich zwei Nummern zu klein. Ich war auch überrascht, als er es uns vorschlug. Ich glaube, ich bin dahintergekommen, warum er es machen wollte.« Gerster lächelte. »Die Amazonas-Expedition hat ihn ziemlich viel Kraft gekostet, zuerst die Strapazen dort, dann hat er die Filme in einem Affentempo fertig gemacht. Eine gute Sache, wir werden sie jetzt schnell ins Programm werfen. Sensationelle Aufnahmen von der Ausrottung der Indianer. Grausame Story. Ich kann mir schon denken, wie sehr ihn das mitgenommen hat, so abgebrüht war Jörgensen schließlich nicht. Er hat sich jedes Mal voll an seinem Thema engagiert. Deshalb mochte ich ihn auch.«

»Aber er hat doch nicht nur an seinen Amazonas-Filmen gearbeitet, die Tiroler …«

»Die hätte er am liebsten gar nicht gedreht. Aber die Sache war nur jetzt möglich, und da hat er sie zähneknirschend zwischengeschoben. Nein, er war fertig. Deshalb wollte er auch in die Schweiz. Sie hätten ihn mal sehen sollen. Kein Vergleich mit früher. Das wollte er natürlich nicht eingestehen. Ein Mann wie Jörgensen wird einfach nicht müde. In der Schweiz konnte er ein paar Wochen arbeiten und sich zugleich erholen.«

»Und was sollte der Knüller der Reportage werden?« Gerster zuckte die Schultern. »Keine Ahnung.«

Lobenstein sah ihn spöttisch an. »Und was hat Jörgensen in Frankfurt gewollt?«

»Ja, wenn ich das wüsste. Ich habe Freitagabend noch mit ihm telefoniert. Ich wollte ihn zum Weekend einladen. Er sagte, er hätte noch Vorbereitungen für seine Reise zu tref-

fen. Ich dachte, er wolle sich nur ausschlafen, denn ich wusste, dass er seine Vorarbeiten abgeschlossen hatte. Er wollte eigentlich schon vorige Woche in die Schweiz fahren.«
»Warum hat er seine Reise verschoben? Wegen Frankfurt?«
»Keine Ahnung. Er hat mir nie etwas von Frankfurt gesagt.«
»Woran hat Jörgensen noch gearbeitet? Sie kennen doch sicher seine Pläne.«
Gerster lachte. »Jörgensen hat nie viel über seine Pläne gesprochen. Eines Tages ist er mit einer Idee angerückt, und die war dann durchdacht und so weit dokumentiert, dass er sofort anfangen konnte. Er hat doch nie Sorgen haben müssen, dass seine Bemühungen für die Katz sein könnten. Er hat nie vergeblich investiert.«
»Stimmt es, dass er eine eigene Ausrüstung hatte? Ich dachte, das sei nicht üblich.«
»Ist es auch nicht. Aber bei Jörgensen war das Unübliche das Normale. Früher hat er sich seine Ausrüstung immer von uns ausgeliehen oder bei einer der Kamerafirmen, aber als er für die Amazonas-Expedition nicht das bekommen konnte, was er wollte, hat er es sich kurzerhand zusammengekauft.«
»Kann man das, kurzfristig?«
»Jörgensen konnte es.«
»Und woher hatte er das Geld? Zahlen Sie so gut?«
»Einen Jörgensen bekam man nur, wenn man gut zahlte. Er war sein Geld wert. Eine Story von ihm war immer eine Sensation. Aber von uns allein hätte er natürlich nicht leben können, der Aufwand für Filmarbeit ist wahnsinnig hoch. Er hat alle seine Berichte noch ein paarmal ins Ausland verkauft. Als Jörgensen damals anfing, für das Fernsehen zu arbeiten, habe ich mit ihm gewettet, dass er es nicht länger als ein Jahr durchhalten könne, dann sei er pleite. Ich habe meine

Wette verloren. Er hat es nicht nur geschafft, er ist sogar reich dabei geworden. Von seinem Konto können wir nur träumen. Aber das war nicht einmal das Wichtigste für ihn. Viel wichtiger war ihm die Unabhängigkeit, dass er sich seine Themen selbst aussuchen und dass andere nicht viel reinreden konnten. ›Nur so kann man in diesem Beruf noch arbeiten‹, hat er immer gesagt. ›Man muss sehr groß werden, um sich nicht nur den Luxus einer eigenen Meinung leisten, sondern sie auch noch verbreiten zu können.‹«

»Es gibt Gerüchte, dass er einen Teil seines Materials zurückhielt, um es, nun, sagen wir, an Privathand zu verkaufen.«

»Ja, ja, ich weiß, aber da ist nichts dran.«

»Sie glauben also nicht, dass er sein Material manipuliert hat?«

»Was heißt manipuliert? Auf keinen Fall hat er andere damit erpresst. Nicht Jörgensen. Sie wissen doch, wo Geld ist, gibt es auch Gerüchte. Nach meinen Erfahrungen war Jörgensen absolut seriös. Gewiss, wenn er hinter einer Story her war, kannte er keine Schonung. Nicht für sich und nicht für seine Mitarbeiter und schon gar nicht für das Opfer. Er hatte etwas von einem Westernheld. Der einsame Mann, der für die Gerechtigkeit kämpft.« Gerster schmunzelte. »Er wollte immer einen Film über Robin Hood machen.«

»War er eigentlich bei den Fernsehleuten beliebt?«

»Ich glaube nicht. Er hatte viele Neider. Und viele Feinde. Er hat geradezu Feinde gesammelt. ›Viel Feind, viel Ehr‹ – das war auch einer seiner Sprüche. Und: ›Wer heutzutage beliebt ist, kann nur ein Heiliger oder ein Schwein sein.‹ Ich mochte ihn. Und er mich wohl auch. Nicht, weil ich eine Art Chef war. Er ist vor niemandem gekrochen, im Gegenteil. Wenn er irgendwo Abhängigkeit spürte, wurde er noch eine Nummer gröber. Er mochte wohl meine Sendung, obwohl ...« Gerster sah Lobenstein an, dann nahm er seinen Bleistift und versuchte, ihn hochkant zu stellen, der Stift fiel immer wieder um. »Er hat mich immer gehänselt. Ich sei doch auch nur ein kastrierter Marktschreier. Meine Freiheit ende genau dort, wo die Interessen der wirklich Mächtigen begännen, und ich könne nur deshalb meine Meinung verkünden, weil ich letztlich doch immer irgendjemand zum Munde rede.«

»Er nicht?«

»Er sei unabhängig. Wenn er seine Filme hier nicht mehr los würde, könne er sie jederzeit im Ausland verkaufen. Und er sei sehr froh, dass er das geschafft habe, aber unter einer halben Million brauche man das nicht erst zu versuchen.«

»Ja«, sagte Lobenstein nachdenklich. Sie schwiegen eine Weile. Schraudenbach rutschte unruhig auf seinem Stuhl herum und zeigte auf seine Armbanduhr.

»Noch eine Frage, Herr Gerster. Mit wem hat er zusammengearbeitet? Hatte er ein festes Team?«

»Nein, er hat seine Leute für jeden Film neu zusammengestellt. Einige hat er öfter engagiert, aber der Einzige, mit dem er wohl ständig arbeitete, war Wabyschewski, sein Rechercheur. Mit dem müssen Sie unbedingt sprechen.

»Und mit wem wollte er in die Schweiz? Wissen Sie das?«

»Nur mit einem Kamera-Assistenten.« Gerster gab ihm die Adresse.

»Und mit wem war Jörgensen liiert?«

»Keine Ahnung. Über Frauen hat er noch weniger gesprochen als über seine Themen.«

Der Kamera-Assistent wollte sie an der Tür abfertigen. Lobenstein überredete ihn, sie einzulassen. Ein anständiges Ho-

norar ist immer noch ein gutes Argument. Vor drei Wochen hätte Jörgensen angerufen und ihn für die Schweiz-Reportage engagiert. »Ich bin bei vielen seiner Reisen mitgewesen.«
»Waren Sie auch in Brasilien?«
»Nein.«
»Warum nicht?«
»Wegen der Strapazen. Ich habe mir, als ich vor zwei Jahren mit Jörgensen in Angola war, einen Herzknacks zugezogen. Vielleicht hat er mich deshalb mit in die Schweiz nehmen wollen. Es hätte mir gutgetan. Aber dann habe ich einen Kollaps bekommen. Ich habe JJJ am Freitag angerufen, dass ich nicht mitfahren kann, zumindest nicht gleich. Der Arzt meinte, es würde wenigstens zwei Wochen dauern.«
Er hatte Jörgensen noch einen Ersatz vermitteln wollen, aber der hatte erwidert, er würde sich selbst darum kümmern.
»Sind Sie gut mit ihm ausgekommen?«
»Sehr gut. Er war ein phantastischer Kerl, wenn er jemanden leiden konnte. Und wenn man gut arbeitete. Und verschwiegen war.«
»Jetzt brauchen Sie es nicht mehr«, sagte Lobenstein. »Ich glaube, es wäre sogar verkehrt.«
Sie vereinbarten, dass der Assistent über seine Erlebnisse mit Jörgensen berichten würde. Sie handelten eine Weile, bis sie sich über das Honorar einig waren, dann ließ Lobenstein ihn eine formlose Verpflichtung unterschreiben und machte einen Termin aus. Außerdem erfuhr er von ihm ein paar Namen und Adressen, bei denen es sich vielleicht lohnte, Erkundigungen über Jörgensen einzuziehen.
»Die Sache macht sich«, sagte Schraudenbach zufrieden. »Mutter, Mitarbeiter, fehlt noch das Mädchen.«

# 8

Möbius wartete im Hotel. »Ich überleg mir das noch mal mit dem Journalismus«, stöhnte er. »Das ist wohl doch kein Job für mich. Dieses ewige Warten.«

»Hatten Sie wenigstens Erfolg?«

Möbius grinste. »Lehrsatz eins der modernen Welt: Erfolg haben ist Pflicht. Birgitt heißt Ammenschläger, ist brünett, dreiundzwanzig, Schönheitstänzerin, wohnt Bismarckstraße sechs in einer Dachwohnung und ist seit gestern Abend verreist. Wohin, wusste die Portierfrau nicht. Birgitt Ammenschläger hätte einen Koffer und eine Reisetasche bei sich gehabt, sie hat der Portierschen den Briefkastenschlüssel gegeben und gesagt, es könne länger dauern. Die Telefonnummer gehört zu einem Apparat, der in der Bismarckstraße auf dem Flur hängt. Bis vor einer Woche hat Birgitt Ammenschläger im ›Blow up‹ gearbeitet, aber die wissen auch nicht, wo sie geblieben ist.«

»Einen Moment.« Lobenstein gab Schraudenbach eine Reihe von Aufträgen und verabredete sich mit ihm zum Abendessen, dann winkte er Möbius. »Los, ab. Sie fahren.«

»Wohin?«

»Bismarckstraße sechs.«

Möbius sah Lobenstein fragend an, aber der dachte jetzt nicht an Erklärungen. Sie fanden eine Parklücke in einer Seitenstraße. Lobenstein holte seine Brieftasche hervor, legte das Notizbuch in die Brieftasche und fünf Zehnmarkscheine dazu. »Wie heißt die Portierfrau?«

»Meysel. Glauben Sie, Sie kriegen mehr aus ihr heraus? Ich denke, sie weiß nicht, wohin unsere Birgitt entschwebt ist.«

»Abwarten.«

Frau Meysel war eine kleine, rundliche Endsechzigerin.
»Grüß Gott«, sagte Lobenstein, »darf ich einen Moment reinkommen?«
»Sie verschwenden Ihre Zeit. Ich kaufe nichts.« Ihr Bayrisch hatte einen unverkennbaren berlinerischen Akzent.
»Ich will nichts verkaufen. Ich bin von der Presse und will nur erfahren, wie es Sie von der Spree an die Isar verschlagen hat.« Dabei ging er schon an ihr vorbei in die Wohnung.
»Ach, das ist eine lange Geschichte«, sagte sie und machte ihm die Tür zur Küche auf. »Woher wissen Sie das eigentlich?«
»Ihre Aussprache.« Lobenstein setzte sich unaufgefordert, nahm die Brieftasche hervor, schlug sie auf, öffnete das Notizbuch und zückte seinen Kugelschreiber. Er registrierte zufrieden, wie sie auf die Geldscheine blickte. »Ich komme wegen Birgitt Ammenschläger.« Dabei ließ er die Fingerspitzen über das Geld streichen und schob den obersten Schein auf den Tisch. »Wo ist sie? Ich muss mit ihr sprechen.« Der zweite Schein wanderte auf den Tisch.
»Ich weiß es nicht. Sie hat nur gesagt, dass sie verreist.« Lobenstein schob den dritten Schein vor, dabei sah er ihr ins Gesicht.
»Nee, wirklich«, sagte sie und sah auf das Geld, dann auf Lobenstein.
»Wann will sie sich denn ihre Post holen?« Lobenstein ließ den vierten Schein auf den Tisch gleiten.
»Irgendwann. Was weiß ich.«
»Sie wissen genau, wo sie ist. Sie können es mir ruhig sagen, ich bin wirklich von der Presse.« Lobenstein schob ihr seine Pressekarte über den Tisch, dabei wanderten die Geldscheine in ihre Griffweite. Sie studierte den Ausweis, dann sah sie Lobenstein an. »Ich weiß nicht …«

»Doch, Sie wissen.« Lobenstein legte den fünften Schein zu den anderen. »Aber vielleicht sind Sie nicht interessiert?« Er nahm das Geld in die Hand.

»Warten Sie mal. Die Adresse weiß ich wirklich nicht, aber ich glaube, sie tritt jetzt im ›Pferdestall‹ auf.«

Lobenstein ließ die Scheine wieder fallen, sie waren im Nu in ihrer Schürzentasche verschwunden. Er nahm ein Foto von Jörgensen aus seiner Brieftasche und hielt es ihr hin. »Kennen Sie den?«

Sie sah ihn verschmitzt an. »Natürlich. Der war doch heute in der Zeitung.«

»Ich habe gefragt, ob Sie ihn kennen.«

»Vielleicht.«

Lobenstein klappte die Brieftasche zu, behielt sie aber noch in der Hand. »Vielleicht?«

»Gut, ich habe ihn ein paarmal gesehen, aber das ist schon lange her, dass er zu der Ammenschläger gekommen ist. Über ein Jahr.«

»In den letzten Wochen ist er nicht hier gewesen?«

»Nee, bestimmt nicht.«

Lobenstein stand auf. »Danke, wenn ich noch Fragen habe, komme ich wieder.«

»Genieren Sie sich nicht.«

Als Lobenstein zum Wagen zurückging, kam er an einer kleinen Drogerie vorbei. »Vergrößerungen in sechs Stunden« versprach ein Schild im Schaufenster. Lobenstein ging hinein. Hinter dem Ladentisch saß ein älterer Mann und las Zeitung. Er stand sofort auf, als Lobenstein eintrat. »Womit kann ich dienen?«

»Sie haben ein eigenes Fotolabor?«

»Ja, was darf's denn sein? Film entwickeln, Vergrößerungen? Farbsachen muss ich außer Haus geben, aber morgen früh könnten die auch fertig sein.«
»Kann ich Ihr Labor für eine halbe Stunde mieten?«
»Na ja, das ist ein bisschen ungewöhnlich.«
»Machen Sie einen Preis.« Der Ladenbesitzer zögerte. »Gut, fünfzig«, sagte Lobenstein, »Materialkosten extra. Ich kann auch woanders hingehen, wenn Sie ...«
»Nein, nein, einverstanden, aber ich kann jetzt schlecht aus dem Laden gehen.«
»Ich brauche Sie nicht. Ich bin Profi. Ich hole mir nur schnell was aus meinem Wagen.«
Möbius stand neben dem Auto und sah ihn erwartungsvoll an. »Nun, haben Sie mehr herausbekommen?«
»Wir werden die Dame Birgitt heute Abend besuchen.« Möbius nickte anerkennend. »Na ja, Sie sind ein alter Fuchs. Sie haben Ihre Tricks.«
Lobenstein lachte. »Ja. Fünf. Kleine blaue Scheine. Lehrsatz zwei der modernen Welt: Geld öffnet jeden Mund. Fast jeden. Geben Sie mir die Schlüssel. Ich brauche Sie die nächsten Stunden nicht. Fahren Sie zu Schraudenbach, vielleicht können Sie ihm helfen. Wir treffen uns um halb acht im Hotel zum Essen. Betrachten Sie sich als eingeladen.«
Lobenstein ließ sich kurz in das kleine, ziemlich primitive Fotolabor einweisen.
»Soll ich nicht doch helfen?«, fragte der Drogist. »Ich bin verschwiegen wie ein Grab. Zu mir kommen oft Leut' mit diskreten Aufträgen. Ich hör hier ja, wann jemand in den Laden kommt.«
Lobenstein drängte ihn hinaus. Dann spannte er den Film aus Jörgensens Atelier in den Vergrößerungsapparat und zog

ihn Bild für Bild durch. Leute, die aus einem Haus kamen. Wer? Wo? Der lange Schwenk über die Straße gab keine Anhaltspunkte, auch die Autonummern verrieten es nicht, Nummern aus allen möglichen Gegenden. Lobenstein sah sich die Gesichter der Leute, die in Großaufnahmen abgebildet waren, aufmerksam an. Es war niemand dabei, der ihm bekannt vorkam. Auf einer Aufnahme war über der Tür ein Stück Schrift zu sehen: ur-Hot. Lobenstein steckte den Film ein und ging hinaus.

»Schon fertig?«, fragte der Drogist.

»Ja, der Film taugt nichts.«

»Nun, dann haben S' noch was gut bei mir. Kommen S' ruhig wieder vorbei, auf meine Diskretion können S' sich alleweil verlassen.«

Lobenstein setzte sich in den Wagen, zündete eine Zigarette an und überlegte. Weshalb hatte der Filmstreifen im Vergrößerungsapparat gesteckt? Nur um ihn sich anzusehen, wie er es eben getan hatte? Nein, vorne hatte ein Filmprojektor gestanden, das wäre einfacher gewesen. Hatte man Bilder davon kopiert? Warum? Fotos von Schmalfilmnegativen wurden technisch zumeist so schlecht, dass kaum etwas damit anzufangen war. Und es war ein Positivstreifen, also hätte man erst Negative anfertigen müssen. Zu viel Aufwand für etwas Nichtiges. …ur-Hot … Ein Hotel? Wo?

## 9

Es war schon nach sieben, als Lobenstein in seinem Hotelzimmer ankam. Beim Portier lag eine Nachricht für ihn. Er solle sofort Wilhelmi anrufen.

Wilhelmi war gereizt. »Schön, dass Sie sich auch noch mal melden, Herr Lobenstein.«
»Warum so ungeduldig?«
»Vor zwei Stunden war Imprimaturschluss. Ich dachte, Sie würden noch etwas für die Ankündigung Ihrer Story durchgeben. Nun müssen Sie sie so nehmen, wie sie ist, beschweren Sie sich nicht hinterher.«
»Wie haben Sie es denn gemacht?«
»Der Tod des Reporters. Die Wahrheit über den Fall Jörgensen. Vom Amateurfotografen zum Starreporter. Stationen einer außergewöhnlichen Karriere. Mit der Kamera auf fünf Kontinenten. Skandale, Liebe, Sensationen und große Politik. Die Geschichten hinter den Geschichten. Ein Exklusiv-Bericht von Peter Lobenstein. Ab nächste Woche in der REVUE.«
Lobenstein schwieg.
»Gefällt es Ihnen etwa nicht?«
»Doch, doch. Der Text ist schon in Ordnung. Nur, wie soll ich das halten? Wann wollen Sie denn die erste Folge von mir haben?«
»Der erste Bericht soll vor allem aus Fotos mit kurzen Unterschriften bestehen, das schaffen wir notfalls auch ohne Sie. Der eigentliche Bericht beginnt eine Woche später. Wir müssen uns ja Luft schaffen, bis der Fall sich etwas klärt.«
»Vielleicht ist er schon geklärt.« Lobenstein erzählte ihm von dem nächtlichen Besucher. »Wenn es tatsächlich ein Raubmord war, sehen wir ziemlich blass aus nach dieser Ankündigung. Hoffentlich wird wenigstens der Täter nicht so schnell gefasst.«
»Hoffentlich. Solange ist immer noch viel Raum für Spekulationen. Haben Sie schon die ABENDZEITUNG gesehen?«

»Nein, was schreibt sie denn?«
»Jörgensen sei dabei gewesen, das deutsche Rauschgiftnetz aufzudecken.«
»Irgendwelche Fakten?«
»Nein, aber ein paar sehr schöne Sätze. Soll ich mal vorlesen? Es lohnt sich. ›Nachdem die Polizei auf eine geradezu bewundernswerte Weise erfolglos war, hatte sich ein mutiger, ehrgeiziger und talentierter Einzelgänger gefunden, der diesem Unwesen den Kampf ansagte. Er hat seinen Mut mit dem Tod bezahlen müssen.‹ Die AZ würde der Sache aber auf der Spur bleiben. Und hier: ›Wenn die staatliche Gewalt versagt, ist die Öffentlichkeit, und das heißt in erster Linie die Presse, aufgerufen, der Wahrheit zu dienen und für ein sauberes Deutschland zu sorgen!‹«
»Sauber, sauber. Und kein Hinweis, worauf sie ihre Vermutung stützen?«
»Nein, aber gleich darunter ist ein Bericht vom Parteitag der Bayernpartei mit der Losung: Für ein sauberes Bayern.«
»Ich schick Schraudenbach morgen mal vorbei. Was gibt es Neues von Kriminalrat Maurach?«
»Der Obduktionsbefund liegt vor. Todesursache ist ein Schlag mit einem stumpfen Gegenstand auf den Hinterkopf. Und Jörgensen war schon tot, als er ins Gebüsch geworfen wurde. Der Tod ist zwischen zweiundzwanzig Uhr dreißig und null Uhr eingetreten. Das steht ziemlich genau fest. Die Leiche muss aber schon vor drei viertel zwölf von der Brücke gestürzt worden sein. Zu der Zeit hat es nämlich einen Verkehrsunfall an der Eilenbergbrücke gegeben, und es dauerte über eine Stunde, bis die Polizei wieder verschwunden und die beschädigten Wagen weggeräumt waren. Und die Zeit danach kommt nicht mehr in Frage. Die Verletzungen, die

von dem Sturz herrühren, sind höchstens eine halbe Stunde nach dem Tod zugefügt worden.«
»Legen Sie es zu den Akten. Ich glaube kaum, dass wir das mal brauchen werden. Hat Maurach irgendwelche Hinweise auf den möglichen Täter?«
»Nein. Vielleicht war es Ihr Einbrecher?«
»Beten Sie zum lieben Gott, dass er es nicht war. Verschieben können wir die Sache nicht noch um eine Woche, was?«
»Kalte Füße?«
»Nein, das nicht …«
»Ihnen wird schon was einfallen, Herr Lobenstein. Der Chef ist sehr optimistisch. Er hat mir vorhin noch mal gesagt, Sie seien das beste Pferd im Stall.«
Lobenstein verschluckte einen Fluch.

Schraudenbach kam erst, als Lobenstein schon mit dem Essen fertig war. Möbius verdrückte noch Kaiserschmarrn als Nachtisch. Schraudenbach legte mit großer Geste eine Liste auf den Tisch. »Sie sind für die nächsten Tage ausgebucht. Termine bis spät in die Nacht. Nur den Rechercheur habe ich noch nicht erreichen können. Da meldet sich niemand.« Lobenstein zog die Stirn kraus und setzte an, etwas zu sagen, holte dann aber nur tief Luft. »Okay. Aber tun Sie mir einen Gefallen, Schraudenbach. Schaffen Sie diesen Wabyschewski herbei, tot oder lebendig.«
»Ja, natürlich. Aber ich habe wirklich …«
»Schon gut. Was gibt es Neues bei Ihrem Freund Weitzner?«
»Er ließ sich nicht sprechen. Ich dachte, wir fahren jetzt mal beim Präsidium vorbei. Weitzner ist noch dort.«
»Gut. Ich will dann in den ›Pferdestall‹, aber da kann unser junger Mann mich begleiten. Sie fahren zu Wabyschewski.«

»Wenn Sie Striptease sehen wollen, kann ich Ihnen bessere Tipps geben. Im ›Pferdestall‹ gibt's doch nur für Opas Sex.«

»Ich will mit Birgitt Ammenschläger sprechen, die soll jetzt dort auftreten.«

»Versprechen Sie sich viel von der Dame? Die hat doch wohl nicht das rechte Format, als dass sie Jörgensens Freundin gewesen sein könnte.«

»Mag sein. Früher war sie es jedenfalls mal. Und auf Jörgensens Kalender stand nicht nur ihre Telefonnummer, sondern auch: So 14.00. Ich denke, dass er sich für Sonntag mit ihr verabredet hatte. Für letzten Sonntag, denn nächste Woche wollte er ja schon in der Schweiz sein.«

»Es könnte auch Sonnabend heißen.«

»Dann hätte er sicher Samstag geschrieben. Jörgensen war Bayer. Außerdem ist es egal, ob Sonnabend oder Sonntag. Ich will mit ihr sprechen, auf jeden Fall. Also, fahren wir los.«

Schraudenbach verschaffte ihnen unter einem Vorwand Zutritt zum Polizeipräsidium. Kommissar Weitzner lief ihnen auf dem Flur zum Kriminalamt in die Arme.

»Wir hatten schon Angst um Sie«, sagte Schraudenbach, »weil Sie seit Mittag spurlos verschwunden waren. Wir wollten es uns gerade für eine neue Story bestätigen lassen: Die Unterwelt schlägt zurück. Münchens bewährtester Kriminaler gekidnappt.«

»Ich möchte wissen, wie Sie immer wieder hier reinkommen«, knurrte Weitzner. »Ich lass doch noch ein Schild am Portal anbringen: Für Hunde und Journalisten verboten.«

»Was ist mit dem Einbrecher?«, fragte Lobenstein. »Haben Sie ihn?«

Weitzner sah ihn spöttisch an. »Schon möglich.«

»Also, wer ist es?«

»Wird nicht verraten. Der Chef hat sich vorbehalten, es selbst bekanntzugeben.«

»Heute noch?«

»Kann schon sein. Weiß ich, wann der Herr Kriminaldirektor Kammhuber sich der Öffentlichkeit preisgibt?« Sein Lachen hallte durch den langen gekachelten Korridor.

»Lassen Sie mich raten. – Ich tippe auf halb elf.«

Weitzner sah ihn mit großen Augen an. »Ja mei, woher wissen Sie denn das schon wieder?«

Lobenstein grinste. »Um drei viertel elf hat der TAG Redaktionsschluss. Die anderen Morgenzeitungen können höchstens noch eine kleine Meldung ›nach Redaktionsschluss‹ bringen. Kriminalrat Kammhuber schätzt, glaube ich, den TAG sehr. Pure Menschenfreundlichkeit, denke ich mir. Vielleicht ein wenig Dankbarkeit? Dankbarkeit ist so menschlich. TAG hat ihm schließlich nicht wenig geholfen, als man ihn damals wegen seiner Vergangenheit angeschossen hat.«

»Man ist gut«, erwiderte Weitzner. »Ich glaube, es war ein gewisser Lobenstein, der da nachgeholfen hatte und, pfui Teufel, in den alten Papieren rumkramen musste. Machen Sie, dass Sie wegkommen, am End ist der Kammhuber schon wieder im Präsidium und sieht uns. Dann wär's zu End mit meiner steilen Karriere.«

»Keine Information jetzt? Gar keine?«, fragte Schraudenbach. »Mann, Weitzner, geben Sie uns doch wenigstens einen Tipp.«

»Kann ich nicht. Um halb elf geht die Nachricht über den Fernschreiber. So viel nur: Ich hab recht gehabt. Der Fall ist so gut wie geklärt. Eine ganz simple Lösung.«

# 10

Der »Pferdestall« erwies sich als eine Mischung aus Wildwest-Saloon à la Hollywood und oberbayrischem Tanzsaal, das Ganze garniert mit einem Schuss Hochseeromantik. Die Fenster an den holzgetäfelten Wänden waren Bullaugen. Ein Schild am Eingang des Saales wies darauf hin, dass es original Bulleyes von der abgewrackten »Transatlantik« waren, dem Luxusdampfer des Lloyd, der sich im Zeitalter der Düsenklipper als unrentabel erwiesen hatte und deshalb verschrottet worden war. Hinter den Bulleyes waren Aquarien eingebaut, sodass man denken konnte, man sei untergegangen und säße auf dem Meeresgrund. Dafür war das Holzgebälk nach bayrischer Art, und die lange Wand des »Pferdestalls« wurde von einer überdimensionalen Bar eingenommen, hinter der fünf Mixer auf Kundschaft warteten. Nur ein paar der vielleicht hundert Tische waren besetzt. Die Kapelle spielte lustlos.

Lobenstein schickte Möbius an die Bar. »Trinken Sie einen Whisky auf meine Gesundheit, aber besaufen Sie sich nicht, Sie müssen noch fahren.« Dann ging er in die hinteren Räume, hielt ein Mädchen an und ließ Birgitt aus der Garderobe rufen. Birgitt hatte jetzt hellblonde Haare. Sie war groß, schlank, auch das Gesicht gefiel Lobenstein. Er stellte sich vor. »Wo können wir uns in Ruhe unterhalten?«

»Ich bin neu hier. Einen Moment, ich frage mal.«

»Sagen Sie dem Chef, dass es um etwas Privates geht, nicht um sein Lokal.«

Sie kam mit einem beleibten Endvierziger zurück. Lobenstein gab ihm seine Visitenkarte, sagte kurz, worum es ging, und versprach, wenn etwas an der Story drin wäre, würden sie auch ein Foto vom »Pferdestall« bringen.

»Vergessen Sie nicht zu schreiben, dass wir nur deutsche Mädchen haben. Das ist die neue Masche. Ausländerinnen ziehen nicht mehr. Nicht mal Mulattinnen. Die Deutschen besinnen sich wieder auf ihre Nation.« Er grinste breit. »Alles für den Gast, das ist meine Devise. Wenn es Pygmäen sein müssten, dann würden wir eben ein Dutzend Zwerginnen im afrikanischen Busch einkaufen und die rumhopsen lassen.«
Er stellte sein Büro zur Verfügung.
»Ich komme wegen Jörgensen«, begann Lobenstein. »Sie waren mit ihm befreundet, nicht wahr?«
Sie nickte und sah ihn an, blickte aber schnell wieder an ihm vorbei. Ihre Augen wurden feucht.
»Ich möchte, dass Sie mir alles über ihn erzählen. Ich schreibe einen großen Bericht für die REVUE.«
Sie fasste hinter sich, als wolle sie nach ihrer Tasche greifen. Lobenstein zog ein Taschentuch aus seiner Brusttasche und gab es ihr. Sie bedankte sich leise.
»Ich verstehe, dass es Ihnen heute schwerfällt, darüber zu sprechen. Mir kommt es vor allem darauf an, mich mit Ihnen zu arrangieren. Aber zwei oder drei Fragen möchte ich Ihnen gleich stellen. Ich denke, das wird gehen, ja?«
Sie wischte sich die Tränen ab, dabei verschmierte sie die Augenschminke. »Natürlich. Ich muss ja auch auftreten.« Sie lachte bitter.
»Können Sie nicht ein paar Tage freinehmen?«
»Unmöglich. Ich bin froh, dass ich diesen Job gefunden habe. Es ist nicht leicht, eine Stelle als Tänzerin zu finden. Die Konkurrenz ist zu groß. Zu viele hübsche Mädchen, die bereit sind, sich auszuziehen. Und nicht nur das. Die Läden, in denen es genügt, dass man sich auszieht, werden immer weniger, na ja.«
Lobenstein bot ihr eine Zigarette an. Sie rauchte hastig.

»Wie lange kannten Sie sich? Wie haben Sie sich überhaupt kennengelernt?«
»Ich habe vor zwei Jahren mal in einem Film mitgemacht, ein Report über München für das amerikanische Fernsehen. Ich war damals ziemlich down, und Jochen hat sich ein bisschen um mich gekümmert.«
»Und Sie waren bis jetzt befreundet?«
Sie schüttelte den Kopf. »Für Jochen war es damals nur eine Affäre. Ich wusste das. Er hat kein Hehl daraus gemacht. Trotzdem – es war eine wundervolle Zeit. Wir sind drei Wochen nach Spanien gefahren und haben Urlaub gemacht und ... Haben Sie ihn gekannt?«
»Wir haben uns nur mal gesehen.«
Sie schloss die Augen. Sie schwieg lange. »Er war ein wunderbarer Mensch. So impulsiv, so natürlich. Und so leidenschaftlich. Ja, das vor allem. Wenn er etwas tat, dann ganz. Das Leben ist so kurz, hat er immer gesagt, man muss es sich verlängern. Wenn man alles voll genießt, sich ganz engagiert, kann man zwei Leben in der Zeit leben, in der andere Leute mit Mühe eines schaffen.«
»Warum haben Sie sich getrennt?«
»Es war zu Ende. Jochen hasste nichts mehr als Sentimentalität. Wenn etwas zu Ende war, interessierte es ihn nicht mehr. Eines Nachts sagte er adieu, und am Morgen war er verschwunden.«
»Aber Sie haben sich wiedergesehen?«
»Ja, vor ein paar Wochen war er plötzlich da, sagte guten Tag und setzte sich, als wäre er nur eine Stunde fort gewesen. In der Zeit, da er seine Brasilien-Filme schnitt, ist er dann ein paarmal gekommen. Manchmal hat er mich auch im ›Blow up‹ abgeholt.«
»Haben Sie sich vorige Woche gesehen?«

»Wir waren zu Sonntagmittag verabredet, aber dann …« Sie begann wieder zu weinen.

»Warum ist er nach Frankfurt gefahren?«

»Ich weiß es nicht. Ich weiß nur, dass er sich ganz kurzfristig entschlossen haben muss. Wir hatten uns erst Freitag verabredet. Sonnabendvormittag hat er mich von einer Tankstelle aus angerufen. Er sei schon fast aus München heraus. Er müsse schnell nach Frankfurt. Ich solle nicht böse sein, aber es sei wahnsinnig wichtig. Er würde wahrscheinlich Sonntagabend zurückkommen, spätestens am Montag.«

»Er hat keine Andeutung gemacht, was er dort wollte?« Sie lächelte. »Jochen hat nie über seine Arbeit gesprochen, bevor ein Film fertig war, und dann hat er ihn schon nicht mehr interessiert. Aber es muss etwas Dringendes gewesen sein.«

»Vielleicht hat er es nur dringend gemacht, um Sie nicht zu enttäuschen.«

»Bestimmt nicht. Das hatte er nicht nötig. Und das hätte er auch nicht getan. Nein, er hätte dann einfach gesagt: Du, es passt mir nicht. Ohne Erklärung.«

»Wieso vermuten Sie, dass es sich um etwas Wichtiges handelte?«

»Weil er ›wahnsinnig wichtig‹ gesagt hat. Ich habe noch nie so einen Ausdruck von ihm gehört. Er hat lieber ein wenig unterkühlt.«

»Überlegen Sie bitte noch einmal ganz genau. Jedes Wort kann von Bedeutung sein.«

Sie überlegte lange. »Nein, tut mir leid.«

»Warum sind Sie verschwunden?«

Sie sah ihn mit großen Augen an. »Warum wohl. Wegen Leuten wie Ihnen. Ich konnte mir doch ausrechnen, wie sich die Presse auf alle stürzen würde, die mit ihm zu tun hatten. Wie haben Sie mich eigentlich gefunden?«

»Das war nicht so schwer. Keine anderen Gründe?«

Sie schüttelte den Kopf, blickte dann auf die Uhr. »Mein Gott, ich muss mich fertig machen. Mein Make-up ist bestimmt ganz zum Teufel.«

»Wann können wir ausführlicher miteinander sprechen, morgen, übermorgen?«

»Muss das sein?«

»Ja, und ich möchte, dass Sie gegenüber der übrigen Presse schweigen. Können wir eine Vereinbarung schließen, dass Sie exklusiv für die REVUE erzählen? Gegen entsprechendes Honorar natürlich.«

Sie winkte müde ab. »Ja, gut, ich verspreche es. Am liebsten würde ich auch mit Ihnen nicht reden, aber Sie würden wohl doch nicht lockerlassen.«

»Es wird Ihnen guttun, wenn Sie sich aussprechen können, glauben Sie mir.«

»Vielleicht.« Sie stand auf.

»Noch eine Frage. Ich möchte Sie nicht verletzen, aber wissen Sie, ob er in letzter Zeit noch mit jemand anders …?«

»Sie verletzen mich nicht. Aber ich bin sicher, da war niemand.«

»Weil er so fertig war?«

Sie sah ihn verwundert an. »Jochen kaputt? Wie kommen Sie denn darauf?« Sie lachte. »Er war so munter wie nie zuvor.«

# 11

Zehn Minuten vor halb elf trafen sie bei der Nachrichtenagentur ein. In den Büros herrschte noch Hochbetrieb. Schraudenbach wartete schon.

»Wabyschewski ist in Urlaub. Aber er kommt morgen Abend zurück. Ich habe hinterlassen, dass wir Freitag früh bei ihm sind.«

Sie gingen zum Chef vom Dienst. Pünktlich um halb elf kam die Meldung. Der Redakteur überflog sie nur und gab sie gleich in den Fernschreiber. Lobenstein las mit.

»+ + + festnahme im fall joergensen + + + die bayerische kriminalpolizei hat den frankfurter journalisten dietmar muehlens bei dem versuch, die grenze zur schweiz zu ueberschreiten, festgenommen + muehlens ist dringend verdaechtig, den journalisten j. j. joergensen ermordet zu haben + muehlens hat in der Nacht zum dienstag das muenchner atelier des ermordeten ausgeraeumt und danach versucht, sich mit geraeten im wert von etwa hunderttausend mark in das ausland abzusetzen + muehlens hat zugegeben, joergensen noch am sonntagabend gesehen zu haben, streitet die tat jedoch ab + der ermordete habe ihn als kamera-assistenten engagiert + der leiter des muenchner kriminalamtes, oberkriminalrat kammhuber, bezeichnet die erklaerungen von muehlens als aeusserst unglaubwuerdig + nach seiner ansicht sei der fall joergensen mit der festnahme von muehlens geklaert + kammhuber nannte die schnelle aufklaerung dieses falles, der auch im ausland grosses interesse hervorgerufen hatte, einen erfreulichen erfolg der bayerischen polizei + die weitere bearbeitung des falles wird voraussichtlich in frankfurt erfolgen + weitere einzelheiten werden fuer mittwochmittag in aussicht gestellt + + +«

Schraudenbach und Lobenstein sahen sich an.
»Wer ist Mühlens«, fragte Schraudenbach. »Kennen Sie ihn?«
»Nein. Keine Ahnung.«
Lobenstein sah lange aus dem Fenster auf das nächtliche München. Schraudenbach riss ihn aus seinen Überlegungen.
»Wollen wir nicht gehen?«
Sie fuhren ins Hotel. Möbius sah immer wieder zu Lobenstein hinüber, aber der stierte aus dem Fenster und sagte kein Wort. »Brauchen Sie mich noch?«, fragte Möbius, als sie angekommen waren. »Ich bin hundemüde.«
»Trinken Sie einen Mokka double. Sie haben noch eine lange Nacht vor sich.« Lobenstein zog sein Notizbuch, riss ein Blatt heraus und schrieb darauf: ur-Hot.
»Wofür halten Sie das? Es steht über einem Portal.« Möbius überlegte einen Augenblick. »Ein Hoteleingang? Kur-Hotel vielleicht?«
»Ich glaube auch, dass es ein Hoteleingang ist. Vielleicht heißt es Kur-Hotel. Aber es kann auch ein anderer Name sein. Besorgen Sie sich einen Hotelführer, und sehen Sie ihn Seite für Seite durch nach allen Hotels, die auf ›ur‹ enden, nicht nur in der Bundesrepublik, auch in Österreich und in der Schweiz. Ich verlasse mich darauf, dass Sie keines übersehen. Dann rufen Sie die Hotels an, am besten, Sie beginnen in den größeren Städten. Wenn man vor dem Eingang des Hauses steht, ist links daneben ein kleines Blumengeschäft und noch weiter links ein Spielzeugladen mit drei Schaufenstern. Es müsste also herauszubekommen sein. Wenn Sie es haben, geben Sie mir sofort Bescheid, und wenn es mitten in der Nacht ist. Spätestens morgen früh muss ich es wissen.«

Lobenstein bestellte beim Nachtportier Kaffee und Kognak. Dann fuhr er mit Schraudenbach in sein Zimmer. Er rief in Frankfurt an, aber bei Wilhelmi meldete sich niemand.
»Was nun?«, fragte Schraudenbach. »Sie sehen aus, als wäre Ihnen die Petersilie gründlich verhagelt. Die Sache mit Mühlens passt wohl nicht in Ihr Konzept?«
»Wenn Mühlens wirklich der Täter ist, sitzen wir eklig in der Klemme.« Lobenstein sah auf seine Uhr. »Die Ankündigung der Jörgensen-Story ist nicht mehr zurückzunehmen. Wenn aber Mühlens in den nächsten Tagen gesteht, dann interessiert sich bald kein Schwein mehr für den Fall. Raubmorde sind zu gewöhnlich geworden.«
»Jörgensen hat ein wildbewegtes Leben gehabt, da ist doch genug drin.«
»Nicht genug für die Misere unseres geschätzten Blattes. Die REVUE braucht einen Knüller, um die Auflage wieder hochzubringen. Naumann hat damit gerechnet, dass der Fall noch ein paar Wochen Schlagzeilen macht, dann wäre die Rechnung aufgegangen.«
»Aber was ändert sich? Die Story bleibt doch gut.«
»Die Story schon. Doch wie soll ich den verehrten Lesern beibringen, dass sie nichts lieber wollen als diese Geschichte lesen, wenn der Fall längst abgeschlossen ist? Unsere Zeit ist kurzlebig. Nicht zuletzt dank unserer Arbeit.«
Lobenstein stand auf und ging im Zimmer umher. »Ich glaube noch nicht, dass das schon das Ende der Geschichte sein soll. Es wäre zu einfach. Ich habe ein tiefes Misstrauen gegen simple Lösungen. Die erweisen sich zumeist als Milchmädchenrechnungen.«
»Es steht aber fest, dass Mühlens das Atelier ausgeräumt hat. Er hat nur den Mord nicht gestanden.«

»Wenn Jörgensen ihn engagiert hat, lässt sich der Besuch im Atelier sicher ganz einfach erklären.«
»Nachts? Und einen Tag nach der Ermordung?«
»Wir wissen zu wenig.« Lobenstein trat an das Fenster und trommelte gegen die Scheibe. Der Kellner brachte die Getränke. Lobenstein rührte nachdenklich in seiner Tasse. »Wenn Mühlens es war, warum?«
»Eine Ausrüstung für siebzigtausend Mark ist doch ein hinreichendes Motiv. Außerdem, wer weiß, wie viel Geld Jörgensen noch in der Tasche hatte. Warum sollte es ausgerechnet unter Journalisten keinen Raubmord geben? So vornehm ist unser Gewerbe nicht. Vielleicht wollen Sie es nur deshalb nicht akzeptieren, weil man immer angenommen, ja vielleicht sogar darauf gewartet hat, dass Jörgensen sich eines Tages wegen einer seiner Storys den Hals brechen würde. Aber ich glaube, wegen einer Story wird heute keiner mehr umgebracht.«
Lobenstein lehnte sich zurück und sah dem Rauch seiner Zigarette nach. »Gehen Sie ins Bett«, sagte er plötzlich. »Ich rufe Sie morgen früh an.«
Kaum hatte Schraudenbach die Tür hinter sich geschlossen, da griff Lobenstein zum Telefon. Er gab der Telefonistin die Nummer der FRANKFURTER NACHRICHTEN. Bornig war in der Redaktion, aber es dauerte eine Weile, bis man ihn aufstöberte.
»Entschuldige, Benno, wenn ich dich in einer wichtigen Besprechung gestört haben sollte. Hat Jörgensen, als er am Wochenende in Frankfurt war, sich bei dir gemeldet?«
»Wir haben nur kurz miteinander telefoniert. Er wollte mich zu einem Barbummel animieren, aber ich hatte keine Lust.«
»Hat er gesagt, warum er nach Frankfurt gekommen war?«

»Nein.«
»Überlege, es ist sehr wichtig.«
Bornig schwieg eine Weile. »Nein«, sagte er dann, »darüber hat Jochen nichts gesagt. Als ich ihn fragte, hat er nur einen Witz gerissen, wie es seine Art war. Er verstand es meisterhaft, einer Antwort auszuweichen, ohne den anderen zu verletzen, und ich habe nicht nachgebohrt. Ich wusste ja, dass das bei ihm zwecklos war.«
»Warum habt ihr euch nicht für Sonntag verabredet?«
»Ich habe es ihm vorgeschlagen, aber er sagte, am Sonntag sei er von mittags an beschäftigt. Wenn es irgendwie ging, hat er lange geschlafen. Er war ein Nachtmensch, vor zehn Uhr hat man ihn am besten gar nicht angesprochen.«
»Und Sonntagabend?«
»Er wollte so schnell wie möglich wieder nach München, sagte er, aber er käme sicher bald wieder nach Frankfurt.«
»Wer ist Mühlens, Dietmar Mühlens?«
»Keine Ahnung. Warum?«
Lobenstein erklärte es ihm.
»Ich kann mich an den Namen nicht erinnern«, sagte Bornig, »aber wenn du willst, recherchiere ich das morgen früh.«
»Nein, danke, das lass ich durch die REVUE besorgen. Schlaf gut.«
»Wann kommst du nach Frankfurt?«
»Kann ich dir noch nicht sagen. Ich ruf dich dann gleich an.«
Früh um halb fünf holte Möbius Lobenstein aus dem Schlaf.
»Es gibt vierundachtzig Hotels auf ›ur‹. Zweiundsiebzig Kur-Hotels, sieben Merkur-Hotels, vier Azur-Hotels und ein Hotel Gebaur in Lienz.«
»Mich interessiert nicht, wie viele Hotels es gibt, sondern welches es ist.«

Möbius kicherte ins Telefon. »Lehrsatz drei der modernen Welt: Wecke nie einen Vorgesetzten, es sei denn, du hast eine wichtige Information. Es ist das Kur-Hotel in Bad Tölz.«

## 12

TAG füllte fast die ganze erste Seite mit der Festnahme von Mühlens. Die anderen Morgenzeitungen brachten sie nur als kurze Meldung. TAG veröffentlichte sogar ein Foto von Mühlens. Und eins von Kammhuber. Die Tatsache, dass Mühlens vorwiegend für linke, auch für kommunistische Zeitungen gearbeitet hatte, wurde vom TAG weidlich ausgeschlachtet. »Mord aus nackter Gewinnsucht oder aus politischen Motiven?« lautete eine Schlagzeile. Der Beitrag sang ein Loblied auf die schnelle Arbeit der Münchner Polizei. Lobenstein betrachtete das Foto von Mühlens. Ein schmales, etwas verkniffenes Gesicht, hohe Stirn, leicht abstehende Ohren, das Gesicht eines schüchternen, älteren Mannes.

TAG hatte keine Zweifel. Für ihn war der Fall gelöst. Und Kammhuber war ein großer Mann. Weitzner wurde nicht ein einziges Mal erwähnt.

Lobenstein holte sich Papier und Kugelschreiber, aber auf dem Bogen entstanden nur Blumen und Sterne. Nach der dritten Tasse Kaffee und der zweiten Zigarette rief er Schraudenbach an.

»Sagen Sie alle meine Verabredungen für heute ab. Erfinden Sie irgendeine Ausrede, die die Leute nicht vor den Kopf stößt, und sagen Sie, dass ich in den nächsten Tagen komme. Dann rufen Sie Wilhelmi an und entschuldigen mich. Ich wäre schon vor Morgengrauen fortgefahren, wohin wüssten Sie nicht. Er möchte über Mühlens recherchieren lassen. Und sagen Sie ihm, dass wir gestern Abend vergeblich versucht haben, ihn zu erreichen. Wenn Sie Möbius nicht brauchen, soll er beim Fernsehen die Manuskripte der Jörgensen-Filme beschaffen. Und Sie fahren zu Frau Jörgensen und holen sich die Fotoalben. Lassen Sie alle vernünftigen Aufnahmen von Jörgensen fotokopieren, Sie wissen schon: Baby auf dem Eisbärenfell, die stolzen Eltern mit dem Stammhalter, der Kleine mit Schnuller, mit Schultüte, als Pimpf, bei der Kommunion und so weiter, beschaffen Sie überhaupt alle Aufnahmen von ihm, die aufzutreiben sind. Wo war er zur Tanzstunde? Wo als Soldat? Er muss doch auch auf Partys und Bällen fotografiert worden sein. Vielleicht können Sie die Personalakte bei ›United Press‹ ablichten, und vergessen Sie nicht: Ich brauche einen Termin mit einem seiner ersten Chefs oder sonst jemandem, der mir über Jörgensens erste Jahre in München erzählen kann.«

»Nicht so schnell«, sagte Schraudenbach, »ich komme ja gar nicht nach mit dem Aufschreiben.«

»Und rufen Sie Ihren Kommissar an, wann er uns Informationen über Mühlens gibt. Kann man Weitzner nicht überreden, dass er uns noch mal kurz in das Atelier und auch in die Wohnung blicken lässt? Wir brauchen unbedingt Fotos. Noch eins, klappern Sie alle Zeitungen und Verlage ab und den Rundfunk, auch die anderen Abteilungen im Fernsehen, vielleicht erfahren Sie doch von einem Thema, an dem Jörgensen noch gearbeitet hat. Sie kennen die Leute besser als ich. Gehen Sie vor allem zur ABENDZEITUNG und horchen Sie sich um, was an der Rauschgiftsache ist. So, das wäre wohl alles für heute. Morgen mehr.«

»Daran werde ich auch morgen und übermorgen noch reichlich zu tun haben«, stöhnte Schraudenbach. »Wie soll ich das schaffen?«
»Sie werden schon. Naumann und Wilhelmi verlassen sich auf Sie. Und ich auch. Mann, Schraudenbach, das ist vielleicht die Chance Ihres Lebens. Wenn das hier klappt, haben Sie beim Alten einen dicken Stein im Brett. Und ich werde Sie gebührend nennen, das verspreche ich Ihnen. Ziehen Sie Möbius mit ran.«
»Nun gut, ich werde mein Bestes tun. Wie kann ich Sie erreichen?«
»Gar nicht. Ich melde mich, sobald ich kann. Hinterlassen Sie immer eine Nachricht zu Hause, wo ich Sie finde.«

Lobenstein fuhr zur Bismarckstraße. Die Drogerie hatte noch nicht geöffnet, aber der Inhaber war schon im Laden. Als er erkannte, wer da an die Scheibe klopfte, schloss er sofort auf.
»Ich hab doch noch was gut bei Ihnen, ja?«
»Kommen S' nur rein.«
Lobenstein mietete das Labor für zwei Stunden, aber er benötigte fast drei, bis er von allen ihn interessierenden Aufnahmen Negative und Abzüge kopiert hatte. Dann fuhr er nach Bad Tölz.
Er parkte seinen Wagen in einer Nebenstraße hinter dem Hotel und ging langsam die König-Ludwig-Allee wieder zurück. Spielzeugladen, Blumenladen, Hotel. Er trat in einen Hausflur gegenüber dem Hotel und holte die Fotos hervor. Den Schatten nach mussten die Aufnahmen am Nachmittag gemacht worden sein. Und in diesem Sommer. Die großen Hüte mit den Nackenkrempen waren erst jetzt in Mode

gekommen. Der Kamerastandpunkt musste höher gelegen haben. Lobenstein ging die Treppe empor bis zum Zwischenstock, sah aus dem Fenster und verglich noch einmal mit den Fotos. Von hier aus waren die Aufnahmen geschossen worden. Mit einer langen Brennweite. Also mit Stativ. Ein ziemlicher Aufwand.

Der Hotelmanager kannte Lobensteins Namen. Ja, er hätte einiges von ihm gelesen. Sein Tonfall verriet nicht, ob es ihm gefallen oder missfallen hatte. Lobenstein sagte ihm, er sei bei Recherchen zu einer Story über die Stadt und ihr besonderes Publikum. Die Miene des Managers wurde einige Nuancen abweisender.

Lobenstein zeigte ihm die Fotos. »Wenn man schon ein Foto vom ersten Haus am Platz bringt, möchte man doch wissen, was für illustre Gäste abgestiegen waren.«

Der Manager betrachtete die Fotos misstrauisch. »Von unserem Haus ist nicht viel zu sehen, nicht wahr?«

Lobenstein lachte. »Sie haben recht. Aber es sind nur Ausschnittvergrößerungen. Ich verspreche Ihnen, dass wir nichts Abfälliges über Ihr Hotel oder Ihre Gäste schreiben werden.«

»Unser Chefportier kann Ihnen sicher weiterhelfen.«

Von den einundzwanzig Personen auf der Eingangsstufe identifizierte der Portier siebzehn als Hotelgäste. Er nannte Lobenstein anhand des Gästebuches Namen, Adressen und Berufe.

»Wenn sie echt sind«, meinte Lobenstein.

Der Portier warf ihm einen missbilligenden Blick zu.

Die Namen und Adressen sagten Lobenstein nichts. Auch nicht die angegebenen Berufe.

»Die Gäste sind alle schon abgereist«, erklärte der Portier.

»Ich möchte wetten, dass Sie anhand Ihres Buches sogar den Tag feststellen können«, sagte Lobenstein, »an dem die Aufnahmen gemacht wurden.«
Der Portier blickte ihn verständnislos an.
»Ich würde um hundert Mark mit Ihnen wetten.« Lobenstein holte lächelnd einen Hunderter aus seiner Brieftasche.
Der Portier begann Daten zu notieren, schlug das Buch vor und zurück, prüfte, schrieb, rechnete. Schließlich sah er triumphierend von seinen Notizen auf. »Am vierten August.«
Die Liste der Hotelgäste gab Lobenstein vom Münchner Bahnhofspostamt aus telefonisch an die Redaktion. Er brauche so schnell wie möglich alle greifbaren Informationen. Man solle eine Auskunftei einschalten. Der Leiter des Redaktionsarchivs versprach es. Danach fuhr Lobenstein zu Frau Jörgensen.
Die alte Dame hatte sich sichtlich erholt.
»Beinahe hätten Sie Ihren Kollegen noch getroffen. Ein reizender Mann, Ihr Herr Schraudenbach.«
Lobenstein widersprach nicht. Er plauderte über das Wetter, die steigenden Preise und die immer schlechter werdende Luft in der Stadt, dabei lenkte er Frau Jörgensen behutsam dahin, dass sie Ansichten ihres Sohnes wiedergab. Lobenstein fragte nicht. Sie sprach bald von selbst über ihren Sohn. Er musste ihr nur Zeit lassen und Stichworte liefern. Als er merkte, wie bereitwillig sie erzählte, ging er kurz hinaus und steckte seinen Taschenrecorder in die eigens dafür angefertigte Jackentasche und klemmte sich das Mikrophon hinter den Schlips. So konnte er es sich in seinem Sessel bequem machen, die Hände über dem Knie verschränken und so tun, als ginge es ihm nur um ein Plauderstündchen. Sie merkte nicht einmal, wenn er die

Kassette wechselte. Das Stichwort »gesund leben« brachte fast eine ganze Kassette über Jörgensens Ess- und Trinkgewohnheiten, seine Lieblingsgerichte, dass er Schnäpse mied, Moselwein bevorzugte und nicht rauchte. Über das Thema »Wohnen in der Stadt« kamen sie auf Jörgensens Liebe zur Natur, seine Sehnsucht nach unberührter, von der Zivilisation noch nicht verformter Wildnis, dass er sich schon als Junge lieber auf dem Land aufgehalten und was es für ihn bedeutet hatte, als er sich die Farm am Kilimandscharo kaufen konnte. »Und ich sollte unbedingt mitkommen. Aber was soll ich da, bei den Negern? Was soll ich jetzt nur ...«

Lobenstein fragte sie schnell, ob sie auch so unter dem Föhn leide. »Und dann der Lärm in der Stadt!«, sagte Lobenstein. »Ja, schrecklich, nicht wahr? Achim war so empfindlich. Keine Uhr durfte bei ihm zu Hause ticken. Wenn er zu mir kam, hat er immer gleich das Pendel der Standuhr angehalten.« Jetzt lächelte sie sogar. »Sein Telefon war fast immer auf Kundendienst gestellt. Er hasste das Klingeln.«

Sie wurde nicht müde zu erzählen. Einmal steckte die Pflegerin den Kopf in die Tür. Als sie sah, wie die beiden miteinander plauderten und dass Frau Jörgensen ganz entspannt in ihrem Sessel saß, nickte sie Lobenstein anerkennend zu. Kurz darauf brachte sie Tee und Gebäck.

Als Lobenstein sich verabschiedete, hatte er sechs besprochene Kassetten in den Taschen. Nur über die Frankfurt-Reise hatte er nichts erfahren können, obwohl er ihr die Stichworte Frankfurt, Mainufer, Äppelwoi, früh verreisen, überraschender Aufbruch und immer wieder Frankfurt gegeben hatte.

Im Hotel wartete ein ganzer Packen Zettel auf ihn. Elf

Anrufe von der REVUE, darunter einer von Engelchen, er solle sie persönlich dringend anrufen, und drei Anfragen von Schraudenbach. Möbius wartete in der Halle.
»Ich habe Herrn Schraudenbach versprechen müssen, dass ich hier auf Sie warte und ihn sofort benachrichtige, wenn Sie eintreffen.«
»Wie viel Silberlinge bekommen Sie dafür? Sagen Sie ihm, wir treffen uns in zwei Stunden zum großen Kriegsrat.«
Als Erstes rief er bei Engelchen an. »Was hast du denn auf deinem großen Herzen?«
»Ich wollte dich warnen. Wilhelmi ist stocksauer und Naumann einigermaßen durcheinander. Du musst dich schnell bei ihnen melden.«
»Erst muss ich mal was essen. Und dann nachdenken. Und dann werde ich die Chefs mit meiner Stimme beglücken. Aber ich danke dir, es tut gut, eine mitfühlende Seele in der Höhle des Löwen zu wissen.«
Er zog sich um, fuhr in die Halle, holte am Blumenstand eine Rose, ging in die Telefonzentrale und gab der Telefonistin die Rose und einen Zwanzigmarkschein. Sie bedankte sich überrascht. »Als Anzahlung. Ich möchte Sie für einen privaten Kundendienst gewinnen. Ich habe einen Bärenhunger, und wenn mich meine Redaktion jetzt beim Essen überfällt, schlägt es mir sofort auf den Magen.« Er drückte beide Hände auf den Leib und schnitt eine Grimasse. Sie lachte. An das Lachen könnte man sich gewöhnen, dachte er. »Würden Sie so freundlich sein und mir alle Anrufe noch zwei Stunden vom Halse halten?«
»Verlassen Sie sich auf mich. Guten Appetit.«
»Danke.«
Im Hinausgehen drehte er sich noch einmal um. »Sagen

Sie bitte, Sie kennen wohl nicht zufällig eine Kollegin beim Fernsprechkundendienst?«
»Hier in München? Ich müsste mich mal umhören. Ich war lange Zeit bei der Post. Warum?«
Lobenstein kratzte sich am Hinterkopf und machte sein Kleiner-Junge-Gesicht. »Das ist nicht so einfach zu erklären.«
»Einen Moment bitte.« Sie musste ein Gespräch entgegennehmen, dann noch eines, ein Gast wollte mit Rom verbunden werden. Lobenstein wartete geduldig, bis sie sich wieder zu ihm wandte.
»Ich muss herausfinden, wie lange die Notizen über Anrufe beim Kundendienst aufbewahrt werden, und ich befürchte, wenn ich so offen danach frage, bekomme ich keine Antwort.«
»Ach, das kann ich schnell für Sie herausfinden.«
»Danke. Das ist lieb von Ihnen. Aber wenn es möglich ist, würde ich gerne selbst mit jemand sprechen.«
»Gehen Sie erst einmal essen, ich versuche, ob ich jemand auftreiben kann.«
Als Lobenstein nach dem Essen wieder in die Telefonzentrale sah, schob sie ihm einen Zettel hin. »Hier, verabreden Sie sich. Sie hat bis zehn Uhr Dienst.«
»Und wie lange haben Sie heute Dienst?«
Sie zuckte bedauernd mit den Schultern. »Die ganze Nacht.«

## 13

Der Kriegsrat tagte in Lobensteins Zimmer. Schraudenbach fragte, ob sie sich nicht eine Flasche Kognak zum Kaffee leisten wollten.

»Haben Sie Grund zum Feiern?«, knurrte Lobenstein. »Ich nicht.«
Möbius legte eine dicke Tüte auf den Tisch. »Die Manuskripte von über zwei Dutzend Sendungen. Sogar die noch nicht gesendete Amazonas-Serie. Zu einem großen Teil mit Randnotizen und handschriftlichen Korrekturen von Jörgensen.«
Lobenstein schlug ihm anerkennend auf die Schulter. »Junger Mann, Sie machen sich.«
»Und hier ist die Rechnung für die Fotokopien. Ich habe so lange geredet, bis man mir dreißig Prozent Kollegenrabatt eingeräumt hat.«
»Dafür haben Sie sich ein Sonderhonorar verdient.« Schraudenbach erzählte weitschweifig von seinen Recherchen. Lobenstein unterbrach ihn nicht, er stellte sogar noch Zusatzfragen.
»Und die Sache mit der ABENDZEITUNG ist ein ausgemachter Bluff«, schloss Schraudenbach seinen Bericht. »Es sieht so aus, als ob wirklich niemand etwas von einem Thema weiß, an dem Jörgensen noch gearbeitet hat. Ich glaube, wir jagen einem Phantom nach. Wäre es nicht besser, wenn wir uns ganz auf die Recherchen über Jörgensens Leben konzentrierten? Ich bin nicht dazu gekommen, mich heute um die Fotos zu kümmern, ich habe mit Mühe die Alben von Frau Jörgensen holen können. Sie müssen doch bald die erste Folge liefern, oder?«
»Das hat noch ein paar Tage Zeit. Wissen Sie, Schraudenbach, all unser Material nutzt nicht viel, wenn ich keine zündende Idee finde, unter der wir es verkaufen können. Was ist mit Weitzner?«
»Ich habe den halben Nachmittag in seinem Vorzimmer vertrödelt. Irgendwann muss er ja mal herauskommen, dachte

ich. Wenn die nicht gewusst hätten, dass ich mit Kommissar Weitzner befreundet bin, hätten sie mich längst rausgeschmissen. Fünf Minuten hat er sich dann mit mir unterhalten, gesagt hat er aber absolut nichts. Er hat sich nicht mal bedankt, als ich ihm Ihre Notiz über das Gespräch mit der Ammenschläger gegeben habe. Sie haben keine Ahnung, wie wütend Weitzner ist.«

»Wegen TAG?«

»Auch, aber nicht nur deshalb. Ihretwegen. Irgendjemand muss Kammhuber gesteckt haben, dass Sie hier sind. Er konnte Weitzner nicht nachweisen, dass er mit Ihnen zusammengearbeitet hat, aber er hat ihm eine armdicke Zigarre verpasst, dass er mich in das Atelier von Jörgensen eingelassen hat.« Schraudenbach grinste breit. »Mich und meinen Assistenten.« Er machte eine Pause und sah Lobenstein an, aber der reagierte nicht. »Keine Aussicht, dass wir in Jörgensens Atelier und in seiner Wohnung Aufnahmen machen können. Vielleicht kann ich an Polizeifotos herankommen.«

»Hat Weitzner wenigstens gesagt, wann er Informationen über Mühlens herausrücken will?«

»Der Kommissar hüllt sich in Schweigen.«

»Sie kennen ihn doch. Was glauben Sie, wie wird er sich verhalten? Wird er Mühlens schnell nach Frankfurt überführen lassen?«

Schraudenbach überlegte eine Weile. »Nein, ich nehme an, er wird ihn so lange wie möglich hier behalten und versuchen, ein Geständnis zu bekommen.«

Lobenstein stützte die Ellenbogen auf den Tisch, legte das Kinn in die Hände und schloss die Augen. Schraudenbach tunkte Zuckerstückchen ein und lutschte sie genüsslich.

Möbius unterbrach das Schweigen. »Brauchen Sie mich noch? Sonst würde ich mich gerne schlafen legen.«
»Wir müssen noch den Arbeitsplan für morgen machen«, sagte Schraudenbach.
»Nicht jetzt«, entgegnete Lobenstein. »Morgen früh. Ich muss erst mit Frankfurt telefonieren.«
Schraudenbach stand auf. »Na, dann gute Nacht.«

Wilhelmi war betont höflich. Lobenstein merkte ihm an, wie schwer es ihm fiel. »Ich bin gerade ins Hotel gekommen«, sagte er, »und wollte mich gleich bei Ihnen melden. Wie sieht's aus?«
»Das fragen Sie? Ihre Hoffnung hat sich doch nicht erfüllt, die Polizei hat den Einbrecher und, wenn sich die Meldung aus München bewahrheitet, damit auch den Mörder. Was nun?«
»Abwarten. Ich glaube noch nicht, dass Mühlens der Täter ist. Was haben Sie über ihn herausbekommen?«
»Wenig. Jahrgang neunzehnhundertsechsundzwanzig, geschieden, Pressefotograf seit neunzehnhundertsiebenundvierzig, arbeitet seit zehn Jahren freischaffend, in den letzten Jahren fast ausschließlich für kleine, zumeist linke Blätter. Kein Auto. Eine Vorstrafe wegen Widerstands gegen die Staatsgewalt. Ob Jörgensen ihn jetzt engagiert hatte, konnten wir noch nicht in Erfahrung bringen, aber er soll früher schon als Kamera-Assistent für ihn gearbeitet haben.«
»Das Dossier eines Mörders?«
»Warum glauben Sie, dass er es nicht gewesen sein sollte? Haben Sie etwas gefunden?«
»Vielleicht.«
»Hängt das mit der Liste zusammen, die Sie durchgegeben haben? Was ist das für eine Geschichte?«
»Darüber möchte ich am Telefon nicht sprechen. Machen

Sie bitte Druck, dass die Recherchen bald vorliegen. Mit dem Termin haben Sie mich ja ganz schön verladen. Wie ich am Dienstag die erste Fortsetzung liefern soll, ist mir noch schleierhaft.«

»Wir haben heute Morgen überlegt, ob wir die Ankündigung wieder rausschmeißen. Es hätte zu viel gekostet, die Nummer ist schon angedruckt. Aber es gibt eine Möglichkeit, Zeit zu gewinnen. Die Polizei will Jörgensens Leichnam morgen oder übermorgen freigeben. Arrangieren Sie mit Frau Jörgensen, dass die Beisetzung am Montag oder spätestens am Dienstag erfolgt, dann können wir in der nächsten Nummer mit einem Bildbericht von der Beerdigung erscheinen, dazu Fotos vom Fundort der Leiche und ein paar Seiten Text, ein Überblick über die wichtigsten Stationen seines Lebens, Erinnerungen seiner Mutter an die Kinderzeit, ein paar Fotos …«

»Ist das sicher mit der Freigabe der Leiche?«, unterbrach Lobenstein.

»Maurach hat es zu Doktor Naumann gesagt.«

»Okay. Machen wir es so. Schraudenbach wird morgen die Beerdigung in die Hand nehmen, sagen wir für Dienstag. Überlegen Sie schon, wer den Bericht darüber macht, ich schreibe Ihnen über das Wochenende ein paar Seiten. Ich komme Freitagabend oder Sonnabendmittag.«

»Aber melden Sie sich zwischendurch mal. Gute Nacht. Jetzt werden Sie ja schlafen können.«

»Noch nicht. Ich hab noch was vor.«

»Was denn?«

»Nichts Besonderes, nur eine kleine Beamtenbestechung.«

Lobenstein entdeckte sie sofort. Er hätte sie auch ohne die REVUE, die sie wie verabredet auf den Tisch gelegt hatte, erkannt, die Hoteltelefonistin hatte sie gut beschrieben. Eine Frau, die es aufgegeben hat, noch auf einen Mann zu hoffen und sich ungeniert vollfrisst. Die Kellnerin servierte ihr gerade eine große Portion Apfelkuchen mit einem Riesenberg Schlagsahne. Sie drehte den Teller, dann stach sie die Kuchengabel ein und schob einen großen Bissen in den Mund. Lobenstein setzte sein freundlichstes Lächeln auf. »Fräulein Selcher?«

Sie sah auf, musterte ihn, strahlte ihn an.

»Lassen Sie sich nicht stören. Nichts ist schlimmer, als Essen hinunterschlingen zu müssen, nicht wahr?«

Sie nickte. Lobenstein winkte die Kellnerin heran und bestellte Kaffee und Kognak. »Für Sie doch auch einen Kognak?«

»Ja, gern.«

»Ich möchte erfahren, wie lange die Unterlagen bei Ihnen aufbewahrt werden. Wie notieren Sie die Gespräche, die für einen auf Kundendienst geschalteten Anschluss kommen?«

»Auf Karteikarten.«

»Und wie lange heben Sie die auf?«

»Bis der Auftrag zurückgezogen wird, dann wandern sie in die Registratur. Wie lange sie da noch liegen, weiß ich nicht.«

»Kann man da ran?«

»Ausgeschlossen. Das ist Postgeheimnis. Höchstens über die Polizei.«

»Sehr bedauerlich. Sie meinen, es gibt keinen Weg? Nicht einmal über ein, nun, sagen wir, Sonderhonorar?«

Sie lächelte. »Worum geht es Ihnen denn?«

»Um den Anschluss von Herrn Jörgensen, den toten Reporter.

»Ach, um den! Die Karten sind noch gar nicht in der Registratur.«
Lobenstein sah sie fragend an.
»Na ja, der Auftrag ist doch noch nicht storniert worden.«
»Hatten Sie den Anschluss?«
»Das nicht. Aber die Reserl, meine Kollegin, hat heute eine Zusammenstellung der Anrufe für die Polizei machen müssen.«
»Und wo sind die Karten jetzt?«
»Beim Vorsteher.« Sie lachte, als sie Lobensteins Enttäuschung sah. »Ich hab gesehen, wie die Reserl einen Durchschlag ihrer Liste abgeheftet hat, sie ist halt eine richtige Beamtin.«
»Und an diese Liste könnten Sie heran?«
»Vielleicht.«
Lobenstein sah ihr in die Augen. Sie hielt seinem Blick stand.
»Es wäre sehr wichtig für mich. Ich würde gerne ein Honorar dafür zahlen, eine Entschädigung für die Mühe, nur, ich kann ja keinen Beamten bestechen.«
»Und ich möcht meine Pension nicht aufs Spiel setzen.«
»Aber es müsste ja niemand erfahren.«
»Nein, müsste nicht.« Sie verdrückte das letzte Stück Kuchen und kratzte die Sahnereste sorgfältig mit der Kuchengabel zusammen.
»Geben Sie mir eine Nummer, die Sie bearbeiten. Ich rufe Sie morgen Nachmittag mal an, ja?«
Sie sah auf ihr leeres Glas.
»Ich würde ja gerne noch ein Glas mit Ihnen trinken«, sagte Lobenstein, »aber ich habe heute noch einiges zu tun. Vielleicht morgen? Wenn ich Sie trotzdem einladen darf …?«
Er legte einen Zwanzigmarkschein hin. »Vielleicht sind Sie so freundlich und bezahlen für mich.«

Sie reichte ihm die Hand über den Tisch. »Aber rufen Sie nicht vor achtzehn Uhr an.«

Schraudenbach stöhnte, als Lobenstein ihm am Morgen den Auftrag gab, sich um die Beerdigung zu kümmern. »Nicht später als Dienstag. Sie müssen das schaffen, egal wie. Und gehen Sie nicht vor Mittag zu Frau Jörgensen, ich will noch ein paar Informationen aus ihr herausholen.«
Lobenstein hielt sich nicht lange bei ihr auf. Um zehn saß er schon bei dem Kamera-Assistenten, danach interviewte er Birgitt Ammenschläger, dann einen ehemaligen UPI-Mann, der eine Fülle von Anekdoten aus Jörgensens Anfängerzeit kannte; am Nachmittag befragte er die Schnittmeisterin, die Jörgensens Amazonas-Filme montiert hatte; das Gespräch mit dem Kameramann, der mit Jörgensen in Brasilien gewesen war, musste er abbrechen, um rechtzeitig zu seiner Verabredung mit Fräulein Selcher zu kommen.
Sie gab ihm einige beschriebene Bogen. »Aber nur zum Ansehen. Morgen muss ich sie wieder einheften.«
»Selbstverständlich, ich will Sie doch nicht in Schwierigkeiten bringen.« Er vertiefte sich in die Aufstellung. Die meisten Anrufe waren eindeutig und uninteressant für ihn. Redaktionen, Fernsehen, Schneider, Autowerkstatt, Kamerafirmen, die Mutter, Birgitt Ammenschläger ... Vier Anrufe von einer Lydia Gamsfeld. Lobenstein notierte sich die Nummer.
»Zufrieden?«
»Ja, sehr.« Er schob ihr einen Umschlag zu. Sie sah hinein und schmunzelte.
»Zufrieden?«
Sie nickte ein paarmal und sah ihn mit leuchtenden Augen an.

»Ich bedanke mich noch mal«, sagte Lobenstein und stand auf. »Entschuldigen Sie, wenn ich es auch heute eilig habe, aber ein Reporter ist leider nicht Herr über seine Zeit.« Ihr Gesicht wurde zusehends länger.

## 14

»Ich hab mir schon gedacht, dass Sie es sind«, sagte Wabyschewski, als Lobenstein sich vorstellte. »Wo brennt's denn, dass Sie mich in aller Herrgottsfrühe aus dem Bett holen?« Er führte Lobenstein in sein Arbeitszimmer, das rundum mit bis zur Decke reichenden Regalen voller Bücher und Aktendeckel verstellt war. Lobenstein überlegte, wie Wabyschewski wohl an die oberen Regale kommen mochte. Er schätzte ihn auf Anfang Sechzig und gute drei Zentner. Wabyschewski ließ sich in den Schreibtischstuhl fallen. Lobenstein erklärte, warum er gekommen war.

»Ich arbeite seit mehr als acht Jahren für Jörgensen«, begann Wabyschewski. »Es hat bestimmt niemanden gegeben, der besser als ich über seine Pläne und Unternehmen informiert war. Er hat mir immer schon in einem sehr frühen Stadium von seinen Ideen erzählt. Er kam oft zu mir, setzte sich dort in den Sessel und fragte mich, was ich von diesem oder jenem hielt. Ich war so eine Art Testperson für ihn. Wir sind dann das Thema durchgegangen, und wenn er glaubte, es könnte etwas für ihn sein, habe ich angefangen, Material zu sammeln. Irgendwann ist er dann wieder aufgetaucht, hat sich in den Sessel gepflanzt, die Augen geschlossen und sich berichten lassen, was ich inzwischen gefunden hatte. Er hat danach entschieden, ob ich weiter an dem Thema arbeiten oder ob ich es fallenlassen sollte.«

»Was wollte Jörgensen in Frankfurt?«

Wabyschewski hob seine dicken Hände. »Keine Ahnung.«

»Woran hat er in den letzten Monaten gearbeitet? Was hatte er für Pläne?«

Wabyschewski sah ihn an und lächelte.

Lobenstein machte ihm ein Angebot. Sie handelten eine Weile, bis sie sich über das Honorar geeinigt hatten.

»Hat die Polizei sich schon bei Ihnen gemeldet?«

»Ich bin ja grad erst zurückgekommen. Ich wüsste auch nicht, womit ich der Polizei helfen sollte. Ich weiß bestimmt nichts, was zur Aufklärung seines Todes beitragen könnte. Der Fall soll ja auch schon so gut wie gelöst sein.«

Lobenstein nickte. »Ja, die Polizei glaubt, dass sie den Mörder gefasst hat. Der Mann hat Jörgensens Schlüssel gehabt und in der Nacht nach dem Mord das Atelier ausgeräumt und alle Geräte mitgehen lassen.« Lobenstein merkte, dass der andere gar nicht zuhörte.

»Für mich ist es ein harter Schlag«, sagte Wabyschewski. »Ich muss jetzt sehen, wie ich zurechtkomme. In meinem Alter will man nicht mehr wie ein junger Dachs herumlaufen und sich anbieten. Ich habe die letzten Jahre nur noch für Jörgensen gearbeitet, und er war großzügig. Aber er erwartete auch erstklassige Arbeit.«

»Hatte Jörgensen außer der Schweiz-Story noch andere Eisen im Feuer?«

»Selbstverständlich. Obwohl er in den letzten Monaten nicht so agil war, wie ich es von ihm gewohnt war. Er war drei Tage vor meiner Abreise noch einmal bei mir, aber er hat sich kaum für das Material interessiert, das ich zusammengestellt hatte. Soweit es die Schweiz betraf, hat er es mitgenommen. Alles andere könne warten, hat er gesagt. Ich glaube, die Amazonas-Expedition hatte ihn sehr mitgenommen.«

»An welchen Themen haben Sie noch gearbeitet?« Wabyschewski nahm ein dickes Notizbuch aus seinem Schreibtisch und blätterte darin.

»Ein paar Auslandsthemen. Vor allem Lateinamerika. Jörgensen hatte früher mal die Absicht, einen großen Report über Lateinamerika zu machen, aber nachdem er aus Brasilien zurück war, wollte er nichts mehr davon wissen. Dann die großen Entdeckungen auf dem Gebiet der Medizin: Herzverpflanzung, Nierentransplantation, Gehirnchirurgie und so weiter. Der Beitrag über die Tiroler ist erledigt. Offen sind nur noch Nordirland und natürlich die Steuerflüchtlinge in der Schweiz. Ich habe keine Ahnung, was er danach beginnen wollte, wahrscheinlich die Wunder der Medizin, aber so genau weiß ich das auch nicht. Bei Jörgensen musste man immer auf Überraschungen gefasst sein.« Er lächelte. »Einer der Gründe, warum es Spaß machte, für ihn zu arbeiten. Es war nie langweilig.«

Lobenstein ließ sich das Schweiz-Material zeigen. Es war ein dicker Ordner voller Durchschläge und Fotokopien. »Ein wenig dünner haben Sie es wohl nicht?«, fragte er. »Da brauche ich ja zwei Wochen, um das durchzuarbeiten. Wen hatte er speziell aufs Korn genommen?«

Wabyschewski wuchtete seine drei Zentner aus dem Stuhl, watschelte durch das Zimmer und diktierte Lobenstein eine Reihe von Namen. Dabei gestikulierte er mit beiden Händen wie ein Dirigent, der ein Sinfonieorchester dirigiert.

Lobenstein blätterte in der Akte. Dabei stieß er auf die »Acothen-Werke«. Lobenstein musste grinsen. Er erinnerte sich, dass Herberger, der Chef der ACW, einmal eine Brandrede gegen die Unternehmer gehalten hatte, die mit ihren Finanzmanipulationen »die Grundlage unseres Wirtschaftswunders und unserer Freiheit, die soziale Marktwirtschaft, untergraben«.

»Die ›Acothen-Werke‹ stehen nicht auf der Liste, die Sie mir soeben diktiert haben.«

»Sie gehören auch nicht dahin. Die ACW und ein ganzes Dutzend andere. Jörgensen muss einer Fehlinformation aufgesessen sein. Er kam vierzehn Tage vor meinem Urlaub plötzlich mit einer Liste von Namen. Aber es erwies sich, dass nur drei von den Firmen in die Steuersache verwickelt sind, und die hatte ich längst.« Wabyschewski steckte die Daumen in die Weste. »Wenn ich etwas anfasse, dann gründlich.«

»Kann ich die Akte haben?«

»Aber Sie müssen mir versprechen, dass Sie das Material nicht ohne vorherige Übereinkunft mit mir verwenden. Es steckt zu viel Arbeit darin, und schließlich muss ich sehen, wo ich bleibe.«

»Ich werde versuchen, die REVUE dafür zu interessieren. Es ist immerhin Jörgensens letztes Thema, sein Vermächtnis gewissermaßen. Daraus lässt sich schon was machen. Außerdem sollte man jede Gelegenheit wahrnehmen, solchen Leuten auf die Pfoten zu hauen. Wenn ich hundert Mark Steuern zu wenig bezahle, habe ich schnell das Finanzamt auf dem Hals, aber hier werden Millionen unterschlagen.«

»Ja, wir leben in einer schmutzigen Welt.« Wabyschewski griente. »Non olet, wie der Lateiner sagt; Geld stinkt nicht.«

»War das auch Jörgensens Grundsatz?«

Wabyschewski sah erstaunt auf. »Wie meinen Sie das?«

»Es wird gemunkelt, er habe seine Informationen nicht nur zur Veröffentlichung gesammelt.«

Wabyschewski blickte ihn belustigt an. »Wollen Sie behaupten, dass er seine Informationen zu Erpressungen benutzt hätte?«

»Ich behaupte gar nichts. Ich frage Sie. So etwas soll es immerhin schon gegeben haben, oder?«

»Ja«, sagte Wabyschewski und sah Lobenstein nachdenklich an. »Als Nächstes werden Sie sicher fragen, wie viel Prozente ich bekommen habe. Ich war schließlich sein Rechercheur.«

»Haben Sie?«

Wabyschewski setzte sich hinter seinen Schreibtisch und schlug mit der flachen Hand auf die Platte. »Das Unglück unserer Presse ist, dass die Journalisten heutzutage eine zu schmutzige Phantasie haben und zu wenig Ehrfurcht vor dem Menschen. Ich glaube, es ist sehr gut, dass die Polizei den Täter so schnell gefasst hat. Jörgensen bietet zu viele Möglichkeiten für wilde Vermutungen, selbst noch nach seinem Tod.«

»Jetzt erst recht«, sagte Lobenstein.

## 15

Der Wagen sprang nicht an. Lobenstein öffnete die Motorhaube und bastelte eine Weile am Motor, konnte aber den Defekt nicht finden. Er stieß einen Fluch aus. Ausgerechnet jetzt! Und er hatte sich schon zu lange bei Wabyschewski aufgehalten. Er ging wieder hinauf und fragte, ob er telefonieren dürfe. Zunächst sprach er mit Schraudenbachs Frau, sie nannte ihm ein Dutzend Adressen, die ihr Mann hinterlassen hatte. Bei der vierten erreichte Lobenstein ihn.

»Kommen Sie sofort, und holen Sie mich ab. Mein Wagen streikt. Wissen Sie, wo Möbius steckt? – Bringen Sie ihn mit. – Das erkläre ich Ihnen hier. – Ich sagte, sofort!« Wabyschewski versuchte, ihn in ein Gespräch zu verwickeln, aber Lobenstein verabschiedete sich schnell. Nach zwei Zigarettenlängen kam Schraudenbach. Es war ihm anzusehen, dass er verärgert war. Lobenstein beauftragte Möbius, zu der Leihwagenfirma zu gehen und den Wagen umzutauschen.

»Wie lange wird es dauern?«, fragte Schraudenbach.

»Schwer zu sagen. Ich denke, wir sind am frühen Nachmittag zurück. Haben Sie etwas Unaufschiebbares vor?«

»Nein.« Schraudenbach ließ den Motor an. »Wohin?«

»Zum Chiemsee. Nach Prien. Haben Sie einen Fotoapparat bei sich?«

»Ja, natürlich.«

»Mit Teleobjektiv?«

»Nein, das nicht.«

Lobenstein schüttelte den Kopf. »Wie lange brauchen wir bis Prien?«

»Um diese Zeit? Dreißig Minuten.«

Lobenstein sah auf die Uhr. »Lieber Herr Schraudenbach … Ach was, fahren Sie schon.«

»Was gibt's denn so Eiliges?«

»In der vorigen Woche hat eine Frau Gamsfeld mehrmals versucht, Jörgensen zu sprechen. Ich habe sie heute früh angerufen. Zuerst stritt sie ab, Jörgensen überhaupt gekannt zu haben. Als ich dann sagte, ich wisse es besser, aber ich wolle lieber mit ihr sprechen, bevor ich etwas veröffentlichte, war sie sofort bereit, sich mit mir zu treffen.«

»Und diese Frau wohnt in Prien?«
»Nein, in Tirol. Sie kommt heute Morgen extra über die Alpen, um sich mit mir zu treffen.«

Das »Burgcafé« hatte eine Terrasse zum See. Die Burg spiegelte sich in dem glasklaren Wasser, Schwäne zogen gemächlich dahin, blauer Himmel, nur ein paar Federwölkchen unendlich hoch – eine Kulisse wie für einen Operettenfilm. Lobenstein setzte sich auf die Terrasse, legte eine REVUE vor sich auf den Tisch und ließ sich von der Kellnerin die Spezialität des Hauses empfehlen, Windbeutel mit Schlagsahne und heißer Schokoladensoße. Schraudenbach schickte er ein paar Tische weiter.
Ihre Geduld wurde auf eine harte Probe gestellt. Erst über eine Stunde nach der verabredeten Zeit kam Lydia Gamsfeld. Lobenstein schätzte sie auf Anfang Vierzig, aber es konnten auch ein paar Jahre mehr sein, die Kosmetik vollbringt da schon kleine Wunder. Sie trug einige Kilo zu viel mit sich herum und entschieden zu viel Schmuck. Keine Geliebte für Jörgensen.
Lobenstein küsste ihr die Hand.
»Ich bedanke mich, gnädige Frau, dass Sie sich der Mühe unterzogen haben.« Er gab ihr seine Visitenkarte.
»Ich habe schon viel von Ihnen gelesen.«
Er stellte schnell fest, dass sie wahrscheinlich keinen seiner Beiträge gelesen hatte. »Ich schreibe eine Serie über Jörgensen«, erklärte er. »Sie werden verstehen, dass ich Sie sprechen musste.«
»Warum?« Sie machte ein ganz unschuldiges Gesicht. Lobenstein griente. »Wie kommen Sie auf die Idee, dass ich etwas mit ihm zu tun gehabt haben könnte?«

»Hatten Sie nicht?«
»Nein. Oder wissen Sie es besser?«
»Unser Treffen ist der beste Beweis. Selbst wenn ich nichts wüsste …« Lobenstein zeigte zu dem Tisch, an dem Schraudenbach saß, winkte ihm zu und bedeutete mit einer Geste, er solle fotografieren. Schraudenbach stand auf und knipste.
»Sehen Sie, gnädige Frau, wenn dieses Foto in der REVUE erscheint, dazu ein Text, sagen wir …« Lobenstein lehnte sich zurück und sah sie spöttisch an. »Was weiß die geheimnisvolle Tirolerin? Sie war bereit, von einer Stunde zur anderen aufzubrechen und über die Alpen zu fahren, um sich mit unserem Reporter zu treffen. Doch sie war nicht bereit, etwas zu sagen. Sie wollte nur hören, was REVUE weiß. Sie wollte nicht einmal zugeben, dass sie noch kurz vor Jörgensens Tod mit dem Ermordeten gesprochen hat, obwohl das bei der Polizei aktenkundig ist …«
»Was ist aktenkundig?«, unterbrach sie.
»Ich möchte Ihnen ein Agreement vorschlagen. Es macht mir nicht viel Spaß, eine so interessante Frau unter Druck zu setzen. Wollen wir nicht miteinander plaudern wie zwei alte Bekannte? Sie sagen mir, was ich wissen will, und ich verrate Ihnen, was Sie interessiert.« Sie wiegte zweifelnd den Kopf. »Ich an Ihrer Stelle würde mit mir sprechen.«
»Was wissen Sie?«
»Nichts, ich habe nur Vermutungen.« Es war unübersehbar, dass sie ihm nicht glaubte. »Sie haben Jörgensen in den vergangenen Wochen zu sprechen versucht.« Lobenstein beobachtete aufmerksam ihr Gesicht. »Sie haben sich in den vergangenen Wochen mehrmals getroffen.« Sie kniff ihre Augen zusammen. »Sie waren nicht seine Geliebte.« Leich-

tes Kopfschütteln. »Sie wohnen in Tirol. Jörgensen hat eine Sendung über die Tiroler Organisation gemacht …«

»Also gut. Ich habe ihm das Gespräch mit Doktor Brunner vermittelt, aber wenn Sie das veröffentlichen, werde ich Sie verklagen. Was weiß die Polizei?«

»Dass Sie vorige Woche versucht haben, Jörgensen zu sprechen. Warum?«

»Doktor Brunner wollte ihn für eine zweite Sendung interessieren.«

»Hat er sich interessieren lassen?«

»Ich habe Jörgensen nicht gesprochen.«

Lobenstein lachte ihr ins Gesicht. »Gnädige Frau! Sie haben am Donnerstag, am Freitag und am Sonnabend versucht, Jörgensen zu erreichen, am Sonnabend sogar zweimal, früh und mittags. Warum nicht mehr am Sonntag? Warum nicht am Montag? Weil Sie inzwischen mit ihm gesprochen hatten. Oder weil Sie wussten, dass er nicht mehr lebte?«

Sie lächelte. »Weil es sich inzwischen erledigt hatte. Weil das Zweite Fernsehen eine Sendung machen wird. Wir haben das am Sonntag verabredet. Deshalb habe ich sogar darauf verzichtet, Jörgensen am Sonntag anzusprechen.«

»Sie haben sich Sonntag noch mit ihm getroffen? Wo? Wann?«

»Ich habe nicht gesagt, dass ich mich mit ihm getroffen habe. Ich habe ihn gesehen. Auf dem Flughafen.«

»Wann war das?«

»Gegen zehn. Ich wollte mit der Abendmaschine nach Innsbruck. Jörgensen stand in der Abfertigungshalle. Er wandte sich ab, als er mich sah, aber ich habe ihn doch erkannt.«

»War er allein?«

»Nein, es war noch jemand bei ihm, ein Mann. Ich kannte ihn nicht.«

»Wie sah er aus? Würden Sie ihn wiedererkennen?«
»Schwer zu sagen. Ich war über zehn Meter von den beiden entfernt, und ich hatte es eilig.«
»Irgendetwas ist Ihnen bestimmt im Gedächtnis geblieben, überlegen Sie bitte.«
»Der Mann war etwa sechzig, schlank, mittelgroß, schütteres Haar, Schnurrbart. Heller Sommermantel. Mehr kann ich Ihnen nicht sagen. Wirklich.«
»Kommissar Weitzner wird sich kaum damit zufrieden geben.«
»Ich habe nicht die Absicht, zur Polizei zu gehen. Weiß sie noch etwas, außer dass ich versucht habe, mit Jörgensen zu telefonieren?«
Lobenstein zuckte mit den Schultern.
»Sie werden kaum umhinkönnen. Es ist eine wichtige Information. Man könnte Sie fragen, warum Sie sie verschwiegen haben.«
»Ich möchte aber nicht, dass meine Verbindung zu Doktor Brunner an die große Glocke kommt.«
»Die Polizei wird dafür Verständnis haben, denke ich.«
»Und Sie?«
»Wenn Sie vergessen, dass ich Sie nach den Telefongesprächen gefragt habe …«
Sie sah ihn verblüfft an, lachte dann laut auf. »Eine Hand wäscht die andere?«
»Was soll man tun, gnädige Frau, das Leben ist eine Kette von Kompromissen.«

# 16

Lobenstein war wütend. Sein Magen knurrte. Er sah auf die Uhr. Vierzehn Uhr. Der halbe Sonnabend vorbei. Wilhelmi machte keine Anstalten zu gehen, dabei war alles gesagt, dreimal hin und her bedacht. Hätte ich ihn nur nicht zu mir eingeladen, dachte Lobenstein, dann könnte ich jetzt abhauen. Er bot Wilhelmi keinen Kaffee an, obwohl der schon zweimal zur leeren Tasse gegriffen hatte, schenkte auch keinen Kognak nach, stand schließlich auf und lief im Zimmer umher, wühlte in seinen Unterlagen, setzte sich hinter den Schreibtisch und tat ganz versunken, als habe er vergessen, dass Wilhelmi noch da war. Wilhelmi beobachtete ihn.

Endlich klingelte es. Engelchen brachte die Recherchen, die die Redaktion in der Zwischenzeit zusammengetragen hatte. Wilhelmi setzte an, sie zu erläutern. Lobenstein winkte ab. Er würde sie nachher in Ruhe durchsehen und anrufen, wenn er noch Fragen hätte. Er habe gerade eine Idee, die er ausprobieren wolle. Er fragte Engelchen, ob sie eine Stunde Zeit hätte, sie nickte. »Sie entschuldigen mich dann sicher, Herr Wilhelmi …«

Wilhelmi erhob sich mit süßsaurem Lächeln. »Natürlich. Ist doch mein Interesse, dass Sie fleißig sind.«

Lobenstein geleitete ihn hinaus. Als er zurückkam, saß Engelchen an der Schreibmaschine und wollte gerade einen Bogen einspannen. Lobenstein nahm ihn ihr aus der Hand und zog sie hoch.

»Ich denke, wir wollen arbeiten?«

»Ich wollte nur, dass er endlich geht. Der Magen hängt mir in den Kniekehlen. Wenn ich nicht bald was esse, fall ich um.«

»Willst du anschließend diktieren?«
»Anschließend fahre ich zur Eilenbergbrücke.«
»Nimmst du mich mit?«
»Gerne, wenn du nichts Besseres vorhast.«
Sie schüttelte den Kopf.
»Ich glaube, dein graugesprenkelter Skalp gefällt mir doch besser«, sagte Lobenstein. »Wie ist denn eigentlich deine richtige Haarfarbe?«
»Hast du das schon vergessen?«
»Ist das schlimm?«
»Ihr Männer seid alle gleich.« Sie lachte. »Komm, die Sonne scheint gerade so schön.«

Kurz vor der Eilenbergbrücke fuhr Lobenstein den Wagen rechts heran, öffnete die Motorhaube und stellte das Warndreieck auf; so konnte er notfalls behaupten, er habe eine Panne gehabt. Aber um diese Zeit war der Verkehr aus Frankfurt nicht sehr stark. Von den Wiesen trieb penetranter, beißender Gestank herüber, dass Engelchen sich sofort die Nase zuhielt. Das Gelände sah verwildert aus, großblättrige braune Stauden überwucherten das Gras, weite Flächen waren kahl, wie abgefressen. Der Weg, der unter der Brücke hindurchführte, war fast zugewachsen von dichtem Gestrüpp und Brennnesselwäldern.
»Hier?«, fragte Engelchen.
Lobenstein sah hinunter. Das Gebüsch rechts des Pfades war zertrampelt. Direkt unter ihnen waren die Sträucher umgeknickt.
»Ja, hier.« Lobenstein prägte sich das Bild ein.
Engelchen hielt sich an ihm fest. Lobenstein zog sie zum Wagen zurück. Er nahm den Reservereifen aus dem Kofferraum

und eine alte Decke, rollte den Reifen bis zur Brücke, wuchtete ihn auf das Geländer, hüllte ihn in die Decke, prüfte, ob er auch direkt über der niedergedrückten Stelle des Gebüsches war, und ließ den Reifen dann fallen.
Sie kletterten die Böschung hinunter.
Der Reifen war vom Weg aus kaum zu sehen. Nur durch die niedergetrampelten Schneisen in dem Gebüsch leuchtete die helle Decke. Lobenstein verschränkte die Arme und nickte.
»Gar nicht so schlecht, der Platz, wenn man schnell eine Leiche loswerden muss. Das Gelände sieht so aus, als würde hier nie jemand vorbeikommen, und das Gestrüpp ist so dicht, dass man kaum etwas ausmachen kann. Und wer sollte sich hier schon auf die Brücke stellen und hinuntersehen.«
»Noch dazu bei dem Gestank«, sagte Engelchen. »Komm weg hier.«
Lobenstein holte Reifen und Decke aus dem Gebüsch. Er hatte Mühe, den Reifen wieder den Hang hinaufzurollen. Engelchen holte ein Taschentuch heraus und trocknete ihm den Schweiß von der Stirn.
Er verstaute den Reifen, schloss die Motorhaube und packte das Warndreieck wieder ein. Im Wagen steckten sie sich erst einmal eine Zigarette an.
»Es ist schon zu verstehen«, sagte Lobenstein, »dass Kriminalrat Maurach von Anfang an auf Mord getippt hat. Die Leiche hätte hier auch wochenlang liegen können, ohne dass jemand sie entdeckt hätte. Stell dir mal vor, Engelchen, du müsstest eine Leiche verstecken, woran würdest zu zuerst denken?«
»Na, irgendwo eingraben. Im Wald.«
»Genau.« Lobenstein machte ein paar lange Züge und trommelte mit den Fingern auf dem Armaturenbrett.
»Woran denkst du?«, fragte Engelchen.

»Der Mörder muss diese Stelle gut gekannt haben. Jörgensen ist nachts von der Brücke gestürzt worden. Es hätte da unten ja auch ebenso gut benutztes Gelände sein können, dann hätte man die Leiche schon am nächsten Morgen gefunden.«
»Man hat sie am nächsten Tag gefunden«, sagte Engelchen. »Vielleicht ist der Mord irgendwo in der Nähe geschehen, und der Mörder hat es eilig gehabt?«
»Kann schon sein.« Lobenstein schwieg lange. Engelchen saß still neben ihm und beobachtete ihn.
»Was machst du eigentlich, wenn du Jörgensens Story findest?«
»Veröffentlichen natürlich.«
»Hast du keine Angst, du könntest eines Tages auch so enden?«
Lobenstein hatte die Unterarme auf das Lenkrad gelegt und starrte auf die Fahrbahn. Dann wandte er den Kopf zu Engelchen und sah ihr in die Augen. »Du hast doch nicht etwa Angst um mich?«
»Vielleicht.«
Er drückte ihre Hand und lachte. »Danke schön.« Er zündete sich eine neue Zigarette an. »Ich habe keine Wahl, es sei denn, ich lasse die ganze Sache sausen, und das kann ich mir nicht leisten. Jetzt schon gar nicht mehr. Aber ich glaube nicht, dass es gefährlich für mich werden könnte. Weißt du, ich sehe drei mögliche Motive für den Mord. Erstens: Geld.«
»Also Mühlens.«
»Vielleicht. Oder ein anderer.«
»Wer erbt eigentlich sein Vermögen?«
»Die Mutter.«
»Und wenn die stirbt?«
»Niemand, es gibt keine nahen Verwandten mehr. Nur noch

irgendeine Nichte. Nein, das scheidet aus. Ich glaube auch nicht, dass es Mühlens war. Ich möchte doch annehmen, dass Jörgensen ihn engagiert hatte und dass er nur durch Zufall in die Sache verwickelt worden ist. Aber wenn es ein Raubmord war und Mühlens nicht der Täter, dann dürfte der richtige sich längst aus dem Staub gemacht haben. Ich werde jedenfalls kaum über ihn stolpern. Das zweite Motiv: Rache. Auch das halte ich für unwahrscheinlich. Die Geschichten, derentwegen ein Racheakt denkbar wäre, liegen alle schon eine Weile zurück. Warum sollte der Mörder so lange gewartet haben? In den letzten Monaten hätte er genügend Gelegenheiten finden können. Und warum wurde Jörgensen in Frankfurt ermordet? Warum ist er hierhergefahren? Hat der Mörder ihn hierhergelockt, oder ist er ihm gefolgt? Um Rache zu üben? Würde Jörgensen sich mit einem Mann, von dem er einen Racheakt befürchten konnte, treffen? Wenn der Täter Jörgensen hierherlocken konnte, dann hätte er auch einen anderen, unauffälligeren Ort wählen können. Ist es nicht viel wahrscheinlicher, dass Jörgensen von jemandem verfolgt wurde? Dass der Mann vom Flughafen nicht der Täter war? Diese Überlegungen führen mich zu Motiv Nummer drei: Verhinderung einer Veröffentlichung. Vielleicht war es auch gar kein Mord, sondern nur Totschlag.«

»Wo siehst du da den Unterschied?«

»Dass Jörgensens Tod nicht geplant war. Dass man ihm vielleicht nur einen Denkzettel verpassen wollte, um ihn vor einer Veröffentlichung irgendwelcher Fakten zu warnen, dass aber der Täter zu fest zugeschlagen hat. Vielleicht hat man ihm Material abnehmen wollen. Welches? Wer? Wer war der Mann vom Flughafen?«

»Was sagt die Polizei?«

»Ich sehe Maurach erst heute Nachmittag.«
»Wenn es so ist, wie du vermutest, dann solltest du dich schön hüten, die Story zu finden.«
»Im Gegenteil, meine Liebe, im Gegenteil. Wenn es diese Story gibt, dann muss ich sie so schnell wie möglich finden. Wenn Jörgensen ermordet wurde, um eine bestimmte Veröffentlichung zu verhindern, dann ist jeder in Gefahr, der in ihre Nähe kommt. Vielleicht habe ich aber meine Nase schon hineingesteckt und weiß es nur nicht? Wenn es diese Story gibt, dann besteht meine beste Lebensversicherung darin, dass ich sie veröffentliche. Schnell. Wenn mir danach etwas zustieße, würde die Spur direkt zum Mörder führen. Zwei Morde sind schwerer zu vertuschen als einer. Nein, meine Sicherheit ist die Flucht nach vorn!« Er lächelte. Wie es Engelchen schien, ein wenig gezwungen. »Außerdem braucht die REVUE dringend die Story, schließlich habt ihr angekündigt, dass ich euch die Wahrheit über den Fall Jörgensen schreibe.«
»Ich glaube bald, du hast mehr Furcht davor, dass du mit dem Beitrag einbrechen könntest, als dass dir etwas zustößt.«
»Könnte mir etwas Schlimmeres zustoßen?«
»Jeder zieht mal eine Niete.«
»Wenn man sich erst mal so weit hochgearbeitet hat wie ich, kann man sich das nicht mehr leisten.«
»Vielleicht hat Jörgensen auch so gedacht. Vielleicht ist er daran gestorben.«
Er sah sie nachdenklich an. Dann ließ er den Motor an und fuhr los. »Ja, vielleicht.«

# 17

Lobenstein setzte Engelchen vor ihrem Haus ab, dann fuhr er zur Goldsteiner Siedlung. Maurach wohnte in einem Einfamilienhaus direkt am Wald. Lobenstein klingelte dreimal kurz. Es dauerte eine Weile, bis geöffnet wurde. Lobenstein schätzte die Frau auf Mitte vierzig.

»Frau Maurach?«

»Kommen Sie vom Präsidium?«

Lobenstein stellte sich vor.

»Mein Mann ist nicht zu Hause.«

Sie wollte ihm die Tür vor der Nase zuschlagen. Lobenstein setzte schnell einen Fuß in die Tür. »Ihr Mann ist zu Hause.« Er gab ihr seine Visitenkarte. »Geben Sie sie ihm, er wird mich sprechen wollen.«

Frau Maurach drehte die Karte unschlüssig in der Hand, dann deutete sie mit einem Kopfnicken auf den Fuß. Lobenstein zog ihn zurück. Sofort schloss sie die Tür und ließ Lobenstein draußen stehen.

Es dauerte lange, bis Maurach kam. Er hatte seinen Hund bei sich, einen schon behäbigen Spitz. »Sie werden entschuldigen, dass ich Sie nicht hereinbitte. Gehen wir ein Stück?«

Lobenstein nickte. »Warum nicht? Der Wald lädt ja geradezu ein zum Spazierengehen.«

»Und ich kann notfalls sagen, Sie hätten mir aufgelauert, wenn Ihre Kollegen mich angiften, weil ich mit Ihnen privat gesprochen habe.« Maurach lachte. »Die Sache mit Mühlens hat Sie ganz schön durcheinandergebracht, was?«

»Mich nicht.«

»Aber Ihre Kollegen. Nichts mehr mit gepfefferten Überschriften und schönen Spekulationen. Sie werden mir meine Schadenfreude nicht verdenken. Ich kann jetzt die Presse schön hinhalten.«

»Ich glaube nicht, dass sich die Presse lange eine so günstige Gelegenheit für kühne Spekulationen, gewagte Kombinationen, zweideutige Fragen und Andeutungen nehmen lässt, wenn Sie nicht bald mit mehr herausrücken als den paar dürftigen Angaben. Wenn die Polizei nicht schnell mit handfesten Indizien oder einem Geständnis von Mühlens aufwarten kann, wird man diese Version in Zweifel ziehen. Der Fall Jörgensen ist eine zu dankbare Fundgrube für reißerische Schlagzeilen, als dass man ihn sich für ein Butterbrot abkaufen lassen wird.«

»Ja, ja«, unterbrach Maurach, »das befürchte ich auch. Aber einstweilen habe ich die Presse auf Distanz. Ich weiß nämlich nichts. Ich kann immer sagen: Fahren Sie nach München. Aber denken Sie, es wäre schon einer zum Kammhuber gefahren?«

»Was sollte er auch dort? Kommissar Weitzner hüllt sich in Schweigen.«

»Er scheint ein bemerkenswert dickköpfiger Herr zu sein. Und Mühlens scheint es ihm nicht gerade leicht zu machen.« Der Kriminalrat schmunzelte. »Es ist halt doch ein Unterschied, ob ich einen kleinen Einbrecher oder einen Mörder vor mir habe.«

»Verraten Sie mir bitte …«

»Ich verrat Ihnen gar nichts«, unterbrach Maurach. »Aber Sie sagen mir jetzt, warum Sie mein Wochenende stören. Übrigens das erste seit vier Wochen. Ihre Redaktion hat doch alle Informationen bekommen. Sie sind sozusagen mein Lieblingsblatt.«

»Was wollte Jörgensen in Frankfurt? Darüber steht nichts in den Informationen.«

»Darüber weiß ich auch nichts. Im Ernst, Herr Lobenstein,

es ist wie verhext, niemand will etwas wissen. Aber diese Erfahrung haben Ihre Kollegen doch auch gemacht, oder? Ihre und meine Leute haben ja Hase und Igel gespielt. Haben Sie nichts herausbekommen? Es könnte der Schlüssel zu diesem Fall sein.«
»Sie glauben also auch nicht an die Mühlens-Theorie?«
»Grau, mein lieber Freund, ist alle Theorie«, zitierte Maurach. »Ich glaube gar nichts, bis ich den Mühlens selbst gesprochen habe.«
»Und wann wird das sein?«
»Das wissen die Götter im Bundeskriminalamt.« Maurach kniff die Lippen zusammen. Über seiner Nasenwurzel bildete sich eine scharfe Falte.
»Außerdem brauche ich Fotos«, sagte Lobenstein, »Jörgensens Leiche am Fundort.« Er erzählte Maurach, was er vorhatte. »Zwei, drei Bilder können Sie bestimmt schon herausrücken.« Als Maurach ihn mit skeptischer Miene ansah, fügte er hinzu: »Für Ihr Lieblingsblatt.«
Maurach lachte. »Ich werde sehen, was ich für Sie tun kann. Unter uns gesagt, ich denke, dass ich Mühlens am Montag oder Dienstag nach Frankfurt bekomme. Dann weiß ich bald mehr. Bei mir wird der Herr sich nicht ausschweigen. Bei mir nicht!«
»Er schweigt?«
»Seit Mittwoch schon. Zu Anfang hat er wohl brav erzählt, aber nun seit Tagen kein Wort mehr. Die Münchner Kollegen müssen irgendetwas falsch gemacht haben, denke ich mir.«
»Haben Sie schon Jörgensens Auto gefunden?«
»Ich bin nicht einmal sicher, ob er überhaupt mit dem Wagen nach Frankfurt gekommen ist.«

Lobenstein sah ihn überrascht an. »Hat Ihnen München das nicht mitgeteilt?« Er berichtete Maurach, was er von Birgitt Ammenschläger erfahren hatte.

»Wann haben Sie die Münchner Kollegen davon informiert?«

»Mittwoch.«

Maurach sagte eine Weile gar nichts. Er schien vollauf damit beschäftigt zu sein, seinen Spitz von der Leine zu lassen. Der Hund lief ein paar Schritte voraus, dann wartete er auf seinen Herrn und trippelte gemächlich hinterher. Maurach war ganz in seine Gedanken versunken. Lobenstein beobachtete den Kriminalrat, aber der verzog keine Miene. So trotteten sie zehn Minuten nebeneinanderher. Lobenstein hätte sich liebend gern eine Zigarette angesteckt, aber der Wald war knochentrocken. Als sie an eine Lichtung kamen, bat Lobenstein: »Können wir einen Augenblick halt machen? Ich möchte schnell ein paar Züge rauchen.«

»Ja, selbstverständlich, bitte.«

Maurach setzte sich auf einen Baumstumpf. »Ich glaube nicht, dass wir den Wagen noch finden«, sagte er. »Alle Parkplätze und auch der Wald in der Umgebung der Eilenbergbrücke sind abgesucht worden. Ich habe die Wagennummer vorsorglich an die Streifen und Funkwagen geben lassen, aber Sie wissen ja selbst, worauf die alles achten sollen. Und wenn Jörgensen seinen Wagen irgendwo in der Stadt abgestellt hat, ist jedes Suchen so gut wie aussichtslos. Sie können ja nicht mal sicher sein, dass Sie Ihren Wagen noch vorfinden, wenn Sie ihn nur für eine halbe Stunde parken, um zum Frisör zu gehen. Es gibt zurzeit mindestens drei Banden in Frankfurt, die auf Autodiebstahl spezialisiert sind, von den Amateuren will ich gar nicht reden. Und

ein Mercedes, der eine Woche lang unbewacht herumsteht …? In einer Garage oder in einem Parkhaus ist er jedenfalls nicht. Zumindest nicht in Frankfurt.«
»Haben Sie auch am Flughafen nachgeforscht?«
»Bestimmt doch, ich müsste mal nachsehen. Aber warum sollte Jörgensens Auto ausgerechnet am Flughafen stehen?«
»Weil Jörgensen am Sonntagabend um zehn dort gesehen worden ist.«
Maurach starrte Lobenstein entgeistert an. »Und das sagen Sie erst jetzt?«
»Ich hätte es Ihnen gerne gestern Abend mitgeteilt, aber Sie waren ja nicht …«
»Schon gut. Schießen Sie los.«
Lobenstein berichtete, was er von Lydia Gamsfeld erfahren hatte.
»Haben Sie das Kommissar Weitzner erzählt?«
»Nein. Aber Frau Gamsfeld. Zumindest hat sie mich angerufen, sie sei bei ihm gewesen.«
»Wann war das?«
»Gegen sechs Uhr etwa. Ich wollte gerade zum Flughafen.«
»Jetzt schlägt's dreizehn. Dieser Scheiß …« Maurach brach mitten im Wort ab. »Entschuldigen Sie. Das ging nicht auf Sie.«
Er stand auf und ging schnell weiter. Lobenstein trat seine Zigarette aus und eilte ihm nach.
»Können Sie mich in die Stadt mitnehmen und am Präsidium absetzen?«, fragte der Kriminalrat. »Das ist doch endlich eine Spur, mit der sich etwas anfangen lässt. Ich bedanke mich.«
»Sie könnten mir Ihre Dankbarkeit mit ein paar Fotos beweisen.«

Maurach schlug ihm auf die Schulter. »Gut, wann ist Ihr letzter Termin?«
»In der Nacht zum Mittwoch muss der Beitrag in die Druckerei.«
»Schicken Sie am Dienstagabend jemand bei mir vorbei.«

## 18

Im Briefkasten steckte ein Zettel von Bornig. Lobenstein möge entschuldigen, aber er müsse etwas Dringendes erledigen, er erwarte ihn am Sonntagvormittag. Lobenstein überlegte, was er mit dem Abend anfangen sollte, und entschloss sich, ein paar Stunden zu arbeiten und früh ins Bett zu gehen, um wieder einmal richtig auszuschlafen. Dann wurde es doch Mitternacht, bis Lobenstein sich hinlegte, sehr zufrieden, denn er hatte den ersten Bericht fast fertig.
Als er aufwachte, stand die Sonne schon hoch am nahezu wolkenlosen Himmel. Bornig führte ihn in den Garten, schob zwei Liegestühle nebeneinander, rückte den Sonnenschirm heran und holte einen Eimer mit Eis und Colaflaschen, den er in den Schatten seines Liegestuhles platzierte. Lobenstein zog sich bis auf die Badehose aus und stellte seinen Stuhl so, dass er flach in der Sonne liegen und sich braten lassen konnte.
»Und dabei willst du denken?«, fragte Bornig. »Ich komme so schon um vor Hitze.«
»Training, mein Lieber. Immer fit sein, das ist das Geheimnis der Erfolgreichen. Wer weiß, vielleicht schickt mich die REVUE demnächst nach Afrika.«

»Reporter müsste man sein.«
»Warum bist du es nicht? Kein Mensch zwingt dich dazu, in einer muffigen Redaktionsstube zu hocken.«
»Weil ich dann nicht immer in Frankfurt sein kann, wenn du mich brauchst.«
Lobenstein erzählte ausführlich. »Eine Woche habe ich durch den Bericht über die Beerdigung gewonnen«, schloss er. »Aber was ist das schon! Warum wurde Jörgensen umgebracht? Wegen Geld? Möglich, aber da säße ich ganz schön in der Tinte. Raubmorde sind zu alltäglich geworden. Da könnte ich nur seine Lebensgeschichte schreiben, und das wird Naumann kaum vom Stuhl reißen.«
»Vielleicht aus Rache«, sagte Bornig nachdenklich. »Ich habe Jochen oft gewarnt, dass es eines Tages ein schlimmes Ende mit ihm nehmen könnte.«
»Aber wer? Die Tiroler? Die wollten ihm sogar eine zweite Story anbieten. Alle anderen heißen Geschichten liegen Monate zurück. Das Wahrscheinlichste ist immer noch, dass er umgebracht wurde, weil eine Veröffentlichung verhindert werden sollte. Und welche? Doch nicht die Herren mit den Schweizer Konten! Die töten anders. Die machen mundtot, wenn es darauf ankommt.«
»Die Brasilianer? Du sagst, Jochen hat aufsehenerregende Dokumente mitgebracht.«
»Die hätten ihn einfach irgendwo im Dschungel verschwinden lassen können.« Er sah Bornig in die Augen. »Du hast ihn doch gut gekannt. Was ist an den Gerüchten, dass er oft einen Teil seines Materials zurückgehalten haben soll, um es den Betroffenen zu verkaufen?«
Bornig kniff die Augen zusammen, legte sich auf den Rücken, schob die Hände unter den Kopf und starrte in den

Himmel. »Journalisten sind doch Schweine«, sagte er langsam. »Überall müssen wir nach Dreck wühlen.« Er stand auf, lief hin und her, blieb endlich vor Lobenstein stehen, dass sein Schatten dem ins Gesicht fiel. »Du kannst auch schon nicht mehr anders, was? Jochen ist ermordet worden. Er ist das Opfer, vergiss das nicht. Und er war mein Freund.«

»Deshalb bin ich bei dir. Ich muss Klarheit haben. Ich muss mich entscheiden, wie ich ihn schildere. Ich will nicht riskieren, ihn als wackeren Streiter für eine saubere Welt aufzubauen, wenn sich jeden Tag herausstellen kann, dass er auf solche Weise Geld gemacht hat.« Lobenstein stand ebenfalls auf. Sie gingen durch den Garten. »Versteh mich doch, ich kann nicht mitten im Strom die Pferde wechseln.«

»Brauchst du auch nicht. Jochen war ein anständiger Kerl. Er hätte nie jemand erpresst. Zugegeben, er hatte nicht immer die feinsten Methoden, um an seine Storys zu kommen, aber mit Glacéhandschuhen kann man heute nicht mehr Zeitung machen, und Fernsehen schon gar nicht, das weißt du genauso wie ich. Ja, er hat die Ellenbogen benutzt, er war ein echtes Kind unserer Welt, aber er hat sie Leuten ins Gesicht gestoßen, die es verdient hatten. Wenn es auch nicht viel geholfen hat, es gab ihm ein gutes Gewissen.«

»Immerhin hat er doch einiges mit seinen Berichten erreicht.« Bornig lachte bitter. »Was denn? Du hast denselben naiven Optimismus wie Jochen. Er glaubte auch immer, dass er die Welt verbessern könnte, und was ist das Ergebnis? Seine ›Opfer‹ leben alle noch, und nicht einmal schlecht. Glaubst du zum Beispiel, bei den Verhandlungen des Baulandskandals kommt mehr heraus, als dass ein paar untergeordnete Figuren den Posten wechseln und ein paar Herren für einige Zeit etwas weniger öffentlich agieren?« Bornig hatte sich in Wut

geredet. Lobenstein sah ihn lächelnd an. »Mach dir nur Illusionen«, fuhr Bornig fort. »Hat sich schon irgendetwas auf Grund deiner Artikel geändert?«
»Soll ich dir einige Beispiele nennen?«
»Ach was, eines Tages wirst du auch noch dahinterkommen.«
»An dem Tag werde ich aufhören zu schreiben. Warum arbeitest du noch für die Presse, wenn du nicht glaubst, dass man etwas erreichen kann?«
»Warum, warum? Weil ich mein Geld damit verdiene. Weil ich nichts anderes gelernt habe, und weil das eine Arbeit ist wie jede andere auch. Der eine produziert Schuhe und ich Meinungen.«
Bornig lief mit langen Schritten zu den Liegestühlen zurück, griff sich eine Flasche Cola und trank in hastigen Schlucken.
»Wenn ich nur schon wüsste, wem Jörgensen in Bad Tölz aufgelauert hat«, sagte Lobenstein. »Hast du nicht eine Ahnung?«
Bornig hatte nicht einmal eine Vermutung. »Ich fürchte, du wirst es nie erfahren. Du kannst dir nicht vorstellen, wie verschwiegen Jochen sein konnte, wenn er hinter einer heißen Sache her war, und er hatte ein ausgezeichnetes Gedächtnis. Wahrscheinlich gibt es nicht einmal Notizen. Wer weiß, ob es überhaupt solch eine Story gibt. Das sind doch alles nur Vermutungen.«
»Und die Fotos?«
»Mir ist schleierhaft, was du eigentlich sagen willst, woher du die Aufnahmen hast. Schließlich war das …« Er suchte nach der richtigen Bezeichnung.
»Diebstahl und Unterschlagung von Beweismaterial.« Lobenstein grinste. »Außer uns beiden weiß niemand davon,

und ich vertraue darauf, dass du mich nicht für dreißig Silberlinge verkaufst.«

»Wenn ich so viel für dich bekommen würde. Reporter stehen im Augenblick nicht besonders hoch im Kurs.«

»Wenn ich weiß, was dahintersteckt, kann ich mir auch eine plausible Ausrede einfallen lassen. Und wenn ich es nicht erfahre, lasse ich die Fotos einfach in der Versenkung verschwinden. Aber was mach ich dann mit meiner Story?«

»Vielleicht wäre der Streifen aber wichtig für die Ermittlungen?«

»Wenn ich ihn nicht entdeckt hätte, läge er immer noch in dem Vergrößerungsgerät. Weitzner hatte seine Untersuchungen ja schon abgeschlossen. Und mehr als ich kann die Polizei auch nicht herausbekommen.«

»Aber wenn der Film nun doch wichtig wird?«, beharrte Bornig ärgerlich.

»Warum so böse?«

»Weil ich daran interessiert bin, dass Jochens Mörder gefunden wird. Mehr als an deiner Story.«

»Dann kann ich den Film immer noch der Polizei zuspielen. Verrat mir lieber, was Jörgensen in Frankfurt wollte. Ist dir nicht noch was eingefallen, was mir helfen kann? Wer mag der Mann gewesen sein, mit dem Jörgensen sich am Sonntagabend am Flughafen getroffen hat? Ich bin sicher, es gibt eine Story, aber wo finde ich einen Hinweis?«

»Vielleicht kann Kenton dir helfen.«

»Wer ist das?«

»Du kennst Kenton nicht? TNC, Television & News Corporation, eine kleine Firma in London, aber mit erstklassigen Verbindungen. Jochen hat den größten Teil seiner Auslandsgeschäfte über die TNC abgewickelt. Kenton kann dir auch einen Haufen Informationen über Jochen geben; wie sie damals die Filme aus Algier herausgeschmuggelt haben, ist alleine eine Fortsetzung wert.«

Lobenstein ließ sich die Adresse geben. »Komm, lass uns reingehen und anrufen.«

»Zwecklos. Er ist in Urlaub. Irgendwo in Afrika.«

»Wann kommt er zurück?«

»Das konnte man mir nicht sagen. Ich habe hinterlassen, dass er sich sofort nach seiner Rückkehr bei mir oder dir melden soll.«

Lobenstein nahm sich eine Flasche und trank ihm zu. »Danke schön, du bist eben doch ein richtiger Freund.«

## 19

Bevor Lobenstein am Montag in die Redaktion fuhr, rief er in London an. Kenton sei im Augenblick nicht zu erreichen, sagte die Sekretärin. Er sei mit seinem Freund auf einer Safari zum Kilimandscharo, aber sie würde ihm gerne ein Telegramm senden, dass er sich sofort melden sollte, sowie er auf die Farm des Freundes zurückkäme.

»Wissen Sie, ob Herr Jörgensen in den letzten Wochen mit Mr. Kenton in Verbindung stand«, fragte Lobenstein.

»O ja, da war immer mal etwas, aber darüber können Sie nur von Mr. Kenton erfahren. Herr Jörgensen hat ausschließlich mit ihm verhandelt.«

Engelchen schickte Lobenstein sofort zu Naumann. Der Chef warte schon auf ihn.

Naumann wollte keine langen Berichte. Er hatte nur eine

Frage: »Bringen Sie uns nun einen Knüller? Wilhelmi scheint mir recht skeptisch.«

»Wann war er das nicht? Vornehme Skepsis ist doch sein Image.«

Naumann lachte. »Also kann ich mich auf Sie verlassen?«

»Habe ich Sie schon jemals enttäuscht? Wenn es einen Knüller gibt, dann liefre ich Ihnen den auch.«

»Wenn …?« Naumann sah ihn fragend an, aber Lobenstein bat ihn, er solle sich noch ein paar Tage gedulden.

»Wenn Sie Hilfe brauchen«, sagte der Chef, »dann sagen Sie es ungeniert. Ich stelle Ihnen alles zur Verfügung, was die Redaktion zu bieten hat.«

Die Recherchen nach den Fotos aus Bad Tölz lagen noch nicht vor. Lobenstein beschwor Engelchen, ihn sofort anzurufen, sobald sie einträfen. Mit der Mittagsmaschine flog er nach München. Am Nachmittag und am Abend holte er Interviews nach, die er in der vergangenen Woche verschoben hatte. Mit Schraudenbach telefonierte er nur kurz. Schraudenbach stöhnte, wie viel Arbeit er mit der Beerdigung habe, und holte aus, um Lobenstein die Ohren vollzujammern. Lobenstein tröstete ihn, die Chefs seien sehr zufrieden.

Als Lobenstein am Dienstag den Friedhof betrat, wimmelte es schon von Journalisten. Die wenigsten waren gekommen, um von dem toten Kollegen Abschied zu nehmen. Es wurde aufmerksam registriert, wer unter den Trauergästen saß, Informationen wurden ausgetauscht, Namen weitergegeben. Die Feier fand in der großen Halle statt, aber die war schon jetzt, eine halbe Stunde vor Beginn, überfüllt. Als Lobenstein sich nach einem Platz umsah, winkte ihm jemand zu. Es war Kupsch von der ABENDZEITUNG. »Ich hab einen Platz für Sie frei gehalten«, flüsterte er Lobenstein zu. »Ich dacht mir, der Schraudenbach hat ja heut kaum Zeit, da werd ich mich halt Ihrer ein wenig annehmen.«

Lobenstein bedankte sich und sah sich um. Das Fernsehen hatte den Raum ausgeleuchtet, so knallten wenigstens nicht dauernd Blitzlichter in die Feier. Auf der anderen Seite des Ganges saß in der letzten Reihe Kommissar Weitzner. Er gab sich völlig versunken, als habe sein Besuch keinen anderen Sinn, als einen teuren Toten zu Grabe zu tragen. Nur einmal gab er ein Zeichen von Überraschung von sich, als zwei Männer mit einem Kranz der Tiroler Organisation erschienen. Weitzner hob den Kopf, reckte sich ein wenig, damit er die Inschrift auf der Kranzschleife lesen konnte. Als die Tiroler in einer der mittleren Reihen Platz genommen hatten, sank Weitzner wieder in Ruhestellung und sah so aus, als lausche er nur noch der Musik und dann dem Intendanten des Münchner Fernsehstudios, der die Trauerrede hielt.

Lobenstein machte sich nur ein paar Notizen. Die Bildunterschriften würde Handtke schreiben, der mit einem Bildreporter aus Frankfurt gekommen war.

»Ich hab vorhin Ihre Ankündigung gesehen«, raunte Kupsch. »Sieht sehr vielversprechend aus. Was haben S' denn entdeckt? Darf man schon was erfahren?«

»Sie würden es doch nicht glauben.« Lobenstein hielt schnell die Hand vor den Mund, damit man sein Grienen nicht sehen konnte.

»Ich mach auch keinen Gebrauch davon, wenn's unbedingt sein muss.«

Lobenstein beugte sich zu ihm. »Ich weiß selbst noch nicht, was ich schreiben soll«, flüsterte er ihm ins Ohr. »Ich hab noch gar keine Story.« Die Wahrheit ist immer noch die beste Lüge, dachte er, man muss sie nur so aussprechen, dass der

andere sie nicht glauben will. Kupsch glaubte kein Wort. Er stieß Lobenstein in die Seite.
»Ausgerechnet Sie! Nein, nein, mein Lieber, das können S' einem erzählen, der sich die Hosen mit dem Schuhlöffel anzieht. Aber wann S' die Katz noch nicht aus dem Sack lassen wollen ...«
Lobenstein zeigte mit dem Kopf nach vorne. Die Musiker griffen nach den Instrumenten.
Die letzten Takte waren noch nicht verklungen, da drängte ein Teil der Journalisten nach draußen. Lobenstein wartete, bis Schraudenbach mit Frau Jörgensen an ihm vorbeigegangen war. Er nickte ihm anerkennend zu. Schraudenbach hatte seine Sache gut gemacht.
Hinter den beiden watschelte Wabyschewski. Sein dunkelbraungebranntes Gesicht passte nicht zu einer Beerdigung, und sein schwarzer Anzug sah eine Nummer zu klein aus. Birgitt Ammenschläger ging allein. Sie hatte einen Schal aus schwarzer Spitze so um den Kopf gelegt, dass zu beiden Seiten des Gesichts ihre langen blonden Haare hervorkringelten. Das Schwarz stand ihr gut. Sie beachtete Lobenstein nicht. Ihre Augen waren verweint. Lobenstein reihte sich hinter ihr ein. Links und rechts der Tür hatten sich Bildreporter aufgestellt.
Als Birgitt aus der Kapelle trat, klickten Kameraverschlüsse. Sex muss sein, dachte er wütend, sogar bei einer Beerdigung. Zum Kotzen.
Zwanzig Meter weiter hatte sich eine dichte Menschentraube gebildet. Lobenstein kam näher und erkannte, dass Weitzner den Mittelpunkt dieser Versammlung abgab. Fragen prasselten auf ihn ein, aber er sagte immer nur: »Kein Kommentar. Wenden Sie sich an Frankfurt. Wir haben mit diesem Fall nichts mehr zu tun.«

Die Traube löste sich auf. Plötzlich standen Lobenstein und Weitzner sich gegenüber. »Sie haben mir grad noch gefehlt«, knurrte der Kommissar, drehte sich auf dem Absatz um und stiefelte davon, den Kopf zwischen die Schultern gezogen. Der Kollege von der ABENDZEITUNG stieß Lobenstein in die Seite. Seine Schadenfreude war nicht zu übersehen. »Das geschieht dem Watschenbazi ganz recht.«

»Dem Watschenbazi?«

Der andere lachte. »Das ist sein Spitzname. Er kann's sich halt nicht abgewöhnen, bei seinen Verhören handgreiflich zu werden. Ich gönn's ihm, dass man ihm den Mühlens weggenommen hat. Wer weiß, am Ende hätte er doch noch ein Geständnis aus ihm herausgepresst. Der Weitzner hat es sich zu schön ausgedacht, dass er den Fall schnell aufklärt und den Mörder samt Geständnis auf dem Silbertablett in Frankfurt präsentiert.«

»Sie glauben nicht, dass Mühlens der Täter war?«

»Lächerlich. Und dass Weitzner nichts gesagt hat, ist doch der beste Beweis, dass es nur eine Theorie war ohne jedes stichhaltige Indiz.«

»Na, ich weiß nicht«, sagte Lobenstein. »Da es nicht mehr sein Fall ist, kann er wohl auch keine Erklärungen in der Öffentlichkeit abgeben.«

»Da kennen Sie den Weitzner aber schlecht. Der lässt sich das Maul nicht verbieten, der nicht. Denken Sie, der hat vorher gefragt, ob er uns das Interview geben darf? Da hat er so schön gepranzt, wie schnell er den Mörder gefasst hat, und nun ist's Essig. Na, ja. Mühlens als Mörder!«

»Kennen Sie denn Mühlens?«

»Ich hab ihn seit zehn Jahren nicht mehr gesehen«, sagte der andere, »aber er wird sich schon nicht so geändert haben,

denk ich mir. Wir haben beide mal bei UPI gearbeitet.«
»Sagten Sie bei UPI?«
»Ja, was ist daran so erstaunlich?«
»Aber dann müssen Jörgensen und Mühlens sich doch gekannt haben.«
»Sie haben sogar zur gleichen Zeit als Volontäre angefangen. Nur, dass aus dem einen ein Star geworden ist und aus dem anderen ein kleiner Pinscher. Wussten Sie nicht, dass die beiden sich kannten? Na, lesen Sie heute die ABENDZEITUNG, da finden Sie alles schwarz auf weiß. Und noch ein paar Überraschungen dazu.«
Die ABENDZEITUNG schlachtete ihre Entdeckung, dass Mühlens und Jörgensen sich gekannt hatten, weidlich aus. Lobenstein las sie auf dem Flug nach Frankfurt. Aus der Bekanntschaft war eine Freundschaft geworden, und um der Schlagzeile »Mord unter Brüdern?« willen hatten sie sogar eine Blutsbrüderschaft herbeizitiert, die die beiden angeblich vor einem viertel Jahrhundert als junge Burschen geschlossen hätten. »Ist Mühlens nicht doch nur durch unglückliche Zufälle in den Mord verstrickt worden?«, fragte die Zeitung. »Aber wenn er nicht der Täter ist, erhebt sich wieder die Frage: Wer dann?« Die Redaktion war um eine Antwort nicht verlegen. Sie griff ihre alte Version auf, Jörgensen habe es sich zur Aufgabe gemacht, den Rauschgifthandel aufzudecken, und veröffentlichte, dass Jörgensen am Mordabend auf dem Frankfurter Flughafen gesehen worden sei. Sie schrieb nicht, von wem. Dafür brachte sie eine Zeichnung, die ganz offensichtlich nach der von Lydia Gamsfeld gegebenen Personenbeschreibung angefertigt worden war. »Es ist eine bekannte Tatsache«, schrieb die ABENDZEITUNG dazu, »dass der Frankfurter Flughafen das Zentrum des Rauschgifthandels

ist. Mit wem hat Jörgensen sich dort getroffen, wenige Stunden bevor er ermordet wurde? Wer kennt diesen Mann?«
Tausend Mark Belohnung wurden von der Redaktion für seine Identifizierung ausgesetzt.
Na, dann auf zum fröhlichen Jagen, dachte Lobenstein. Er konnte sich vorstellen, was jetzt geschehen würde. Die Zeichnung passte auf ein paar tausend Männer. Wer auch immer ein schmales Gesicht hatte und einen Schnurrbart trug, würde jetzt in Gefahr geraten, denunziert zu werden. Wilhelmi gefiel die Idee mit der Zeichnung gut. Sie diskutierten eine Weile, dann nahmen sie die Skizze noch in den REVUE-Bericht auf. Kurz nach Mitternacht fuhren sie in die Druckerei. Auch Naumann war gekommen. Er sah die Seiten aufmerksam durch, dann nickte er Lobenstein anerkennend zu. Der Beitrag sah gut aus. Zuerst die Fotos von der Trauerfeier, dann die Eilenbergbrücke, Jörgensens Leiche und die Polizei bei der Arbeit, dann Bilder von Jörgensen als Baby, als Schulkind, als junger Mann und mit Präsident Kennedy; den Abschluss des Beitrages bildete die Zeichnung mit der Schlagzeile: »Wer ist der geheimnisvolle Mann vom Flughafen? Fortsetzung in der nächsten Woche.«
Wenn ich nur schon wüsste, wie, dachte Lobenstein.

## 20

Engelchen rief an. »Die Recherchen sind da.«
»Ich komme sofort. Koch mir schon einen Mokka.« So schnell war Lobenstein schon lange nicht mehr aufgestanden.

Er ließ sich von Engelchen die Unterlagen geben und verschwand mit ihnen in einem gerade unbenutzten Zimmer. Engelchen brachte seinen Mokka nach. Sie sah ihn neugierig an, aber er schickte sie hinaus und schloss hinter ihr ab.

Die Auskunftei entschuldigte sich, dass man von den Ausländern relativ wenig wüsste, doch sie hätten alle zumindest auf die Richtigkeit der angegebenen Adressen und Berufe überprüfen können. Vier der Ausländer waren Mitglieder einer amerikanischen Reisegesellschaft auf Europatournee, der fünfte ein Manager einer Firma aus Leeds, der ziemlich regelmäßig aus England herüberkam, der sechste ein Käsefabrikant aus Frankreich, der mit seiner Frau zwei Wochen in Bad Tölz verbracht hatte.

Die Angaben über die deutschen Hotelgäste waren weit ausführlicher. Kunststück, Pfenniges war die größte Auskunftei und rühmte sich, nahezu ein Viertel aller Bundesbürger erfasst zu haben. Im Computer natürlich. Pfenniges arbeitete immer mit der neuesten Technik.

Die Auskünfte hätten jeden Geschäftsmann zufrieden stellen können. Solide, kreditwürdige Bürger. Niemand war unter falschem Namen abgestiegen. Zwei Oberstudienräte, eine Kunstgewerblerin, ein General im Ruhestand, ein Bonbonfabrikant, ein Regierungsrat a. D., vier Landwirte aus dem Oldenburgischen, ein Prokurist von der Commerzbank, der Direktor der »Intarmco«-Zweigniederlassung in der Bundesrepublik.

Lobenstein legte die Karte beiseite und überlegte.

Das konnte es sein: »Intarmco«. Gebrauchte Waffen. Pistolen, Gewehre, Maschinengewehre, Geschütze, Panzer, sogar Schiffe und Flugzeuge. Es wurde gemunkelt, dass das Unternehmen nicht nur legal mit Waffen handelte, sondern über

Mittelsmänner und dunkle Kanäle auch in gesperrte Gebiete lieferte.
Er suchte das Foto mit dem »Intarmco«-Mann heraus und prüfte, wer noch auf dem Bild zu sehen war. Der General a. D. Er rief im Redaktionsarchiv an. »Haben wir etwas über General Dahler?«
Er musste ein paar Minuten warten, bis der Archivar wieder an den Apparat kam. »Da ist eine ganze Menge. Lebenslauf aus dem Munzinger-Archiv, Vorabdruck aus seinen Memoiren in den FRANKFURTER NACHRICHTEN, etwa vier Dutzend Artikel über ihn, die meisten noch aus seiner aktiven Zeit bei der Bundeswehr, und Gedenkartikel zu seiner Pensionierung.«
»Und aus der letzten Zeit?«
»Nur eine Notiz vom Januar, dass Dahler einen Aufsichtsratsposten bei den ›Vereinigten Stahlwerken‹ angenommen hat.«
»Danke, legen Sie mir das Material bitte bereit. Ich hole es in den nächsten Tagen ab.«
Er rief bei der DAILY NEWS in London an und verlangte Frazer. »Du musst mir wieder mal helfen, Lionel«, sagte er. »Ich brauche Auskunft über einen Mr. McShane aus Leeds, von ›Packham Overseas‹.«
»Willst du in den Waffenhandel einsteigen?«
»Wie kommst du darauf?«
»Na, es ist doch ein offenes Geheimnis, dass ›Packham Overseas‹ einer der großen Waffenlieferanten auf dem internationalen grauen Markt ist. ›Packham‹ und ›Intarmco‹ teilen sich zum Beispiel den lateinamerikanischen Markt.«
»Was würdest du sagen, wenn sich Leute von der ›Packham Overseas‹ und der ›Intarmco‹ in einem Hotel in Baden-Baden treffen?«

»Keine Sensation. Die arbeiten auch offiziell zusammen.«
»Und wenn noch jemand von den ›Vereinigten Stahlwerken‹ dabei ist?«
»Das macht die Sache interessant.«
Lobenstein meldete sich bei Engelchen ab und fuhr nach Hause. Er kochte sich Kaffee, dann rückte er einen Sessel ans Fenster. Er musste nachdenken. War er auf das Geheimnis des Filmes gestoßen? Hatte Jörgensen den Leuten zu tief in die Karten geguckt und musste deshalb sterben? Der graue Markt im Waffenhandel war ein brisantes Thema. Was hatte General Dahler damit zu tun? Dem Foto war nicht zu entnehmen, ob Dahler und der ›Intarmco‹-Mann sich kannten. Lobenstein holte den Film. Er probierte eine Weile, bis er den Dreh heraushatte, wie er den 16-mm-Streifen durch seinen Schmalfilmprojektor ziehen konnte. Aber die kurze Szene verriet nichts. War Dahler nur zufällig im gleichen Hotel abgestiegen und war auch nur zufällig auf den Film geraten? Lobenstein überlegte, in welchem Zusammenhang er in der letzten Zeit den Namen der »Vereinigten Stahlwerke« gelesen hatte.
Wabyschewskis Liste! Er sah sie durch. Die »Vereinigten Stahlwerke« standen auf der Liste der zusätzlich recherchierten Firmen. Lobenstein musste grinsen. Jörgensen war also keiner Fehlinformation aufgesessen. Er hatte dem dicken Wabyschewski bloß nicht verraten, worauf es ihm ankam. Aber was war mit den anderen auf dieser Liste? Das waren ausnahmslos große Unternehmen mit mehreren Betrieben, und durch eines ihrer Werke konnten alle mit der Sache zu tun haben, wenn man die Geschäfte der »Intarmco« und der »Packham Overseas« als Waffenhandel im weitesten Sinne auffassen wollte. Die »Acothen-Werke« zum Beispiel

produzierten Pflanzengifte, mit denen man den dichtesten Dschungel entlauben konnte. Die Amerikaner hatten sie in Vietnam eingesetzt.
Er ging unruhig auf und ab, bis er einen Entschluss gefasst hatte. Diese Sache war zu groß, als dass er sie allein angehen konnte, aber wiederum zu verlockend, um sie einfach fallenzulassen. Er würde zu Maurach gehen und ihm den Film und das Ergebnis der Recherchen bringen, würde kleinlaut zugeben, dass es falsch gewesen war, den Film nicht gleich abzuliefern, aber es sei schließlich keine Zeit verloren, wer weiß, ob die Polizei so schnell mit ihren Ermittlungen gewesen wäre. Von wem er den Film bekommen hatte, würde er nicht sagen. Maurach würde schon nicht wegen solcher Lappalie zum Staatsanwalt rennen und Beugehaft gegen ihn beantragen. Er würde fluchen, aber das Risiko, dass der Kriminalrat Maßnahmen gegen ihn einleiten würde, war so gering, dass Lobenstein meinte, es eingehen zu können.

## 21

»Darf ich Ihrem glücklichen Lächeln entnehmen, dass Sie den Fall gelöst haben?«, begrüßte Lobenstein den Kriminalrat.
Maurach zuckte die Schultern und bot Lobenstein Platz an. »Zumindest habe ich Mühlens in Frankfurt.«
»Meinen Glückwunsch, dass es Ihnen gelungen ist, ihn so schnell aus den Fängen der Münchner Polizei zu befreien. Ist er der Mörder?«
»Danke.« Maurach legte den Kopf schief und sah Lobenstein an. »Er ist es.«

»Darf ich das veröffentlichen?«
»Natürlich nicht. Noch nicht. Und ob er ein Mörder ist, wird das Gericht entscheiden. Ich bin da ein wenig zurückhaltender als meine Münchner Kollegen. Aber ich hoffe, wir können die Ermittlungen bald abschließen. Schon um der Presse das Maul zu stopfen.«
Maurach zeigte mit dem Daumen über seine Schulter auf einen Stapel Zeitungen, der auf seinem Aktenbock lag. »Sie werden verstehen, dass ich heute nicht allzu gut auf die Presse zu sprechen bin.«
Lobenstein schmunzelte. Die Zeitungen waren wieder voll von Artikeln über Jörgensen gewesen. Dass die Polizei seit einer Woche keinerlei Informationen mehr herausgegeben hatte, wurde als stillschweigendes Geständnis aufgefasst, dass sie auf eine falsche Spur gesetzt hatte. Damit war das Feld für Spekulationen erneut weit offen, und die Artikel lebten davon, dass man wieder nichts wusste, also alles vermuten konnte. Vor allem aber: Die meisten Zeitungen griffen die Polizei an, die Einschränkung der Ermittlungen auf eine einzige Spur könne letztlich nur den wirklichen Tätern Vorschub leisten. Viele hatten die Zeichnung der ABENDZEITUNG übernommen. »Sie sollten doch Kummer gewohnt sein. Wir haben nun mal Pressefreiheit.«
»Finden Sie nicht, dass sich die Herren Journalisten zuweilen ein wenig zu viel Freiheiten herausnehmen? Können Sie sich vorstellen, was uns diese AZ mit ihrer Belohnung aufgehalst hat? Dutzende von Anrufen.«
»Und was machen Sie damit?«
»Registrieren. Ich habe meinen Mörder.«
»Hat er gestanden?«
»Das nicht. Aber je mehr er sagt, desto tiefer redet er sich

hinein. Heute Morgen war Haftprüfungstermin. Der Richter war sehr zufrieden mit unseren Ergebnissen. Und der Staatsanwalt auch.«

»Und wer ist der Mann vom Flughafen?«

Maurach lehnte sich zurück, streckte die Beine weit von sich und lachte Lobenstein ins Gesicht. »Das weiß ich dank Ihrer Mitarbeit schon seit Montag.« Er stand auf, holte die ABENDZEITUNG und breitete sie vor Lobenstein aus. »Sie wissen wirklich noch nicht, wer dieser Mann ist?«

Lobenstein schüttelte den Kopf.

»Mühlens.«

Der Kriminalrat weidete sich an Lobensteins Verblüffung.

»Aber ich denke, Mühlens ist Jahrgang sechsundzwanzig? Und er hat keinen Schnurrbart ...«

»Sie denken an das Foto im TAG? Das war ziemlich alt. Es besteht kein Zweifel. Ich habe sogar außer dieser Frau Gamsfeld noch einen zweiten Zeugen, ein Kellner, der Jörgensen und einen anderen Mann Sonntagabend im Flughafenrestaurant bedient hat. Zwischen zehn und halb elf Uhr. Der Kellner hat Mühlens am Montag identifiziert.«

»Was sagt Mühlens?«

»Er behauptet, Jörgensen habe ihn am Sonnabend angerufen, er wolle ihn für zwei oder drei Wochen engagieren. Mühlens, das haben wir inzwischen überprüft, hat lange Zeit als Kamera-Assistent gearbeitet, auch ein paarmal für Jörgensen. Mühlens sagt, Jörgensen habe ihn zu Sonntagnachmittag in den ›Bayrischen Hof‹ bestellt, Jörgensen hätte noch etwas in Frankfurt erledigen wollen und habe ihm deshalb seine Schlüssel gegeben. Mühlens hätte nach München fahren, dort die Kamera-Ausrüstung einpacken und in die Schweiz vorfahren sollen. Sie hätten sich in St. Gallen treffen wollen.«

»Und was wollten sie am Flughafen?«
»Mühlens bestreitet hartnäckig, mit Jörgensen am Flughafen gewesen zu sein. Er sagt, sie hätten sich gegen acht Uhr vor dem Hotel getrennt. Tatsächlich haben Mühlens und Jörgensen kurz vor acht das Hotel verlassen. Dafür haben wir die Aussage des Hotelportiers. Danach sei er in der Stadt umhergefahren und habe fotografiert. Er hätte noch einen Auftrag zu erledigen gehabt. Aber Mühlens schweigt sich aus, was für ein Auftrag und für wen. Ich bin sicher, es ist eine reine Schutzbehauptung. Wenn er fotografiert hat, müssen Aufnahmen und ein Auftraggeber existieren, dann hat er ein Alibi, warum schweigt er also? Haben Sie eine logische Erklärung dafür?«
»Vielleicht hat er etwas für seine politischen Freunde erledigt. Ich würde mich auch hüten, freiwillig über kommunistische Aktivitäten auszusagen.«
»Gewiss, Mühlens hat Verbindung zur DKP, aber das ist schließlich eine legale Partei.«
Lobenstein warf Maurach einen Blick zu.
»Ja, ich weiß, was Sie jetzt denken, Herr Lobenstein. Aber der Mann steht unter Mordverdacht. Was kann er schon getan haben, das schlimmer ist? Würden Sie nicht alles sagen, nur um von diesem Verdacht loszukommen?«
»Ich bin kein Kommunist. Was weiß ich?«
»So viel weiß ich. Das sagt mir meine Erfahrung. Wenn es jemandem an den Kragen geht, und er ist unschuldig in solch eine Sache verwickelt, dann kennt er nur noch eins: den Kopf aus der Schlinge ziehen. Mühlens behauptet, er sei gegen vier Uhr morgens nach Hause gekommen. Die Wirtin hat ihn erst am Montagvormittag gesehen. Er hat seine Miete bezahlt –«, Maurach blätterte in seiner Akte, »drei-

hundertsechzig Mark. Mühlens sagte, er sei gegen zehn Uhr in Frankfurt aufgebrochen, wäre am Abend in München angekommen, sei zu Jörgensens Atelier gefahren, habe dort auftragsgemäß die Geräte eingepackt und sei dann in Richtung Schweiz weitergefahren. Unterwegs wäre er müde geworden und habe deshalb in Landsberg übernachtet. Am Dienstag um zehn ist er an der Grenze festgenommen worden.«

Maurach erhob sich und ging auf und ab.

»Warum sollte Jörgensen ihm die Schlüssel gegeben haben, da er doch am Sonntagabend, spätestens am Montag früh selbst nach München kommen wollte, wenn wir der Aussage von dieser Birgitt Ammenschläger glauben wollen. Und warum sollten wir das nicht? Warum hat Mühlens einen ganzen Tag gebraucht, um nach München zu kommen? Warum hat er das Atelier nachts ausgeräumt und ist gleich weitergefahren und hat nicht erst in München übernachtet und die Sachen morgens eingeladen? Wieso will Mühlens bis Dienstagmittag nichts von Jörgens Tod gewusst haben? Die Meldung ist seit Montagnachmittag in jeder Nachrichtensendung gewesen. Auch am Dienstag früh noch. Wir haben das geprüft. Kennen Sie einen Journalisten, der einen ganzen Tag lang keine Nachrichten hört? Erklären Sie mir das alles!«

Lobenstein schwieg.

»Mühlens hatte bei seiner Festnahme fast zehntausend Mark bei sich. Zehntausend! Der höchste Betrag, den er in den letzten fünf Jahren auf seinem Konto hatte, war tausendfünfhundert. Woher hat er das Geld? Mühlens schweigt sich darüber aus.«

»Jörgensen könnte ihm das Geld gegeben haben.«

»Zehntausend Mark? Haben Sie schon mal jemandem zehntausend Mark in die Hand gegeben? Ich will Ihnen sagen, wie es wahrscheinlich gewesen ist. Mühlens hat bei seinem Gespräch mit Jörgensen erkannt, was er hier für eine Chance hat, endlich aus seinen ewigen Kalamitäten herauszukommen. Und niemand würde ihn mit Jörgensen in Verbindung bringen. Er wusste, was für ein Geheimniskrämer der war. Niemand würde Jörgensen so schnell vermissen. Außerdem hatte Jörgensen einen Haufen Bargeld bei sich. Wir haben auch das überprüft. Er hat am Sonnabend zwanzigtausend Mark von seinem Konto abgehoben.«

»Mühlens hatte aber nur zehntausend Mark bei sich.«

»Wir werden noch herausfinden, wo das andere Geld geblieben ist. Sie haben zusammen um acht Uhr das Hotel verlassen. Was sie zwischen acht und zehn Uhr gemacht haben, wissen wir noch nicht, ist zunächst auch unwesentlich. Um halb elf waren sie jedenfalls noch im Flughafenrestaurant. Eine Stunde später war Jörgensen bereits ein toter Mann. Ich glaube nicht, dass Mühlens nach einem Plan gehandelt hat. Vielleicht haben sie sich gestritten, oder er ist bei dem Anblick des Geldes durchgedreht. Ich möchte sogar annehmen, dass ihm die Idee, das Atelier auszurauben, erst später gekommen ist.«

»Warum ist er nicht nachts aufgebrochen?«, fragte Lobenstein. »Dann hätte er schon am Vormittag in München sein können.«

»Ich denke mir, er wollte den Eindruck erwecken, als verließe er Frankfurt wie immer, wenn er einen Auftrag hatte. Er brauchte es nicht eilig zu haben. Er konnte damit rechnen, dass wir die Leiche nicht so schnell finden würden, sie hätte ja auch ohne den zufällig vorbeikommenden Radfahrer wahrscheinlich lange Zeit unentdeckt an dieser gottverlassenen Stelle gelegen. Und niemand musste ihn mit Jörgensen in Verbindung bringen. Er hatte ihn ja seit zwei Jahren nicht mehr gesehen. Aber, Sie haben recht, selbst wenn er ganz gemächlich nach München gefahren ist, hätte er schon am Nachmittag dort ankommen müssen. Mühlens sagt, er habe eine Panne gehabt, dafür gibt es natürlich wieder keinen Zeugen. Ich glaube dagegen, er ist so schnell wie möglich nach München gefahren und hat unterwegs die Nachricht von der Auffindung der Leiche gehört. Wie ich ihn einschätze, hat er daraufhin erst einmal Rast gemacht und seine weiteren Schritte überlegt. Was hätten Sie in solch einer Situation getan?«

»Ich weiß nicht, es ist schon zu lange her, seit ich das letzte Mal jemanden umgebracht habe. Wahrscheinlich so schnell wie möglich über die nächste Grenze.«

»Vielleicht war das auch seine erste Reaktion. Doch warum sollte er eigentlich? Wer würde ihn denn mit dem Mord in Verbindung bringen? Und wenn, dann war es jetzt auch schon zu spät. Er konnte seine Lage nur verbessern, wenn er nach München fuhr. Mit zehntausend Mark kommt man nicht weit. Mühlens kennt das Metier. Er wusste bestimmt, wie gefragt Kameras und dergleichen im Ausland sind. Im Atelier lag ein Vermögen, er brauchte nur zuzugreifen.«

Lobenstein nickte. »Rund achtzigtausend Mark, das heißt bei einem Schwarzverkauf wahrscheinlich nur die Hälfte.«

»Sie irren sich.« Maurach lächelte überlegen. »Ja, wenn Sie das Zeug hier in Europa absetzen wollen. Die Auslandspreise liegen schon um etwa zwanzig Prozent höher, dazu kommt ein enormer Zoll, wenn solche Geräte den EWG-Raum verlassen, außerdem Einfuhrzölle, vierzig bis fünfzig Prozent, in manchen Ländern fast hundert. Es gibt Länder in Asien und Nordafrika, wo für Kameras und Tongeräte dieser Qualität der dreifache Preis gezahlt wird. Auch unter der Hand. Weil

sie dort auf normalem Weg kaum zu haben sind. Und Mühlens musste nicht einmal einbrechen. Er hatte die Schlüssel.«
»Nur für das Atelier?«
Maurach griente. »Ein komplettes Schlüsselbund.«
»Warum hat er sie nicht weggeworfen, wenn er der Mörder ist? Das konnte ihn doch nur verraten!«
»Warum? Er hatte schließlich seine Story. Jörgensen hat ihn engagiert und ihm den Auftrag gegeben, die Geräte zu holen und in die Schweiz zu bringen. Deshalb auch sein Weg in die Schweiz und nicht nach Österreich, obwohl das viel näher gewesen wäre. Wenn etwas schiefging, brauchte er sich nur dumm zu stellen. Er hatte Jörgensen um acht Uhr zum letzten Mal gesehen.«
»Aber warum hat er sich dann kein Alibi für den Abend verschafft?«
»Ach, wissen Sie, Herr Lobenstein, das ist gar nicht so einfach für einen Amateur. Außerdem musste er ja bis Montagnachmittag annehmen, er braucht keins. Wahrscheinlich wird er noch versuchen, ein Alibi zu bringen. Er wird schon wissen, warum er bisher so hartnäckig darüber schweigt, wen und was er am Sonntagabend fotografiert haben will. Ich denke, er überlegt die ganze Zeit, was er uns erzählen soll. Eines Tages rückt er dann mit irgendwelchen Aufnahmen heraus, von denen kein Mensch beweisen kann, dass er sie nicht an diesem Abend gemacht hat.«
»Warum, glauben Sie, hat er den Abend abgewartet, um nach München zu fahren?«
»Woher wollen Sie wissen, dass er erst abends in München eingetroffen ist? Vielleicht ist er doch schon nachmittags angekommen. Vielleicht ist er auch zuerst zu Jörgensens Wohnung gefahren.«

»Dann hätte er gemerkt, dass die Wohnung versiegelt war und unter Kontrolle stand, und wäre sicher so schnell wie möglich ausgerissen.«
»Oder auch nicht. Es war nicht schwer herauszubekommen, ob das Atelier auch überwacht wurde. Sie wissen das doch besser als ich, Sie haben es selbst gesehen. Wie Kommissar Weitzner es mir beschrieben hat, hätte ein Beamter, der das Atelier überwachte, entweder im Durchgang stehen oder sich in den Räumen selbst aufhalten müssen. Der Durchgang führt zu zwei Hinterhöfen, da gehen eine Menge Leute ein und aus, und das Atelier ist vom Hof aus einzusehen. Nein, es war wirklich nicht schwierig festzustellen, dass die Polizei noch nicht im Atelier war.«
Lobenstein versuchte, sich die Situation in das Gedächtnis zurückzurufen. Was Maurach sagte, konnte stimmen. Auf der gegenüberliegenden Straßenseite war ein kleines italienisches Restaurant, da hätte Mühlens in Ruhe sitzen und beobachten können.
»Wenn er so ein gutes Gewissen hatte«, fuhr der Kriminalrat fort, »warum übernachtete er nicht in München? Vor allem aber: Wenn er nach St. Gallen wollte, warum fuhr er dann über Konstanz und nicht über Bregenz? Der Weg über Konstanz ist viel weiter, außerdem muss er von Meersburg mit der Fähre übersetzen, da kann immer mal eine Stockung eintreten, und er hatte es angeblich eilig. Ich will es Ihnen sagen, Herr Lobenstein. In Konstanz gibt es so gut wie keine Grenzkontrolle. Da ist viel kleiner Grenzverkehr. Hunderte von Wagen, die jede Stunde hinüber- und herüberfahren. Wenn er über Bregenz fährt, muss er zweimal die Grenze überschreiten, ein Stück der Straße führt nämlich durch Österreich. Auf dieser Route rollt der internationale Verkehr

Balkan-Österreich-Schweiz. Und hier sind die Kontrollen auch schärfer. Erst vorige Woche sind in Bruchs wieder Haschischhändler geschnappt worden.«
»Vielleicht ist die Straße über Konstanz besser? Immerhin hatte Mühlens in seinem VW einen Haufen wertvoller Geräte.«
Maurach schüttelte den Kopf. »Im Gegenteil. Die Straße über Bregenz ist nicht nur kürzer, sondern auch besser. Und Mühlens ist erst vor ein paar Wochen in der Schweiz gewesen. Nein, Herr Lobenstein, alle Fakten passen zusammen, wenn man davon ausgeht, dass Mühlens Jörgensen ermordet hat. Wenn wir von Mühlens' Behauptungen ausgehen, stimmt nichts.«
»Sie sind also sicher?«
»Sicher bin ich erst, wenn ich sein Geständnis habe. Aber wenn ich zwei und zwei zusammenzähle, und das ergibt vier, dann scheint mir das nicht so falsch.«
Lobenstein zündete sich eine Zigarette an, hielt Maurach die Packung hin, der bediente sich und nahm wieder hinter seinem Schreibtisch Platz.
»Schnelle Arbeit«, sagte Lobenstein anerkennend.
»Dank Ihrer gütigen Mithilfe.« Maurach deutete eine Verbeugung an. »Aber das heißt nicht, dass Sie das nun auch gleich veröffentlichen dürfen. Sie müssen schon warten, bis ich die Presse offiziell informiere.«
Lobenstein nickte mit dem Kopf. »Damit habe ich es nicht eilig. Wenn ich nur wüsste, ob Sie wirklich recht haben; entschuldigen Sie meinen Einwand, Herr Kriminalrat, aber ich muss mich schnell entscheiden, wie ich die Serie anlegen will.«
»Wie viel Zeit haben Sie noch?«

»Spätestens Dienstag muss ich liefern.«
»Bis dahin habe ich sicher das Geständnis.«
»Ich darf Sie gewiss zwischendurch mal anrufen«, sagte Lobenstein und erhob sich.
»Wenn Sie es nicht übertreiben.« Maurach hielt ihm die Hand hin. »Warum sind Sie eigentlich zu mir gekommen, Sie hatten doch was auf dem Herzen?«
»Danke, nun nicht mehr.«

## 22

Sein Schädel brummte. Die Sonne stach in die Augen. Lobenstein kniff die Lider zusammen und ging langsam zum Wagen. Dann rauchte er erst einmal eine Zigarette. Er war unfähig, sich zu konzentrieren. Etwas drückte in der Seite. Er zog seine Jacke aus, dabei fühlte er die Ausbuchtung der Tasche. Der Film. Er nahm einen Umschlag aus dem Handschuhfach, legte Film und Vergrößerungen hinein und ging hinüber zur Commerzbank. Dort mietete er sich ein Schließfach und deponierte den Umschlag. Danach fuhr er langsam durch die Stadt, die ganze »Zeil« hinunter, über die Obermainbrücke, dann am anderen Flussufer entlang bis Niederrad und parkte schließlich zwischen Campingplatz und Badeanstalt, setzte sich ans Ufer und ließ Stöckchen treiben.
Man soll sich nicht in Abenteuer stürzen, dachte er. Dass er sich darauf eingelassen hatte! Warum? Nur, weil er es Naumann nicht abschlagen wollte? Gar aus Dankbarkeit, weil Naumann ihm immer noch die Möglichkeit bot, Beiträge

zu veröffentlichen, wie er sie schreiben wollte? Oder weil es leicht zu verdienendes Geld zu sein schien? Wenn er ehrlich sein wollte, musste er das einräumen. Ja, auch des Geldes wegen, aber nicht in erster Linie. Vor allem, weil es ein Risiko war, nein zu sagen. Weil man nicht wusste, ob man dann noch einmal gebeten wurde. Aber er hätte nein sagen sollen. Nun war es zu spät. Ein Nein hätte er sich noch leisten können. Vielleicht. Ein Versagen nie. Erfolg zählt nur, solange man ihn behält.

Er zog das Hemd aus und legte sich hin, steckte die Hände unter den Kopf und drehte das Gesicht in die Sonne. Wenn er nur wüsste, wie er aus dieser Geschichte wieder rauskommen sollte. Er fühlte sich leer und müde.

Als er aufwachte, war es schon kurz nach halb fünf. Er entschloss sich, zur Redaktion zu fahren und Engelchen zum Essen einzuladen. Nur nicht allein sein.

Auf dem Flur lief er Naumann in die Arme. Der Chef sah ihn erwartungsvoll an. Als Lobenstein verlegen den Mund zusammenkniff und mit den Schultern zuckte, bat Naumann ihn in sein Zimmer. »Sie sehen aus, als habe es Ihnen die Petersilie verhagelt.«

Lobenstein quälte sich ein Lächeln ab. »Nur ein kleiner Durchhänger. Ich habe in den letzten Tagen wenig geschlafen. Ihre Termine sind nicht gerade großzügig.«

»Ist das meine Schuld? So ist das Leben. Wer nicht am Ball bleibt, hat schnell ausgespielt.« Naumann sah auf die Uhr. »Ich habe noch eine knappe Stunde Zeit. Wenn Sie nichts anderes vorhaben, würde ich vorschlagen, dass Sie mir etwas ausführlicher erzählen, wie weit Sie sind.«

Naumann bestellte bei der Sekretärin Kaffee und Kognak. Lobenstein riss sich zusammen. Er setzte sich gerade, machte ein siegesgewisses Gesicht und entwarf Naumann ein prächtiges Gemälde der bisherigen Recherchen. Naumann nickte ein paarmal anerkennend. Als Schlusspointe erzählte Lobenstein, wie er zu den Aufnahmen aus Bad Tölz gekommen war, was er im Hotel erfahren hatte und welche Schlussfolgerungen er aus den Recherchen der Auskunftei zog. Der Chef hatte sich zurückgelehnt und die Augen geschlossen. Als Lobenstein endete, schlug Naumann die Augen auf und sah Lobenstein lange an. Dann nahm er sich eine Zigarre, bot auch Lobenstein an, beschnitt sorgfältig seine Zigarre, setzte sie in Brand und paffte ein paar Züge.

Lobenstein blätterte in seinem Notizbuch, bis er die Seite fand, auf der er sich die Firmen notiert hatte, über die Jörgensen bei Wabyschewski Zusatzrecherchen bestellt hatte. Naumann studierte die Aufzählung lange, klappte dann das Notizbuch zu und schob es Lobenstein wieder hin.

»Mit wem haben Sie schon darüber gesprochen?«

»Mit niemandem, nicht einmal mit Herrn Wilhelmi. Ich wollte erst weitere Informationen abwarten.«

Naumann nickte. »Aber das ist zunächst nur Ihre Vermutung, nicht wahr? Oder haben Sie noch andere Hinweise?«

»Nein, nichts. Vielleicht weiß Mr. Kenton mehr.« Er informierte den Chef über Jörgensens Beziehung zu TNC und über sein Gespräch mit London.

Naumann schaute lange aus dem Fenster. An den gegenüberliegenden Häusern flammten die Lichtreklamen auf. »Hoffentlich Allianz versichert« leuchtete es vor Lobensteins Augen.

»Wenn es wirklich das war, werden wir kaum genug Material bekommen, schon gar nicht in der Zeit, die uns zur Verfügung steht. Und selbst wenn ...«

»Wollen Sie, dass ich die Sache fallenlasse.«
»Aus welchen Gründen auch immer Jörgensen sich für diese Firmen interessiert haben mag, wenn er es überhaupt tat, wenn es sich nicht überhaupt als ein Zufall herausstellt und Sie falsche Schlussfolgerungen gezogen haben – nein, Herr Lobenstein, ich denke, wir fassen diese Geschichte nicht an. Ich hoffe, Sie werden das nicht verwunderlich finden.«
»Nein. Ich würde Sie verstehen, aber …«
»Ich weiß, die Serie. Wenn jedoch ein Zusammenhang zwischen diesen Firmen und Jörgensens Tod besteht …«
»Das habe ich nicht gesagt. Ich behaupte nur, dass Jörgensen sich für diese Firmen interessiert hat. Deshalb muss der Mord nicht damit zusammenhängen. Kriminalrat Maurach ist sogar ziemlich fest überzeugt, dass Mühlens der Täter war.« Er berichtete ausführlich von seinem Gespräch mit Maurach. Naumanns Gesicht wurde immer länger.
»Und was, wenn Mühlens in den nächsten Tagen ein Geständnis ablegt? Wenn sich die ganze Geschichte als simpler Raubüberfall erweist? Wie stehen wir dann da mit unserer großartigen Ankündigung? Ja, Sie können nichts dafür, aber wenn wir das Gesicht verlieren, dann auch Sie.« Naumann sog an seiner Zigarre. Als er merkte, dass sie ausgegangen war, zerdrückte er sie wütend im Aschbecher. »Eine feine Geschichte!«, sagte er bitter. »Kameramann von seinem Assistenten erschlagen. Damit hätte ich nicht mal vor vierzig Jahren meinem Chefredakteur kommen dürfen.«
»So schlecht ist die Geschichte vielleicht nicht. Es wäre nicht der Knüller, den wir alle uns erhofft haben, aber …« Lobenstein machte eine lange Pause. Naumann sah ihn erwartungsvoll an. »Wenn Mühlens der Mörder ist und das so früh feststeht, dass wir damit arbeiten können, dann steckt in der

Sache doch noch eine gute Story. Die beiden haben zusammen bei UPI in München angefangen. Aus dem einen ist ein Star geworden, aus dem anderen ein Versager. Nun treffen sie nach Jahren wieder zusammen. Wir wissen noch nicht, was sich an diesem Tag ereignet hat, aber das ist Stoff für einen Krimi.«

»Mann, Lobenstein, Sie sind doch ein Fuchs.« Naumann nahm sich eine neue Zigarre. »›Der Star und sein Mörder!‹ Was wissen Sie über diesen Mühlens?«

»Wenig. Noch.«

Naumann hatte schon den Telefonhörer abgehoben. Er beauftragte seine Sekretärin nachzusehen, ob Wilhelmi noch im Haus sei. Wilhelmi erschien nach wenigen Minuten, im Mantel, die Aktentasche in der Hand.

»Setzen Sie sich.« Naumann ließ sich mit dem Präsidium verbinden. Kriminalrat Maurach war noch in seinem Büro. Naumann sagte ihm ein paar liebe Worte, wie erfreut er über die gute Zusammenarbeit sei, auch der Verleger habe sich lobend geäußert, dann fragte er, ob Mühlens schon einen Verteidiger habe.

»Doktor Ziergiebel?« Naumann nickte Lobenstein zu, der hatte sich den Namen schon notiert. »Vom Büro Wenniger. Ich bedanke mich.«

Naumann informierte Wilhelmi kurz über die neue Idee. »Sie müssen schnell Kontakt mit Mühlens' Verteidiger aufnehmen, Herr Wilhelmi. Machen Sie ihm ein anständiges Angebot, wenn er mit uns zusammenarbeitet. Dann hätten wir so viel Informationen über Mühlens, wie wir uns nur wünschen können. Vielleicht kann er Herrn Lobenstein sogar ein Gespräch mit Mühlens vermitteln. Hoffentlich ist noch kein anderer auf diese Idee gekommen.«

»Ich werde mit Doktor Wenniger sprechen«, sagte Wilhelmi. »Wir kennen uns. Ich kann mir vorstellen, dass er den Fall selbst übernimmt, wenn wir uns dafür interessieren. Zumal wenn wir ein Gentleman's Agreement treffen und niemand erfährt, dass die REVUE ihn bezahlt und er sich noch mit dem Glorienschein des uneigennützigen Anwalts schmücken kann.«

Lobenstein kannte Wenniger nur vom Fernsehen, von den Berichten über einige aufsehenerregende Kriminalprozesse der letzten Jahre und von Pressekonferenzen, auf denen der Anwalt selbstsicher auftrat und zu denen die Presse vollzählig erschien. Fälle, die Wenniger übernahm, waren immer eine Story wert. Von den wirklich interessanten Fällen, bei denen es um Millionen ging, um komplizierte Erbschaftsfragen, Auslegung kniffliger Verträge, Konzernverflechtungen, Liquidierung bankrotter Unternehmen, erfuhr die Öffentlichkeit allerdings so gut wie nichts. Darüber berichteten höchstens die Wirtschaftsmagazine oder die Wirtschaftsseiten der großen bürgerlichen Presse. Lobenstein wusste, dass Wenniger Hausanwalt mehrerer großer Unternehmen war und dass sich hinter dem Mann, der als leidenschaftlich agierender Strafverteidiger amerikanischen Typs auftrat, ein ganzes Unternehmen verbarg, anderthalb Dutzend Juristen, dazu ein Stab von Rechercheuren, Archivaren und Bürokräften. Sein Büro nahm zwei Etagen im Ermlandhaus ein.

»Ich weiß nicht …«, warf Lobenstein ein.

»Sie glauben, Wenniger würde den Fall nicht übernehmen?«, fragte Wilhelmi. »Er wird. Das arrangiere ich schon.«

»Das nicht. Ich fühle mich nicht wohl bei dem Gedanken. Selbst wenn Mühlens der Täter ist – wir wissen nichts über seine Motive. Aber selbst wenn er Jörgensen wegen Geld nie-

dergeschlagen hat, es ist doch eine Sauerei, was wir vorhaben.«
»Warum?« Wilhelmi tat verständnislos.
»Mühlens wird sich Wenniger offenbaren, zumindest baut unsere Taktik darauf, und sein Verteidiger soll alles brühwarm an uns weitergeben, damit wir es in einer Story verarbeiten, die Mühlens in die Pfanne haut, denn darauf läuft das Ganze doch letztlich hinaus. Nein, da mach ich nicht mit. Tut mir leid.«
»Würden Ihre Skrupel geringer sein, wenn Mühlens gestanden hätte?«, fragte Naumann.
»Vielleicht, ich weiß nicht. Es ist die Methode, die mir nicht passt.«
»Aber es ist doch genau die Methode, mit der Sie bei uns groß herausgekommen sind«, sagte Wilhelmi, »sich irgendwo mit einem Trick Zutritt verschaffen, wo sonst nicht heranzukommen ist, um die Geschichte dann von innen heraus aufzurollen.«
»Mit einem kleinen Unterschied. Ich habe diese Methode nur gegen die Allmacht großer Unternehmen oder staatlicher Stellen benutzt, aber nie gegen ein wehrloses Würstchen.«
»Und was ist denn hier nun wirklich anders?«, fragte Naumann. »Wir unterlaufen doch die Staatsanwaltschaft und nicht Mühlens. Ich mache Ihnen einen Kompromissvorschlag. Wir bieten Mühlens ein Honorar an, wenn er der REVUE über sein Leben berichtet.«
»Außerdem sollten wir Doktor Wenniger nicht unterstellen, dass er gegen die Interessen seines Mandanten mit uns zusammenarbeitet«, sagte Wilhelmi. »Er hat es doch in der Hand, was er uns weitergibt und was nicht. Wir können ihm ja auch entgegenkommen und zusagen, dass wir ebenso alle

Argumente veröffentlichen, die zugunsten seines Mandanten sprechen und den Mord in etwas günstigerem Licht erscheinen lassen.«

»Das wäre sogar gut«, sagte Naumann. »Ich bin nicht dafür, aus Mühlens einen kaltblütigen Schurken zu machen. Ich denke eher an den kleinen getretenen Mann, der eines Tages zu einer Verzweiflungstat hingerissen wird. Das ist viel menschlicher.«

»Und verkauft sich auch besser.«

»Ich kann mir nicht helfen«, sagte Lobenstein, »ich …«

»Wollen Sie etwa Ihre Idee zurückziehen? Ich finde sie ganz gut.«

»Ich finde sie sogar sehr gut«, sagte Lobenstein.

»Außerdem sollten wir uns nicht jetzt schon die Köpfe heißreden«, gab Wilhelmi zu bedenken. »Es ist ja nur eine vorsorgliche Maßnahme.«

»Trotzdem bitte ich mir aus, dass Sie die Sache sehr ernst betreiben«, forderte Naumann. »Setzen Sie jeden zur Verfügung stehenden Mann ein, damit wir bald alles über Mühlens wissen.«

»Mit einigen Leuten möchte ich selbst sprechen«, bat Lobenstein. »Mit seiner geschiedenen Frau zum Beispiel, auch mit der Wirtin und mit jemandem, für den Mühlens in der letzten Zeit gearbeitet hat.«

»Bis zum Wochenende haben wir genug Material zusammen, dass Herr Lobenstein anfangen könnte«, versprach Wilhelmi. »Nur, was machen wir, wenn sich herausstellt, dass Mühlens nicht der Täter ist?«

# 23

Mühlens' Wirtin war eine kleine, magere Endfünfzigerin. Sie ließ sich Lobensteins Presseausweis durch den Türspalt reichen und studierte ihn misstrauisch, bevor sie die Tür öffnete. Sie ließ kaum ein gutes Haar an Mühlens. Für sie stand fest, dass er der Mörder war.

»Ich habe ja nicht gewusst, dass er für die Kommunisten arbeitet, sonst hätte ich ihm das Zimmer nicht vermietet. Zuerst hat er so einen bescheidenen Eindruck gemacht. Aber dann hat er sich dauernd herumgetrieben. Der ist kaum einmal zu Hause gewesen. Und gesprochen hat er auch mit niemandem. Meine Ansichten haben ihm wohl nicht gepasst.«

Da muss man wahrscheinlich nicht Kommunist sein, dachte Lobenstein. Mühlens' Zimmer war versiegelt.

»Polizei in meinem Haus«, zeterte sie. »Sie können sich vorstellen, was die Nachbarn sagen.«

Lobenstein konnte. Eine typische Beamtensiedlung. Einer passt auf den anderen auf. Kein Wunder, dass Mühlens nicht besonders angesehen war. »Wie war das eigentlich?«, fragte Lobenstein. »Hat sich Herr Mühlens von Ihnen verabschiedet? Wann haben Sie ihn zuletzt gesehen?«

»Am Sonntag habe ich ihn überhaupt nicht gesehen. Als ich aus der Kirche kam, war er schon fort. Und er ist erst mitten in der Nacht nach Hause gekommen.«

Sie sagte das, als wäre es der Gipfel der Verworfenheit. »Und am Montag?«

»Er ist spät aufgestanden, er musste wohl seinen Rausch ausschlafen. Ich musste ihn aus dem Bett holen. Ich wollte endlich die Miete haben. Er war schon vierzehn Tage im Rückstand. Bei mir wird wöchentlich gezahlt, verstehen Sie.«

»Wie viel hatte er denn zu zahlen?«
»Hundertzwanzig Mark. Sechzig die Woche. Er hat aber nicht nur seine Schulden bezahlt, sondern noch vier Wochen im Voraus. Na, jetzt weiß man ja, woher er das Geld hatte.«
»Was hat er sonst noch gesagt?«
»Er würde für ein paar Wochen verreisen. Und wenn es länger dauerte, würde er mir Geld überweisen. Ich hätte auch nicht gewartet.« Er glaubte es ihr. »Das habe ich auch bei der Polizei zu Protokoll gegeben. Man weiß doch, was seine Pflicht als Staatsbürger ist. Zumal bei so einem Bolschewiken. Nein, diese Schande!«

Georgia Mühlens bat Lobenstein in die Küche.
»Tut mir leid, aber ich muss Mittag machen. Mein Mann kommt pünktlich um zwölf, und wenn das Essen nicht fertig ist, gibt's Krach.«
»Sie sind wieder verheiratet?«
»Nicht direkt. Wer nimmt denn heutzutage noch 'ne Frau um vierzig? Ja, wenn ich was hätte.« Sie lachte bitter. »Zwanzig Jahre habe ich es mit dieser Null ausgehalten, und was hab ich davon? Nich mal 'n Auto konnten wir uns leisten. Aber nu kommt er ja endlich groß raus, dieser Versager!«
»Warum haben Sie sich scheiden lassen?«
»Warum, warum! Weil er 'ne absolute Null war. Nich mal 'n Kind hat er mir gemacht. Na, ganz gut, kann ich heute nur sagen.«
»Trauen Sie Ihrem geschiedenen Mann die Tat zu?«
»Dem? Dem trau ich alles zu, nur nichts Vernünftiges.«
»Aber wenn er so eine Null war ...«
»War er, war er«, unterbrach sie Lobenstein, »und jähzornig dazu. Wenn der so richtig aufgeladen war vor Selbstmitleid

und Welthass, dann hätt er am liebsten alles zerkloppt. Ich könnte Ihnen da einiges erzählen.«

»Einverstanden«, sagte Lobenstein, »deshalb bin ich ja hier.«

»Zahlen Sie?«

»Wenn die Informationen etwas wert sind. Ihr Mann hat doch früher gelegentlich für Jörgensen gearbeitet. Warum, glauben Sie, hat Jörgensen ihn beschäftigt? Was wissen Sie darüber?«

»Aus Mitleid. Nur aus Mitleid. Die beiden kannten sich doch von München, und der Herr Jörgensen war 'n feiner Kerl, den hat's gejammert, was aus Mühlens geworden ist. Der hat ihm immer mal wieder 'ne Chance gegeben. Ich meine, schlecht war der Mühlens ja nicht, als Assi war er wohl sogar sehr gut, hat auch Ton gemacht und nebenbei fotografiert; aber er war so ganz ohne Initiative. Mann, hab' ich immer zu ihm gesagt, du könntest längst wer sein. Geh doch zum Fernsehen, hab ich immer gesagt, du bist doch 'n ganz guter Kameramann, denk ich, warum machst du dich nich selbständig? Aber ne, nix war. Einmal hat er's versucht, das is natürlich schiefgegangen. Am dritten Tag hat er so 'n Krach gehabt, dass sie 'n rausgeschmissen haben, Konnt's Maul wieder mal nich halten. Das müssen Sie wissen, 'n Wahrheitsfanatiker war er nämlich auch noch. Das kann man sich natürlich nich leisten, wenn man noch 'n kleiner Pinscher ist. Mühlens, hab ich immer zu ihm gesagt, halt's Maul und lern, dich zu ducken; 'ne Lippe kannst du immer noch riskieren, wenn de 'n großer Mann bist, wie der Jörgensen.«

»Aber dann ist es doch unwahrscheinlich, dass er Jörgensen umgebracht haben soll.«

»Mit Absicht bestimmt nicht, 'n Mörder ist Mühlens nicht, da hat er gar nich genug Mumm für. Aber in der Wut wär's schon möglich. Vielleicht hat der Jörgensen ihn wieder aufgezogen, das hat er nämlich gerne gemacht, hat 'n gehänselt, der Mühlens war jedes Mal stinkwütend. Der hat klug reden, hat er immer gesagt, dem stecken sie 's Geld vorne und hinten rein, da kann er leicht den Großkotz spielen. Wenn der Herr Jörgensen angegeben hat und den Mühlens gereizt, dann wär's schon möglich, dass den die Wut gepackt hat, und er hat zugeschlagen.«

»Und was wissen Sie …«

»Heute nichts mehr, ich muss erst mein Essen machen«, unterbrach sie. »Kommen Sie Montag wieder, und dann machen wir 'n Preis aus, und ich erzähl Ihnen, so viel Sie wollen.«

Meyer, der stellvertretende Chefredakteur der FREIHEIT, war sofort zu einem Gespräch bereit. Da Lobenstein nicht in die Redaktion gehen wollte, verabredete er sich mit Meyer in einem Espresso. Meyer zeichnete ein ganz anderes Bild von Mühlens. Kein verhärmter, von seiner Erfolglosigkeit gequälter, verbitterter Mann. Gewiss, Mühlens sei nicht gerade ein Ausbund an Aktivität, keiner, der seine Karriere betrieb, selbst Vorschläge machte und voller Ideen steckte, aber ein sauberer, fleißiger Arbeiter, auf den man sich verlassen konnte. Kein Kommunist, aber ein Mann, der sich über die Ungerechtigkeiten dieser Welt erregte, etwas tun wolle, um die Welt zu verbessern.

Weltverbesserer, dachte Lobenstein belustigt. Meyer schien auch einer dieser Idealisten zu sein, die glauben, dass sie das Rezept in der Tasche haben, wie die Welt zu verbessern sei. Und das Bild, das der von Mühlens entwarf, musste nicht stimmen. Meyer schien zu jenen zu gehören, die noch in den finstersten Typen einen guten Kern entdecken wollten oder ein Schicksal, das den anderen so geformt hatte – Umwelteinflüsse, die schuld seien, na ja.

Dass Mühlens einen Mord begangen haben sollte, hielt Meyer natürlich für ausgeschlossen. Mühlens könne keiner Fliege etwas zuleide tun, der ging jeder Gewalt aus dem Weg, zumal in den letzten Monaten, seit ihm ein paar Ordner der NPD die Kamera hatten wegnehmen wollen und er nicht mehr rechtzeitig davongekommen war. Vier Wochen hatte Mühlens im Krankenhaus gelegen. Mühlens habe einen Schock zurückbehalten, und wer weiß, ob er den jemals überwinden würde.

»Hat Mühlens sich bei Ihnen abgemeldet? Hat er gesagt, was er vorhatte?«

»Er hat angerufen, dass er einen größeren Auftrag hätte. Im Ausland. Er würde sich melden, wenn er wieder zurück sei.«

»Was für ein Auftrag das ist, hat er nicht gesagt?«

»Nein, er war auch nicht dazu verpflichtet, er hatte ja keinen Vertrag. Wenn wir ihn brauchten, haben wir bei ihm angerufen. Aber wir haben ihn gerne für uns arbeiten lassen, er war sehr zuverlässig.«

Lobenstein sah Meyer mit einem spöttischen Lächeln an.

»Ja, zuverlässig«, bekräftigte Meyer bissig, »und ich bin sicher, er hat Jörgensen nicht umgebracht. Mühlens war viel zu weich und zaghaft. Er hat nie die Ellenbogen gebraucht. Ihm fehlte das notwendige Maß an Dreistigkeit und Skrupellosigkeit, ohne das in der bürgerlichen Presse nun mal nichts zu erreichen ist. Deshalb ist Mühlens niemals auch nur in die Nähe eines großen Erfolges gekommen. Er war nicht skrupellos genug dafür.«

»Danke.« Lobenstein grinste.

Ein Versager. Er hatte das schon richtig gesehen. Aber – kann der Gewaltlose, ein Feigling, nicht doch eines Tages seine Feigheit über Bord werfen und zuschlagen? Ist Mord nicht letztlich Feigheit? Jemand hinterrücks niederschlagen. Jörgensen war von hinten niedergeschlagen worden.

»Aber dass Mühlens jähzornig war, räumen Sie doch ein?«, fragte Lobenstein.

»Ja«, sagte Meyer und sah Lobenstein in die Augen, »ich auch. Muss man deshalb ein Mörder sein?«

## 24

Am Freitagnachmittag trafen sich Lobenstein und Wilhelmi mit Dr. Wenniger in einer kleinen Weinstube bei Niederursel.

Wenniger setzte sich und sah die beiden aus großen Augen an. »Wissen Sie, Herr Wilhelmi, ich glaube, das ist mehr ein Fall für einen Psychiater als für einen Rechtsanwalt. Ich habe mir die Akten angesehen, und heute Morgen war ich bei ihm. Erst hat er geweint vor Rührung, dann hat er geredet und geredet, aber jedes Mal, wenn es konkret werden sollte und ich ihm vorgehalten habe, was gegen ihn angeführt wird, ist er wieder zusammengeklappt und hat geheult wie ein Schlosshund.«

»Was will er am Sonntagabend gemacht haben?«, fragte Lobenstein.

»Um acht haben Jörgensen und er das Hotel verlassen. Jörgensen habe ihm dann noch den Atelierschlüssel aus dem Auto geholt, dann hätten sie sich getrennt. Am Flughafen

sei er nicht gewesen, der Zeuge müsse sich irren. Er sei in die Stadt gegangen und habe fotografiert.«
»Aber dann hätte er doch ein Alibi! Irgendjemand müsste ihn doch gesehen haben, und vor allem gäbe es Fotos. Warum hat er die nicht der Polizei übergeben?«
Wenniger schmunzelte. »Das liegt an meinem Mitarbeiter. Er wollte die Fotos erst sehen. Sehr groß ist die Chance für ein Alibi ohnehin nicht. Mühlens' Auftrag war es, die verödete City zu zeigen, dazu ein paar Aufnahmen vom Amüsierviertel am Bahnhof, vor allem aber die menschenleere Innenstadt.«
»Und er ist die ganze Zeit nur herumgelaufen, ohne mal einen Kaffee getrunken zu haben?«
Dr. Wenniger nannte die Namen zweier Lokale. »Ich weiß nicht, ob Sie die Kneipen kennen. Ich habe sie mir vorhin angesehen. Schnellimbiss mit Ausschank, rund um die Uhr geöffnet, da lässt sich überhaupt nichts beweisen. Die Leute erinnern sich grundsätzlich an nichts, es sei denn, man würde es bezahlen. Aber ich glaube, die Polizei würde solch ein Alibi nicht abkaufen.« Wenniger lächelte. »Etwa ab Mitternacht, sagt Mühlens, ist er in einer Nachtbar gewesen.« Wenniger sah in seinem Notizbuch nach. »Im ›Eldorado‹. Wir haben Kriminalrat Maurach informiert. Er lässt es überprüfen. Aber selbst wenn sich dafür Zeugen finden, wird es Mühlens nicht viel helfen. Die Zeit reicht, um von der Eilenbergbrücke dorthin zu kommen.«
»Was ist mit den Filmen?«
»Mühlens benutzt das Labor eines Kollegen. Er sagt, er habe die Filme noch Sonntagnacht entwickelt und hätte Montag früh Abzüge machen wollen, bevor er in die Schweiz fuhr. Da er aber Montag verschlafen hätte, habe er es sich anders

überlegt und die Abzüge irgendwo in der Schweiz machen und von dort nach Frankfurt schicken wollen. Der Auftrag sei nicht so eilig gewesen.«

»Aber dann hätte er die Filme bei sich haben müssen!«

»Ja«, Wenniger breitete seine Hände aus, »er hat sie vergessen.«

Wilhelmi und Lobenstein sahen sich an. Wilhelmi lachte. »Und das glauben Sie?«

»Ich referiere nur. Es ist unwichtig, was ich glaube; was das Gericht glaubt, ist entscheidend. Wir werden sehen. Der Bildreporter, dessen Labor Mühlens mitbenutzt, war bis heute verreist. Ich fahre nachher zu ihm.«

»Was halten Sie davon, wenn wir die Kopien bei uns machen lassen? Wir nehmen nur eine zuverlässige Laborantin, dann kann kein unnötiges Gerede entstehen.«

»Ich werde helfen«, sagte Lobenstein. »Wenn die Filme ein Alibi für Mühlens hergeben, können wir uns die weitere Arbeit an dieser Idee ersparen.«

»Und uns eine neue einfallen lassen.« Wilhelmi sah Wenniger an. »Ist Mühlens der Täter?«

Wenniger schniefte. »Was verlangen Sie von mir? Mühlens ist unser Klient. Bis zum Beweis des Gegenteils bin ich selbstverständlich von seiner Unschuld überzeugt. Es ist auch noch viel zu früh, um sich ein Urteil zu bilden.«

»Aber Sie haben die Akte eingesehen«, bohrte Lobenstein, »und Sie haben ihn gesprochen. Verstehen Sie bitte unsere Situation. Wir müssen uns bald entscheiden.«

»Ich weiß«, sagte Wenniger. »Herr Wilhelmi hat mich informiert. Aber ich kann wirklich noch kein Urteil abgeben.«

»Welche Erklärung hat Mühlens für all die Ungereimtheiten über seine Fahrt nach München?«, fragte Lobenstein. »Warum ist er erst abends angekommen? Warum hat er nicht in München übernachtet? Warum ist er über Konstanz gefahren? Wieso will er nichts von Jörgensens Tod gewusst haben? Woher hat er das Geld?«

Wenniger lächelte. »Eins nach dem anderen, bitte.« Er blätterte in seinen Notizen. »Also, um zehn sei er erst von zu Hause weggekommen, dann habe sein Motor nicht richtig gearbeitet, er habe nur langsam fahren können. Er habe gehofft, noch bis Karlsruhe zu kommen, um dort eine Werkstatt aufzusuchen, aber dann vor Bruchsal auf einen Parkplatz fahren müssen, weil es immer schlimmer geworden sei. Ein LKW-Fahrer habe ihm geholfen, aber er weiß weder Namen noch Autonummer, nicht einmal, aus welcher Gegend der Wagen kam, nur, dass es ein Deutz war, nun gut. Da er die Nacht kaum geschlafen hätte, sei er müde gewesen, er habe nur ein kurzes Nickerchen machen wollen, sei aber richtig eingeschlafen und erst am späten Nachmittag wieder aufgewacht. In München habe er zuerst versucht, ein Zimmer zu bekommen; da das aber nicht so einfach gewesen wäre, habe er sich entschlossen, die Geräte einzupacken und außerhalb Quartier zu suchen.«

»Wer soll ihm das glauben?« Wilhelmi schüttelte den Kopf. »Falls Mühlens der Täter ist, hat er sich das gar nicht so schlecht ausgedacht. Kein Mensch kann es widerlegen.«

»Und Mühlens hat genug Zeit gehabt nachzudenken«, sagte Lobenstein.

»Er will nichts von Jörgensens Tod gewusst haben«, fuhr Wenniger fort. »Die Beamten, die ihn festnahmen, hätten nicht gesagt warum, anfangs auch der Kriminalbeamte nicht, der ihn in München vernahm. Er hätte bereitwillig über sich Auskunft gegeben, bis er erfuhr, warum man ihn festgenommen hatte. Da habe er jede weitere Aussage verweigert, weil er gemerkt hätte, dass alles, was er sagte, gegen ihn verwandt würde. Er habe auch verlangt, dass er die Protokolle der ersten Vernehmungen in Ruhe studieren könne; als man ihm das verweigerte, habe er eben nichts mehr gesagt, zumal er wusste, dass er nach Frankfurt überstellt werden sollte.«

»Das könnte stimmen«, räumte Lobenstein ein. »Kommissar Weitzner ist sehr energisch. Und sehr ehrgeizig. Er hätte Mühlens wohl zu gerne mit einem Geständnis in Frankfurt abgeliefert und sich im Glanz dieses Erfolges gesonnt. Ich glaube es Mühlens schon, dass man ihn in München unter Druck gesetzt hat.«

»Es war das Klügste, was er machen konnte, in dieser Situation jede weitere Aussage zu verweigern.«

»Wieso will er nichts von Jörgensens Tod gewusst haben?«, fragte Wilhelmi. »Schließlich ist er Journalist, also darauf getrimmt, sich ständig zu informieren.«

»Zuerst hat er gesagt, er habe keine Nachrichten gehört. Als ich ihm vorhielt, dass kein Mensch ihm das glauben könnte, ist ihm plötzlich eingefallen, dass sein Radio nicht in Ordnung war.«

»Stimmt das?«

Wenniger schüttelte den Kopf. »Wir haben bei der Polizei nachgefragt. Das Radio funktioniert einwandfrei.«

»Was ist mit diesem Dienstagtermin in St. Gallen?«

»Ja, wenn ich das wüsste, Herr Lobenstein! Jörgensen hat angeblich Mühlens nichts darüber gesagt. Er habe nur darauf bestanden, dass Mühlens am Dienstagnachmittag dort sei. Drehbereit, was immer das heißen mag. Mühlens hat mir einen langen Vortrag gehalten über Kameras durchsehen und Licht prüfen und Kassetten einlegen und was weiß ich alles.

Haben Sie denn etwas darüber in München erfahren können? Schließlich baut sich Mühlens' ganze Aussage darauf auf.«

»Nein«, sagte Lobenstein müde, »im Gegenteil. Der Beitrag war nicht eilig. Jörgensen wollte sich viel Zeit lassen, das haben sowohl die Kollegen vom Fernsehen als auch Birgitt Ammenschläger und Jörgensens Rechercheur gesagt. Die Reise war ja auch zu Jörgensens Erholung gedacht. Der Kamera-Assistent, der ursprünglich mit in die Schweiz sollte, hat mir erzählt, dass sie am Donnerstag fahren wollten, und auch die Ammenschläger sprach von Ende der Woche.«

Wenniger verschränkte die Arme über der Brust und sah von einem zum anderen. Lobenstein überlegte eine Weile.

»Ich habe das Schweiz-Material von Wabyschewski durchgesehen«, sagte er dann, »aber da ist kein Hinweis auf irgendetwas, das eilig gewesen sein könnte.«

»Aber es wäre nicht ausgeschlossen, ich meine, das kommt doch in Ihrer Arbeit immer wieder vor?«

»Schon; dass ein Termin geändert werden muss, ist alltäglich. Aber hier? Die Berge und Villen konnten nicht weglaufen. Vielleicht ein Interview?«

»Ach was«, sagte Wilhelmi, »Jörgensen ist vor zehn Tagen ermordet worden. Glauben Sie nicht, dass sich schon längst jemand gemeldet hätte, wenn er mit Jörgensen verabredet gewesen wäre?«

»Ich werde mal nachfragen.« Lobenstein ging zur Theke und rief in München an. Beim Fernsehen wusste man nichts von einem Dienstagtermin, hielt es sogar für abwegig, und gemeldet hatte sich auch niemand.

»Na bitte«, sagte Wilhelmi. »Was ist mit dem Geld?«

»Das will er von Jörgensen bekommen haben.«

»Zehntausend Mark?«

»Für siebentausend Mark hätte er Filmmaterial kaufen sollen. Deshalb sei er über Konstanz gefahren.«

»Na, ich weiß nicht«, zweifelte Lobenstein, »solches Material kauft man doch nicht einfach im Laden. Ich würde annehmen, dass Jörgensen sein Filmmaterial vom Großhandel oder direkt von den Firmen bezieht. Hatte Mühlens denn überhaupt kein Filmmaterial bei sich, als er festgenommen wurde?«

»Nein, keinen Meter. Fährt man so zu Dreharbeiten ins Ausland? Ich habe schon bei der Agfa nachfragen lassen. Die Preise für Film sind in der Schweiz um etwa zehn Prozent höher als bei uns. Das restliche Geld will Mühlens als Honorar- und Spesenvorschuss bekommen haben. Er habe Jörgensen erzählt, dass er sich eine neue Kamera-Ausrüstung anschaffen musste und einen Wechsel unterschrieben hat, der jetzt zu platzen drohte, außerdem habe er noch andere Schulden, Miete und Ähnliches. Da sie sich seit Jahren kannten, habe Jörgensen ihm einen beträchtlichen Teil seines Honorars im Voraus gezahlt. Insgesamt dreitausend Mark.«

»Ziemlich viel für einen Vorschuss, selbst wenn Jörgensen aus alter Freundschaft etwas großzügig war«, sagte Lobenstein. »Hat Mühlens einen Vertrag?«

»Nein, der sollte in der Schweiz aufgesetzt werden.«

»Hat er das Geld quittiert?«

»Er sagt ja. Zwei Quittungen. Aber Sie wissen, bei dem Toten wurde überhaupt nichts gefunden.«

»Wenn er das Geld so dringend brauchte, um seine Schulden zu bezahlen, warum hatte er es dann am Dienstag noch bei sich?«

»So eilig sei es wieder nicht gewesen, sagt er. Er wollte es von Konstanz aus überweisen.«

Wilhelmi konnte nicht mehr an sich halten und prustete los. »Welch ein Unglücksrabe, dem geht aber auch alles schief. Nun hat er nicht mal seine Schulden bezahlt. Nein, Herr Lobenstein, wir können wohl bei unserer Idee bleiben.«
Lobenstein blickte zu Wenniger.
»Na ja«, sagte der. »Ich gebe zu, vieles klingt recht unglaubwürdig. Aber das beweist noch gar nichts. Es könnte immerhin so gewesen sein. Wenn Jörgensen ihn engagiert hat, wenn Jörgensen noch etwas Dringendes in Frankfurt zu erledigen hatte und deshalb in Zeitnot geriet, wenn er deshalb Mühlens die Atelierschlüssel gegeben hat, wenn der, aus welchen Gründen auch immer, keine Nachrichten hörte, wenn Jörgensen ihn beauftragt hat, Filmmaterial zu kaufen …«
»Wenn, wenn, wenn«, unterbrach Wilhelmi. »Ein wenig zu viele Wenn, finden Sie nicht auch? Niemand will Sie festlegen, Herr Doktor Wenniger. Ich habe mir eine Meinung gebildet, und ich glaube, Herr Lobenstein auch. Es sind zu viele Zufälle, die herangezogen werden müssen, um Mühlens' Aussagen glaubwürdig erscheinen zu lassen, und für alle seine Erklärungen gibt es keinerlei überprüfbare Fakten, nur seine eigenen Worte.«
»Das stimmt. Vergessen Sie aber bitte nicht, dass es bis zur Stunde keine direkten Tatbeweise gibt, weder eine Mordwaffe, die eindeutig mit Mühlens in Verbindung gebracht werden kann, noch einen Tatzeugen, ja, wir kennen nicht einmal den Ort des Verbrechens. In dubio pro reo. Im Zweifelsfall zugunsten des Angeklagten.«
Wenniger steckte sein Notizbuch ein und erhob sich.
»Eine Frage noch«, bat Lobenstein. »Würden Sie mit diesem Material auf Freispruch plädieren?«

Wenniger hob die Schultern. »Vielleicht finden wir etwas auf den Filmen.«
Sie trafen sich um zehn Uhr im Labor. Die Aufnahmen lagen ausgebreitet auf den Tischen. Die Hälfte der Bilder konnten sie gleich aussondern, sie stammten aus der Nachtbar, und dort war Mühlens nach seinen eigenen Aussagen erst nach Mitternacht gewesen. Die anderen Fotos zeigten leere Straßen, in die die Reklamen der Kaufhäuser und Geschäfte sinnlos ihr Licht warfen, leere Parkplätze, tote Fassaden, an denen kein Fenster erleuchtet war, Leute, die aus einem Kino kamen, aber so verwischt, dass kein Gesicht zu erkennen war. Viele der Aufnahmen waren mit langer Belichtungszeit aufgenommen.
Wennigers Miene wurde zusehends skeptischer, schließlich warf er das letzte Foto auf den Tisch. »Das ist ja jämmerlich. Nicht einmal eine vernünftige Kinoreklame. Die einzig lesbare ist ›Die nackte Mörderin‹, und der Film läuft seit Wochen in diesem Kino. Wie soll ich da beweisen, dass Mühlens die Fotos ausgerechnet an diesem Sonntag aufgenommen hat?«
»Also nicht zu gebrauchen?«, fragte Lobenstein.
»Wahrscheinlich nicht. Aber so schnell kann ich natürlich nicht aufstecken.«
»Was wollen Sie tun?«
»Alles, was nur irgend denkbar ist. Irgendwie muss ich ja mein Geld verdienen.« Wenniger lächelte. »Wir haben da unsere Methoden. Also zuerst einmal alle Autonummern heraussuchen und sehen, ob wir so beweisen können, wann die Aufnahmen gemacht wurden, dann die Schaufensterauslagen, Lichtreklamen, die Straßenbeleuchtung.«
»Die Straßenbeleuchtung?«, fragte Wilhelmi.
»Ja, wahrscheinlich haben Sie nicht darauf geachtet, auf

einem Bild ist eine dunkle Straßenlampe zu erkennen. Vielleicht ist sie am Sonntag ausgefallen und am Montag wieder repariert worden. Wir lassen nichts außer acht.« Wenniger lachte. »Mit etwas Glück haben wir am Dienstag die wichtigsten Recherchen abgeschlossen. Reicht das?«

»Was ändert es, wenn ich nein sage? Können Sie mir eine Sprecherlaubnis beschaffen?«

»Das halte ich für ausgeschlossen.«

»Dann fragen Sie ihn bitte, warum er auch die beiden Fünfunddreißig-Millimeter-Kameras eingepackt hat.« Wenniger sah ihn fragend an.

»Für das Fernsehen produziert man nur in sechzehn Millimeter«, erklärte Lobenstein, »aber vielleicht hat Mühlens auch dafür eine Erklärung.«

## 25

Am Sonnabend saß Lobenstein von früh an hinter seinem Schreibtisch. Draußen knallte die Sonne. Lobenstein schloss die Fenster und zog die Vorhänge zu, damit die Hitze nicht in die Wohnung drang. Am liebsten wäre er baden gefahren, aber er blieb eisern, auch als Bornig ihn einlud, in den Odenwald mitzukommen. Lobenstein erklärte ihm die neue Idee.

»Ein verlockendes Thema«, sagte Bornig nachdenklich. »Aber ist es nicht fast zu literarisch für die REVUE?«

»Ich habe nicht den Ehrgeiz, Literatur zu produzieren, es soll eine Illustriertenstory bleiben, aber so habe ich die Möglichkeit, mehr als nur eine Skandal- und Sensationschronik zu schreiben, und kann trotz aller vordergründig reißerischen

Episoden ein wenig über die Entwicklung der Presse und des Fernsehens bei uns bringen, dazu die menschlich bewegende Geschichte zweier Leute, die unter gleichen Bedingungen begonnen haben.«

»Was machst du eigentlich«, unterbrach Bornig, »wenn Mühlens nun nicht so schnell gesteht, wie Kriminalrat Maurach hofft, oder wenn sich herausstellt, dass er doch nicht der Täter ist?«

Lobenstein kratzte sich hinter dem Ohr. »Dann muss die REVUE ein paar Fortsetzungen allein über Jörgensen bringen. Sicher werden sie dann die Serie schnell auslaufen lassen. Maurach war sehr zuversichtlich. Trotzdem glaube ich nicht, dass bis Dienstag alles entschieden ist. Ich werde wohl noch eine oder zwei Folgen zurückhaltend sein müssen. Aber ich will vorbereitet sein, dass ich gleich loslegen kann, sobald der Verdacht zur Gewissheit wird.«

»Hat Kenton sich schon gemeldet?«

»Nein, der hockt offensichtlich noch auf dem Kilimandscharo und lässt sich braunbrennen.«

»Das werde ich jetzt auch tun«, verabschiedete sich Bornig, »wenn auch nur im Odenwald.«

Lobenstein vertiefte sich wieder in seine Aktenberge. Wilhelmis Leute hatten gut gearbeitet. Sie hatten in der kurzen Zeit zwei Jugendfreunde von Mühlens aufgetrieben, einen seiner Lehrer, ein paar Kollegen aus vergangenen Jahren, einige Nachbarn und Bekannte, eine Frau, mit der Mühlens nach seiner Scheidung ein halbes Jahr zusammengelebt hatte, dazu Schulzeugnisse, Kinderfotos und Stapel von Zeitschriften, in denen Fotos von Mühlens veröffentlicht worden waren.

Die Unterlagen ergaben das Bild einer nicht einmal durchschnittlichen Karriere. Nach einem guten Start in den fünfziger Jahren schien es mit Mühlens nur noch bergab gegangen zu sein. Hatte er anfangs Berichte in großen Illustrierten untergebracht, so wurden die Zeitungen, die ihn beschäftigten, immer unbedeutender. Dann hatte er offensichtlich lange Zeit überhaupt nicht mehr fotografiert, sondern nur noch als Kamera-Assistent gearbeitet. Erst in den letzten zwei Jahren waren wieder Fotos von ihm erschienen, aber unregelmäßig, mal in dieser, mal in jener Zeitschrift und ausschließlich in kleinen linken Blättern.

Dabei waren die Fotos nicht schlecht, sie verrieten ein beachtliches Talent, vor allem ein ständiges Suchen nach ungewöhnlichen Blickwinkeln. Die meisten Aufnahmen der letzten Jahre zeigten die Kehrseite der Gesellschaft: Bettelnde, Prostituierte, Gammler, Rauschgiftsüchtige, Obdachlose, Wohnungselend und Asyle, Müllhalden, Autofriedhöfe, Gastarbeiterbaracken, vereinsamte Alte, verprügelte Kinder, überfüllte Krankenhäuser …

War Mühlens so erfolglos geblieben, weil er sich aufgrund seiner Überzeugung ganz auf diese Motive gestürzt hatte, oder hatte er sich auf diese Themen spezialisiert, weil die Redaktionen, die ihn beschäftigten, das von ihm verlangten? Musste nicht, ob so oder so, die ständige Beschäftigung mit dem Elend einen Mann, wie Mühlens es zu sein schien, immer tiefer in eine Haltung auswegsloser Niedergeschlagenheit verstricken und am Ende einen tiefen Hass gegen alle Erfolgreichen hervorbringen? War vielleicht der Hass so groß geworden, dass es nur noch eines nichtigen Anlasses bedurfte, um ihn zum Explodieren zu bringen? Musste nicht gerade der Anblick von Jörgensen, mit dem zusammen er einst angefangen hatte, ihn bis zur Weißglut reizen, zumal wenn der ihn seine Abhängigkeit vielleicht auch noch hatte fühlen lassen? Der Gedanke, dass er dankbar sein musste, weil Jörgensen ihm hin und wieder einen kleinen Auftrag gab? Lobenstein wurde vom Läuten der Türklingel aus seinen Überlegungen gerissen.

Draußen stand Möbius, ein dickes Paket in der Hand. »Die Recherchen aus München. Mit einem Gruß von Herrn Schraudenbach.«

Lobenstein bat ihn herein. Möbius blickte sich neugierig um. »Ich störe Sie wohl mitten in der Arbeit? Kann ich Ihnen helfen?«

»Sie können uns einen Kaffee kochen, während ich das hier durchsehe.«

Möbius verschwand in der Küche. Als er zurückkam, nickte Lobenstein ihm anerkennend zu. »Saubere Arbeit. Haben Sie geholfen?« Möbius strahlte. Lobenstein zeigte auf die Zeitschriften. »Sie könnten den linken Stapel nach Fotos von Mühlens durchsehen.«

Möbius machte sich sofort an die Arbeit. Nach einer Weile legte er ein Heft der Studentenzeitschrift FACTS auf den Schreibtisch. »Hier ist ein Beitrag über die Eilenbergwiesen. Nach den Schlagzeilen zu urteilen, geht es um die Verseuchung des Geländes durch die Abwässer von Chemiebetrieben. Kann Sie das interessieren? Es ist doch die Gegend, wo Jörgensens Leiche gefunden wurde. Die Fotos hier sind gut.«

»Legen Sie es mir hin«, sagte Lobenstein, »ich sehe es mir dann an. Wer hat die Fotos aufgenommen?«

Möbius suchte eine Weile. Der Fotovermerk stand klein gedruckt neben dem letzten Bild. »Fotos: Dietmar Mühlens.«

Lobenstein riss ihm die Zeitschrift aus der Hand und überzeugte sich selbst davon, dann griff er zum Telefon.

Frau Maurach wollte ihn abwimmeln, aber er blieb hartnäckig, bis sie schließlich ihren Mann an den Apparat rief. »Ich habe eine kleine Sensation für Sie«, sagte Lobenstein. »Kann ich gleich mal vorbeikommen?«

Möbius wäre gern mitgefahren. Er sei auch bereit zu warten, vielleicht könne er noch helfen. Lobenstein lehnte das Angebot ab. Als er das enttäuschte Gesicht des Studenten sah, fragte er ihn, ob er trotzdem einen Tag in Frankfurt bleiben wolle, die Übernachtung könne er bei der REVUE abrechnen. Möbius bedankte sich, aber dann führe er lieber wieder zurück.

Als Lobenstein ihn am Bahnhof absetzte, fragte Möbius: »Was ist eigentlich aus Bad Tölz geworden?«

»Nichts. Eine falsche Spur. Wenn Sie mir einen Gefallen tun wollen, dann vergessen Sie es.«

»Schon geschehen.«

Maurach bat Lobenstein um fünf Minuten Geduld, bis das Fußballspiel zu Ende sei. Er wollte erklären, wer da spielte, aber Lobenstein winkte ab. Fußball interessiere ihn nicht. Maurach sah ihn an, als habe er etwas völlig Unverständliches gesagt.

Als kurz vor Spielende noch ein Tor fiel, brüllte Maurach laut auf, und als er nach dem Abpfiff das Fernsehgerät ausschaltete, seufzte er erleichtert. »Das war ein Tor, was! Ach, Sie …« Er winkte ab. »Was führt Sie zu mir?«

Lobenstein legte die Zeitschrift auf den Tisch und schlug den Beitrag über die Eilenbergwiesen auf. »Ich denke, die Gegend kennen Sie.«

Maurach nahm die Zeitschrift und betrachtete die Bilder. »Ja, obwohl ich selbst nicht dort war.«

»Können Sie sich noch an unser Gespräch am Montagabend erinnern? Sie sagten damals, der Mörder …«
»Ich habe bestimmt gesagt, der oder die Mörder.«
»Also, gut, der oder die Mörder hätten die Gegend an der Eilenbergbrücke wahrscheinlich sehr gut gekannt.«
»Und jetzt wollen Sie mir nachweisen, dass mindestens hunderttausend Leute gewusst haben können, was für eine gottverlassene Gegend das ist, was?«
»Nein. Die FACTS dürften nicht einmal zehntausend Leser haben. Dieses Foto«, Lobenstein blätterte die Seite um und zeigte auf ein großes Bild, das die ganze rechte Seite einnahm, »ist von der Autobahnbrücke aus aufgenommen worden, fast genau von der Stelle, an der Jörgensen hinuntergestürzt wurde.«
Maurach studierte das Foto.
»Wenn Sie noch einmal umblättern«, sagte Lobenstein, »dann finden Sie neben dem Foto rechts unten den Aufnahmevermerk.«
Maurach blätterte um. Dann sah er Lobenstein an und nickte anerkennend. »Donnerwetter, das gibt Mühlens den Fangstoß.«
»Darf ich das so auffassen, dass Sie sicher sind, mit Mühlens den Mörder zu haben?«
»Sicher bin ich erst, wenn sein Geständnis vorliegt. Aber das Netz der Indizien wird immer dichter. Und sein Alibi …« Maurach grunzte verächtlich. »Ich war heute Morgen noch mal im Amt und habe mir die Fotos angesehen, die Doktor Wenniger abgeliefert hat.« Der Kriminalrat sah Lobenstein mit einem Seitenblick an. »Aber ich nehme an, die kennen Sie schon?«
»Doktor Wenniger ist nicht unser Anwalt.«

»Nein?« Maurach rieb sich das Kinn. »Dieser Doktor Wenniger passt mir überhaupt nicht. Ich kann es nicht ausstehen, wenn gewiefte Strafverteidiger versuchen, mit faulen Tricks ihre Mandanten herauszuhauen, und die eindeutigsten Fälle komplizieren. Wenniger ist genau der Mann für so etwas. Wenn Mühlens jetzt anfängt, das zu widerrufen, was er bisher ausgesagt hat, dann kann ich ungemütlich werden!«
»Was könnte er denn widerrufen?«
Maurach grinste. »Ich bin hier doch nicht auf einer Pressekonferenz, oder?«
»Nein, aber ein paar Fragen könnten Sie mir ruhig beantworten, nachdem ich Ihnen so hilfreich unter die Arme gegriffen habe. Was zum Beispiel ist mit dem Radio in Mühlens' Wagen?«
»Das spielt einwandfrei.«
»Ich denke, Mühlens hat ausgesagt, es sei entzwei?«
»Hat er. Als ich ihm vorhielt, dass es funktioniert, erzählte er, der Nachtportier in Landsberg habe es repariert.«
»Hat er es?«
Maurach verzog sein Gesicht. »Ja, ein Kabel war locker.«
»Haben Sie Jörgensens Wagen schon gefunden?«
»Nein, der ist spurlos verschwunden.«
»Und auf den Autofriedhöfen?«
»In den letzten vierzehn Tagen ist bei keinem ein Mercedes, wie Jörgensen ihn fuhr, aufgetaucht, auch nicht in der Umgebung. Warum fragen Sie?«
»Mühlens hat vor kurzem eine Reportage über Autofriedhöfe fotografiert. Was ist mit ...«
Maurach schüttelte unwillig den Kopf. »Verderben Sie nicht meine gute Laune. Besuchen Sie mich nächste Woche im Büro.«

»Gut. Passt es Ihnen Montag um zehn?«
»Montag bin ich nicht in Frankfurt. Kommen Sie Dienstag.«

## 26

Am Montagabend entwarf Lobenstein die ersten Seiten über Mühlens. Die Überprüfung der Fotos hatte nichts ergeben, was ihm zu einem Alibi verhelfen konnte. Die beiden Filme aus der »Eldorado«-Bar waren in jener Nacht aufgenommen worden, aber erst nach Mitternacht. Der Geschäftsführer konnte sich an Mühlens erinnern. Er sei kurz nach zwölf aufgetaucht, die Midnight-Show habe gerade begonnen.
Wann die anderen beiden Filme fotografiert worden waren, ließ sich nicht beweisen. Schaufensterauslagen, Leuchtreklamen und Straßenbeleuchtung waren überprüft worden, ergebnislos. Auch die Autonummern hatten nichts hergegeben. Die identifizierten Wagen hatten zwar an diesem Sonntag dort geparkt, aber auch an fast allen anderen Abenden der letzten Wochen.
Die größte Hoffnung hatte Wenniger auf drei auswärtige Autos gesetzt, aber deren Besitzer waren häufig in Frankfurt gewesen, einer fast jeden Abend, sodass es elf verschiedene Tage gab, an denen diese drei Autos in Frankfurt aufgenommen worden sein konnten.
Wennigers Leute hatten noch die Wetterberichte für diese Tage durchgesehen, aber das führte ebenso wenig weiter wie Recherchen in Parkhäusern und bei der Verkehrspolizei, ob jemandem Mühlens roter VW-Bus in der Mordnacht aufgefallen war.

Als Lobenstein am nächsten Morgen ins Präsidium kam, wurde er ausgesprochen freundlich empfangen. »Wollen Sie auch einen Kaffee?« Maurach wartete die Antwort nicht ab, sondern bestellte ein zweites Kännchen.

»So gute Laune am frühen Morgen lässt mich hoffen«, begann Lobenstein. »Was gibt es Neues?«

»Dass Sie es immer so eilig haben, Sie arbeiten doch gar nicht für die Tagespresse.«

»Eben. Die können von einem Tag zum anderen reagieren, bei uns dauert es Wochen. Man hat mir nun schon die knappsten Termine gegeben, aber was ich heute Abend liefere, erscheint erst ...«

»Schon gut«, unterbrach Maurach, »fangen Sie nicht an zu weinen. Aber Sie müssen mir versprechen, dass Sie niemand anderen vor Donnerstag informieren.«

»Ich müsste ja völlig verrückt sein, wenn ich der Konkurrenz helfe. Warum gerade Donnerstag?«

»Es kann auch Freitag werden. Ich will Ende der Woche eine Pressekonferenz zum Fall Jörgensen abhalten.«

»Eine Pressekonferenz?«

»Selbstverständlich, ich lasse mir doch solch eine Gelegenheit nicht entgehen. Das ist ein Mord erster Klasse, wir haben ihn erstklassig bearbeitet und in einer wahrlich kurzen Zeit ...«

»Erstklassigen Zeit«, warf Lobenstein ein.

Maurach lachte. »In der Tat – erstklassigen Zeit aufgeklärt. Nun wird er dementsprechend ausgewertet.«

»Ich hätte nie gedacht, dass die Einteilung in Klassen sich auch auf Mordfälle bezieht. Heißt es nicht irgendwo, vor dem Gesetz seien alle Menschen gleich?«

»Wir sind nicht das Gesetz, wir sind nur seine Hüter, und von Leichen ist da nicht die Rede. Außerdem wollen Sie mir doch wohl nicht erzählen, dass der Tod einer Prostituierten oder eines Pennbruders ebenso viel Staub aufwirbelt wie die Ermordung eines Politikers oder eines Stars?«

»Die Presse interessiert sich nicht nur für prominente Leichen.«

»Nein?« Maurach marschierte mit langen Schritten durch den Raum. »Sie haben recht, das Kriterium ist nicht Prominenz. Wenn es eine Sensation hergibt, kommt auch das achte Kind einer Arbeitslosen in die Zeitung.« Er blieb vor Lobenstein stehen und massierte seine Finger. »Jörgensen hat genug Schlagzeilen gemacht. In seinem Leben und durch seinen Tod. Ich müsste völlig vertrottelt sein, wenn ich nicht noch ein paar dazuliefere. Zu meinen Gunsten. Sie hauen uns doch jede Woche Ihre Schlagzeilen« – er betonte die erste Silbe und grunzte abfällig – »um die Ohren. Steigende Verbrechen, sinkende Aufklärungsquote, unfähige Polizei...«

»Ich nicht«, wehrte Lobenstein ab, »ich bin doch ausgesprochen nett zu Ihnen, und die REVUE lebt nicht von Kriminalfällen.«

»Zugegeben, aber ohne ein halbes Dutzend Gewaltverbrechen pro Woche sind Sie auch nicht zufrieden. Warum schreiben Sie denn über Jörgensen?«

»Ich schreibe über sein Leben«, sagte Lobenstein. »Und über das von Mühlens, wenn er der Täter ist. – Ist er es?«

»Weshalb sollte ich sonst eine Pressekonferenz abhalten? Der Fall ist geklärt.«

»Hat er gestanden?«

»Das noch nicht, aber es ist nur noch eine Frage der Geduld. Bei jeder Vernehmung reitet er sich tiefer hinein, und er merkt es selbst. Ich wette, in spätestens drei Tagen habe ich sein Geständnis.« Maurach zog an seinen Fingern, dass die Gelenke knackten. »Und wenn er nicht gesteht, dann halt ich die Pressekonferenz so ab. Beweismaterial haben wir mehr als genug, zumal jetzt, nachdem Jörgensens Wagen gefunden wurde, dank Ihrer Hilfe.«

»Meiner Hilfe?«

»Sie hatten mich doch gefragt, ob wir die Autofriedhöfe kontrolliert hätten. Das ist mir nicht mehr aus dem Kopf gegangen. Natürlich hatten wir nachgefragt, aber nur, ob irgendwo ein Mercedes, wie Jörgensen ihn fuhr, angeliefert worden war. Ich habe nun die Autofriedhöfe von Frankfurt und Umgebung systematisch absuchen lassen …«

Die Sekretärin brachte den Kaffee.

»Auf dem Autofriedhof an der Hanauer Chaussee haben wir den Wagen gefunden. Ohne Nummernschilder, keine Luft in den Reifen, Sitze zerfetzt, Scheiben eingeschlagen, Kabel herausgerissen, mit Dreck und Farbe beschmiert, auf den ersten Blick musste man es schon für ein ausgedientes Wrack halten. Und in acht Tagen wäre der Wagen spurlos verschwunden gewesen. Sie haben da eine amerikanische Presse, mit der man die Wracks zu niedlichen kleinen Paketen verarbeiten kann.«

»Können Sie Mühlens nachweisen, dass er den Wagen dort abgestellt hat?«

Maurach rührte in seinem Kaffee. Er hielt den Löffel zwischen Daumen und Mittelfinger und spreizte den Zeigefinger ab, dabei lächelte er still vor sich hin.

»Wie sagten Sie am Freitag? Mühlens hat auf Autofriedhöfen fotografiert. Auch auf dem an der Hanauer Chaussee.«

»Damit werden Sie bei Doktor Wenniger kaum Eindruck schinden.«

»Und wie finden Sie das? Am Haupttor dieses Autofriedhofes

sitzt ein Pförtner. Tag und Nacht. Nicht, dass die Leute befürchten, jemand würde ein Wrack klauen, aber es ist zu viel auf solchen Plätzen passiert. Penner und Halbstarkenbanden nisten sich ein. Das Gelände ist deshalb vor zwei Monaten eingezäunt worden, ein drei Meter hoher Drahtzaun. Aber es gibt ein Nebentor am Bocksweg, das war weder verschlossen noch bewacht. So etwas muss man wissen.« Er sah Lobenstein triumphierend an. »Mühlens kann es gewusst haben, ich sage: kann. Seine Fotos sind vor vierzehn Tagen erschienen.«

»Ich weiß nicht«, zweifelte Lobenstein. »Um halb elf wurde er noch mit Jörgensen am Flughafen gesehen. Bis halb zwölf muss er ihn ermordet und von der Brücke gestürzt haben. Dann zur Innenstadt. In den Bars fotografieren. Dafür hat er ein Alibi.«

»Nur bis etwa ein Uhr.«

»Nun gut. Dann mit Jörgensens Wagen zur Hanauer Chaussee, den Wagen demolieren, zurück zur Stadt, seinen Wagen holen, nach Hause, und das alles bis drei Uhr.«

»Dafür hat er kein Alibi. Seine Wirtin hat ihn nicht kommen hören. Sie kann nur aussagen, dass er vor sechs nach Hause gekommen sein muss. Und die Zeit reicht aus.«

»Es sieht zu glatt aus, zu perfekt für einen Augenblicksentschluss, denn davon muss man doch ausgehen, dass ihm der Gedanke, Jörgensen zu ermorden, frühestens während des Gespräches am Nachmittag gekommen sein kann, für wahrscheinlich halte ich jedoch eine Affekthandlung.«

»Ich weiß nicht, was Sie wollen«, unterbrach Maurach ihn ärgerlich. »Jetzt haben wir mal einen Fall schnell gelöst, und Sie mäkeln trotzdem herum. Ich behaupte ja nicht, dass Mühlens nach einem Plan gehandelt hat, obwohl das durchaus möglich ist. Ich denke, er hat es Zug um Zug erledigt. Zuerst die Leiche beseitigt. Als das so glatt ging, hat er sich überlegt, dass er noch genügend Zeit hätte, den Mercedes verschwinden zu lassen. Jörgensens Wagen war eine Gefahr für ihn. Er konnte auffallen.«

»In Frankfurt stehen Tausende von Autos.«

»Lassen Sie nur einen Unfall passieren, oder der Wagen wird von Jugendlichen gestohlen und dann irgendwo stehengelassen, wir hätten nach dem Besitzer gesucht und angefangen, nach Jürgensen zu forschen.« Maurach schenkte sich noch einmal Kaffee ein.

»Sie sind also fest davon überzeugt, dass Mühlens der Täter ist? Sie wissen, warum ich frage.«

»Sehen Sie, der Wagen ist nicht nur abgestellt und demoliert worden, man hat ihn fein säuberlich mit einem Feuerlöscher ausgeputzt, das verwischt alle Fingerspuren und geht schnell. Ich habe Mühlens am Sonnabend noch einmal gefragt, ob er an dem Wagen gewesen ist. Er behauptet: nein. Wir haben jedoch seine Fingerabdrücke gefunden.«

»Was sagt Mühlens dazu?«

»Er windet sich. Als ich es ihm vorhielt, sagte er, ja, es könnte passiert sein, als Jörgensen ihm die Schlüssel aus dem Wagen geholt habe. Genau erinnern könne er sich nicht. Ich sage Ihnen, dieser Mühlens ist ein ganz ausgekochter Bursche, der tut nur so, als wenn er kein Wässerchen trüben könnte. Außerdem ist er nicht dumm, er kämpft um seinen Kopf. Der legt sich nicht fest. Er sagt nicht: Ich habe das getan und dieses. Nein. Es könnte sein. Ich weiß nicht. Vielleicht. Ich habe ihm nämlich nicht gesagt, wo wir seine Abdrücke gefunden haben.« Maurach setzte die Kaffeetasse an die Lippen und schlürfte genießerisch.

»Und wo haben Sie sie entdeckt?«

»Am unteren Rand der Kofferklappe. Beide Daumen. Und drei Finger der rechten Hand auf der Innenseite. Womit einwandfrei bewiesen ist, dass er den Kofferraum geöffnet hat. In dem Kofferraum aber ist Jörgensens Leiche transportiert worden. Wir haben Blutspuren gefunden, die eindeutig identifiziert werden konnten. Blut wäscht auch ein Feuerlöscher nicht ganz ab.«

»Sie schließen also jede andere Möglichkeit aus?«

»Sie wollen wohl einen Mörder mit Garantie, was? Die kann ich Ihnen nicht geben. Ich führe nur die Ermittlungen. Aber wer soll es sonst gewesen sein? Sollen wir etwa allen Verdächtigungen nachgehen, die in der Presse genannt wurden, diesen wilden Phantasiegespinsten schlagzeilengeiler Journalisten?« Maurach sah ihn mit einem mitleidigen Lächeln an.

»Und wer war dann der Mann am Flughafen? Zwei Zeugen haben Mühlens identifiziert …«

»Sie haben Frau Gamsfeld hier gehabt?«

»Ja, sie war sich nicht hundertprozentig sicher, aber der Kellner bleibt bei seiner Aussage, und der hat die beiden schließlich aus nächster Nähe gesehen. Außerdem denken Sie mal an die Zeichnung in der ABENDZEITUNG und an das Belohnungsversprechen. Tausend Mark sind ja kein schlechter Anreiz. Wir haben ein paar Dutzend Hinweise bekommen und sind ihnen nachgegangen, alles Fehlanzeigen bis auf die, die Mühlens nannten.« Maurach griente. »Na ja, ich messe denen nicht viel Bedeutung zu, inzwischen war ja auch schon das Foto von Mühlens durch Presse und Fernsehen gelaufen. Aber warum hat sich niemand gemeldet, der Mühlens am Sonntag in Frankfurt gesehen hat? Wo ist er gewesen, wenn er tatsächlich hier in der Stadt fotografiert hat? Warum hat ihn nicht ein einziger Mensch gesehen? Seine Filme? Lächerlich. Das räumt sogar sein Verteidiger ein.« Maurach trank den letzten Schluck Kaffee aus seiner Tasse und erhob sich. »Natürlich, rein theoretisch gibt es immer die Möglichkeit, dass er es nicht war. Die gibt es immer, wenn der Täter nicht in flagranti ertappt wurde oder ein Geständnis abgelegt hat. Aber es gibt kein Indiz, das in eine andere Richtung weist. Oder haben Sie etwas?«

Lobenstein schüttelte den Kopf.

»Die Indizien reichen aus, Mühlens zu verurteilen. Auf jeden Fall dafür, dass wir die Untersuchungen abschließen. Der Staatsanwalt ist einig mit mir. Lassen Sie mir meinen Mörder. Einen bessren find ich nicht.«

## 27

Die Konferenz mit Naumann und Wilhelmi dauerte nicht lange. Sie waren sich schnell einig, nicht mehr abzuwarten, sondern schon im nächsten Heft mit der neuen Idee zu beginnen. Der alte Titel »Der Tod des Reporters« wurde zur Dachzeile, die Hauptüberschrift lautete jetzt: »Der Star und sein Mörder«. Darunter setzten sie ein Foto von einer Betriebsfeier bei UPI in München, auf dem Jörgensen und Mühlens als junge Burschen nebeneinandersaßen und in die Kamera prosteten. Neben dieses Bild kamen zwei aus der jüngsten Zeit: Jörgensen, als ihm der Fernsehpreis überreicht wurde, und ein kameraschleppender Mühlens; dieses Foto hatte Lobenstein von Georgia Mühlens erhalten. Im Textteil schilderte Lobenstein die Jugend der beiden und den Beginn ihrer journalistischen Laufbahn bei der Nachrichtenagentur. Naumann war sehr zufrieden, als er am Abend noch einmal in die Redaktion kam und sich die Seiten vorlegen ließ. Er beglückwünschte Lobenstein. »Ich wusste ja, dass Sie einen Knüller liefern. Das wird die Leser packen; Mord plus menschlich rührendes Schicksal, einer der Großen der Öffentlichkeit und ein armes, getretenes Würstchen, dann noch die ganze Story um Jörgensens Berichte, und den Sex werden Sie hoffentlich nicht zu kurz kommen lassen, mindestens in den Fotos. Sie sind doch auch zufrieden, Wilhelmi, was?«

»Ja«, räumte der ein. »Jetzt kann ich es ja offen sagen: Ich hätte nicht gedacht, dass Herr Lobenstein das so hinbekommt. Es ist doch eigentlich nicht sein Genre.« Er lächelte spitz. »Bisher hat er so etwas immer als unter seinem Niveau abgelehnt. Dabei scheint er eine ausgesprochene Begabung dafür zu haben.«

»Ich werde schon dafür sorgen, dass es nicht unter mein Niveau sinkt«, sagte Lobenstein. »Und was meine Begabung betrifft – ich glaube, die liegt trotzdem auf einem anderen Gebiet. Ich habe jedenfalls nicht vor, in absehbarer Zeit etwas Ähnliches zu machen.«

Naumann lachte. »Ihr Schade. So schnell haben Sie noch nie Ihr Geld verdient. Sie sollten es sich wirklich überlegen, Lobenstein. Ich glaube auch, dass Sie mehr in dieser Richtung arbeiten sollten. Wenn Sie sich jetzt noch vierzehn Tage stramm ransetzen, haben Sie die Sache im Kasten und können an das nächste Thema gehen.«

»Die Rüstungsskandale.«

»Ja, von mir aus«, sagte Naumann ein wenig unwillig. »Wenn Sie unbedingt wollen. Aber dafür gibt's kein doppeltes Honorar.«

Die nächsten Tage vergingen mit Kleinarbeit.
Am Freitag wurde Lobenstein schon kurz vor sieben vom Telefon aus dem Schlaf geholt. Es war Wilhelmi; er war nicht nur mürrisch wie gewohnt, sondern auch aufgeregt. »Ziehen Sie sich an, und kommen Sie sofort in die Redaktion!«
»Wo brennt's denn?« Lobenstein bemühte sich vergeblich, ein Gähnen zu unterdrücken.
»Der TAG ist mit einer neuen Mühlens-Version herausgekommen. Wir müssen noch vor der Pressekonferenz im Polizeipräsidium miteinander sprechen.«
TAG brachte es als Hauptaufmachung auf der ersten Seite: »Wer bezahlte den Mörder? Warum musste Jörgensen sterben? Die Spur führt nach Ostberlin.«
Lobenstein überflog den Artikel, las ihn dann noch einmal Zeile für Zeile. Das war ein ausgemachter Bluff. TAG hatte nur die bereits bekannten Fakten mit Andeutungen, Vermutungen und Fragen kombiniert, sodass es wie eine völlig neue Geschichte aussehen konnte.
Mühlens sei wiederholt in der DDR gewesen, und der Bundesverfassungsschutz führe gegen ihn Ermittlungen wegen staatsgefährdender Umtriebe. TAG wusste natürlich auch, warum Jörgensen umgebracht worden war. Aus den berühmten »gut unterrichteten Kreisen«. Jörgensen sei dabei gewesen, einen Ostberliner Agentenring in der Bundesrepublik aufzudecken.
»Sie nehmen das doch hoffentlich nicht ernst?«, fragte Lobenstein.
»Ich würde es nicht so leichthin abtun«, warnte Wilhelmi. »Wenn sich herausstellt, dass etwas an der Sache ist, müssen wir schnell umschalten, das ist doch möglich?«
Lobenstein schmunzelte nur.

»Ich lasse jedenfalls diese Linie recherchieren«, brummte Wilhelmi.
»Tun Sie das. Ich wette eine Kiste Whisky gegen einen alten Hut, dass der Fall Jörgensen keinen politischen Hintergrund hat.«
»Wenn Sie die Wette man nicht verlieren.«
»Warten wir ab, was Maurach um zehn verkündet«, sagte Lobenstein. Er musste sich mit Maurach verbünden. Maurach konnte da nicht mitmachen. Diese Schlagzeilen, nur wenige Stunden vor seiner Pressekonferenz, waren eine offene Brüskierung. Das musste ihm wehtun. Obwohl der TAG-Artikel nicht gegen Maurach gezielt war. Der Kriminalrat war CDU-freundlich und viel zu unbedeutend für eine derartige Attacke.

Der Konferenzsaal des Polizeipräsidiums war bis auf den letzten Platz gefüllt. Zwei Fernsehkameras, eine Filmkamera, ein halbes Dutzend Mikrophone. Maurach hätte zufrieden sein müssen, aber er sah nicht gerade glücklich aus, als er hereinkam. Er konnte sich an den fünf Fingern abzählen, dass der Massenandrang vor allem auf die TAG-Veröffentlichung zurückzuführen war. Das hatte den Fall endgültig zur Sensation gestempelt.
Maurach trat hinter die Mikrophone. Er bedankte sich für den regen Besuch. Lachen im Saal. Er schilderte noch einmal, wie die Leiche gefunden und Mühlens festgenommen worden war. Seine Darstellung war sehr schmeichelhaft für die Polizei. Dann gab er einen Überblick über die Ermittlungen und zählte schließlich alle Indizien auf, die gegen Mühlens sprachen. Es war eine überzeugende Vorstellung. Niemand konnte bezweifeln, dass das Gerichtsverfahren mit einem Schuldspruch enden musste.

Maurach ging mit keinem Wort auf die Behauptungen des TAG ein. Dafür wies er gebührend auf die Schnelligkeit hin, mit der der Fall aufgeklärt worden war.
»Ich darf das wohl als Beweis für die hohe Qualität der Arbeit der Kriminalpolizei werten, die besonders in den letzten Monaten häufig einer harten und, ich muss auch sagen, nicht immer fairen Kritik unterworfen wurde. Aber das Ansteigen der Zahl der ungeklärten Fälle ist nicht auf das mangelnde Können der Polizei zurückzuführen, sondern auf die von Jahr zu Jahr ansteigende Kriminalität, der wir ohne drastische Erhöhung des Personalstandes und unseres Budgets nicht Herr werden können. Die Polizei ist durchaus in der Lage, gute Arbeit zu vollbringen. Es liegt an den Politikern, uns die notwendigen Voraussetzungen zu schaffen.«
Maurach blickte selbstzufrieden in die Runde. Diese Worte würden morgen in der Presse stehen. Er hatte den schwarzen Peter den Politikern zugeschoben. Mochten die sehen, wie sie damit fertig wurden. Er war für Gesetz und Ordnung. Dass die CDU das gerade als Losung zu den Landtagswahlen auf ihre Fahnen geschrieben hatte, war natürlich reiner Zufall. Als jemand im Saal »keine Wahlpropaganda« rief, wies er das als Verdächtigung zurück.
»Es ist nicht meine Absicht, hier Politik zu betreiben oder in den Wahlkampf einzugreifen. Aber was wahr ist, muss auch ausgesprochen werden. Und nun haben Sie das Wort, meine Herren.«
»Was sagen Sie zu der heutigen Veröffentlichung im TAG?«
Maurach lächelte. »Für die Polizei ist der Fall abgeschlossen. Die Akten sind der Staatsanwaltschaft übergeben worden. Von uns aus kann der Prozess morgen beginnen. Ob es über unsere Ermittlungen hinaus noch politische Motive für den Mord an

Jörgensen gab, dazu möchte ich hier nicht Stellung nehmen. Ich denke, das werden die Herren vom Bundesverfassungsschutz schon tun, sobald sie den Zeitpunkt für gekommen halten. Unsere Sache war es, den Tod Jörgensens aufzuklären, den Täter zu finden und die Beweise für seine Schuld zu sichern. Das haben wir getan.«

»Haben Sie bei Ihren Ermittlungen Beweise für die heute aufgetauchte Version gefunden?«

»Kein Kommentar.«

Einige Journalisten buhten.

»Meine Herren, ich bin nur befugt, über die Arbeit der Kriminalpolizei zu sprechen. Ich kann Ihnen nur so viel sagen, dass wir keinen Grund haben, die Möglichkeit eines politischen Mordes auszuschließen.«

Lobenstein ging in das Kriminalamt und wartete vor Maurachs Zimmer. Er musste lange warten. Der Kriminalrat gab noch Erklärungen für die Fernsehstationen.

»Über Ihre Presse brauchen Sie sich morgen bestimmt nicht zu beschweren«, sagte Lobenstein, als Maurach endlich auftauchte.

»Ich habe es auch wieder mal nötig.«

»Warum haben Sie das mitgemacht? Sie wissen doch genauso gut wie ich, dass es auch nicht die Andeutung einer Spur für ein politisches Motiv gibt.«

»Tut mir leid, Lobenstein. Ich weiß, das passt nicht in Ihr Konzept. Aber soll ich mich mit TAG und dem gesamten TÜRMER-Konzern anlegen? Ist doch nicht meine Hochzeit, ob Mühlens den Jörgensen aus Geldgier oder vor Wut oder im Auftrag Pankows umgelegt hat. Hauptsache, der Täter bekommt seine gerechte Strafe.«

»Ich dachte, Gerechtigkeit hätte auch etwas mit Richtig-

keit zu tun. Ich hatte gehofft, in Ihnen einen Verbündeten gegenüber der REVUE zu finden. Ober glauben Sie, ich werde diese Schwenkung mitmachen?«
»Ich kann Ihnen nicht helfen, Lobenstein. Jeder ist sich selbst der Nächste. Sie sind mir nicht stark genug, um mit Ihnen gegen Türmer zu marschieren.«
»Aber es gibt doch keinen Beweis für diese Version. Oder haben Sie welche?«
»Habe ich das behauptet?«
»Nein, aber Sie haben es auch nicht dementiert. Und morgen sind die Blätter voll davon.«
Maurach sah ihn spöttisch an. Er holte eine Packung Zigaretten hervor und hielt sie Lobenstein hin. »Waren Sie es nicht, der mal erklärt hat, es sei ihm egal, was andere schreiben?«
»Nicht in diesem Fall. Erstens nimmt das Einfluss auf meine Redaktion, und zweitens haben wir auch ohne den Fall Mühlens schon zu viel Antikommunismus.«
Maurach steckte die Zigaretten wieder ein. »Auf Wiedersehen, Herr Lobenstein«, sagte er mit unbewegtem Gesicht. »Ich habe zu tun.«

Wilhelmi hatte die Fernschreibfahnen der Nachrichtenagenturen vor sich und strich ganze Passagen rot an.
»Gut, dass Sie da sind. Wir müssen sofort zum Chef.« Naumann begrüßte sie mit einem fetten Lachen. »Die Kollegen von der Tagespresse und vom Fernsehen werden also morgen wieder kostenlos Reklame für uns machen. Ich habe schon Aushänger für die Kioske in Auftrag gegeben. REVUE bringt die authentische Jörgensen-Geschichte und so weiter. Unter den neuen Aspekten bekommt der Fall eine ganz

andere Aktualität.« Er rieb sich die Hände. »Das wird ein ganz großer Knüller.«
»Es gibt keine neuen Aspekte«, erwiderte Lobenstein. »Keinen einzigen neuen Fakt. Ich hoffe, Sie erwarten nicht, dass ich da mitmache.«
Naumann legte seine Hände flach auf den Schreibtisch und trommelte mit den Fingerspitzen. »Ich erwarte, dass Sie jede Möglichkeit ausnutzen, auch dieser Spur nachzugehen.«
»Es gibt keine Spur.«
»Wir werden sehen. Schreiben Sie ruhig erst einmal weiter wie bisher. So wie die Story aufgebaut ist, haben wir ja noch Zeit. In einer Woche sind wir alle schlauer.«
»Darf ich das so verstehen, dass wir die neue Version nur aufnehmen, wenn sich Beweise dafür finden lassen?«
»Wenn Sie so wollen, ja. Wilhelmi hat ein paar Leute angesetzt. Ich will Sie natürlich nicht zwingen, gegen Ihre Überzeugung zu schreiben, Lobenstein. Wenn wir jedoch zu der Ansicht kommen, dass an dieser Geschichte etwas dran ist, dann wird die REVUE das auch publizieren.«
Lobenstein rief Wenniger an. »Kann ich Sie gleich mal aufsuchen?«
»Tut mir leid, ich habe in einer halben Stunde einen Termin. Sie waren auf der Pressekonferenz?«
»Ja, und ich muss Ihnen sagen …«
»Sparen Sie sich das. Ich bin informiert. Wir versuchen seit heute früh, jemand beim Bundesverfassungsschutz zu erreichen.«
»Glauben Sie etwa an diese Geschichte?«
»Glauben hilft da nicht. Wir müssen wissen, ob wirklich etwas vorliegt.«

»Wann sehen Sie Mühlens? Seine Reaktion würde mich interessieren.«
»Ich war heute Vormittag im Untersuchungsgefängnis. Er ist völlig fertig. Er sagt natürlich, das sei alles Unsinn. Er sei zwar wiederholt in der DDR gewesen, zweimal im Auftrag der FREIHEIT zur Leipziger Messe und zu irgendeiner Ostseewoche oder so ähnlich, und dann hat er im Mai und Juni seinen Bruder in Dresden besucht, der wohl schwer krank ist.«
»Diese Reisen sprechen eher für ihn. So dumm benehmen sich Agenten nicht mal im Dreigroschenroman.«
»Warten wir ab, vielleicht zerplatzt das Ganze wie eine Seifenblase.«

Die TAG-Version hielt sich gerade über das Wochenende. Am Dienstag war das Thema wieder aus den Zeitungen verschwunden. Nur die großen, überregionalen Blätter, die sich seriös gaben, hatten das Dementi des Verfassungsschutzes veröffentlicht, doch nur klein und auf den Innenseiten. TAG brachte kein Dementi. Als Lobenstein die beiden nächsten Folgen ablieferte, fragte er Wilhelmi, wo sein Whisky bleibe.
»Ich habe nicht mit Ihnen gewettet«, antwortete der mürrisch. »Sie sind wohl stolz, dass Sie recht behalten haben?«
»Ich bin nur froh, dass ich keine Sekunde an diese Ente verschwendet habe. Ich werde mich ein paar Tage einschließen. Montag bekommen Sie die nächsten drei Folgen, die letzte schreibe ich erst kurz vor dem Liefertermin, vielleicht ergeben sich inzwischen doch noch ein paar Neuigkeiten, aber ich glaube es nicht.«

# 28

Als Lobenstein eine Woche später in die Redaktion kam, empfing ihn Engelchen mit einem Seufzer der Erleichterung. »Wo hast du dich denn rumgetrieben? Du hättest wenigstens mir verraten können, wie du zu erreichen bist.«

»Warum so aufgeregt? Ich habe nur für unser geschätztes Blatt gearbeitet.«

»Am Donnerstag hat ein Mr. Kenton aus Nairobi angerufen, er hat nicht gesagt, was er wollte. Ich habe ihm deine Privatnummer gegeben. Gerade eben hat er sich noch einmal gemeldet. Er käme heute Abend um acht in Frankfurt an. Du möchtest ihn abholen und Benno Bornig mitbringen.«

»Ist gut«, sagte Lobenstein nachdenklich, »ich werde zum Flughafen fahren.«

»Vergiss Bornig nicht.«

»Der sitzt im Odenwald. Bei dem war ich ja die ganze Zeit. Versuch du bitte auch, ob du ihn erreichst.« Er gab ihr die Nummer.

Bornig war erst am Abend zu erreichen, zu spät, als dass er noch rechtzeitig hätte am Flughafen sein können. »Grüß Kenton von mir. Er soll mich morgen anrufen. Ich komme morgen früh nach Frankfurt.«

Die Maschine landete pünktlich. Lobenstein ließ Kenton über den Lautsprecher zur Information bitten.

Ein Mann, Mitte fünfzig, das sonnenverbrannte Gesicht voller kaum verheilter Schrammen, kam auf ihn zu.

»Mr. Kenton?«

»Dann sind Sie sicher Herr Lobenstein.«

Kenton reichte ihm die linke Hand, die rechte war dick bandagiert.

»Haben Sie viel Gepäck?«, fragte Lobenstein.

»Kein Gepäck. Ich fliege in zwei Stunden weiter. Gehen wir ins Restaurant?«

Sie fanden einen leeren Ecktisch.

»Erzählen Sie schon«, drängte Kenton ungeduldig. »Ich weiß so gut wie nichts. Ich habe natürlich sofort die Zeitungen durchgesehen, aber nur eine kurze Notiz in der NEW YORK TIMES gefunden.«

Kenton hörte mit geschlossenen Augen zu. Er verzog keine Miene, wie ein Pokerspieler, der einen Royal Flush auf der Hand hat.

»Und was wollen Sie von mir?«, fragte er, als Lobenstein seinen Bericht beendet hatte.

Lobenstein sagte es ihm: »Informationen über seine wichtigsten Berichte, Storys, Anekdoten. Benno Bornig hat mir gesagt, Sie wüssten da eine Menge.«

»Das lässt sich machen. Aber nicht sofort. Nächste Woche. Kommen Sie für ein, zwei Tage nach London als mein Gast. Die Polizei hat die Ermittlungen abgeschlossen?«

»So gut wie. Es fehlt nur noch Mühlens' Geständnis.«

»Es sieht böse aus für ihn, nicht wahr?«

»Ja, die Indizien sind eindeutig.«

»Eindeutige Indizien sollten immer misstrauisch machen. Das weiß jeder Leser von Kriminalstorys. Der am meisten Verdächtige war es bestimmt nicht. Ihre Polizei sollte mehr Edgar Wallace und Agatha Christie lesen.«

»Das hier ist kein Kriminalroman.«

Kenton lächelte. »Ich kann mir schon vorstellen, dass die Polizei froh ist, ihren Mörder zu haben.«

»Sind Sie anderer Meinung?«

»Vielleicht.« Kenton rührte nachdenklich in seinem Kaffee.

»Ich habe John an jenem Sonntag noch gesehen. Ich bin früher von London abgeflogen, um ihn zu treffen, und erst in Frankfurt in die Maschine nach Nairobi zugestiegen.«

»Wann war das?«

Kenton überlegte einen Augenblick. »Viertel vor zehn bin ich angekommen und kurz vor Mitternacht weitergeflogen. Inzwischen haben wir hier im Restaurant gesessen.« Kenton zeigte auf einen Tisch am Fenster.

Lobenstein hätte beinahe seine Kaffeetasse umgestoßen.

»Ja, Sie haben richtig verstanden. Ich bin der Mann vom Flughafenrestaurant. Nicht Mühlens. Mühlens war nicht dabei.«

»Aber der Kellner hat ihn einwandfrei identifiziert. Er kann Sie gar nicht verwechselt haben. Mühlens hat einen Bart.«

Kenton strich sind über seine verschrammte Oberlippe. »Damals hatte ich auch einen Bart. Ich bin sehr traurig, dass ich ihn abschneiden musste. Wissen Sie, ich bin von einer Klippe gestürzt. Sie sollten mal meine Schulter sehen. Ich hatte meinen Bart über zehn Jahre. Die Passbehörden haben dumme Fragen gestellt, weil ich nicht mehr so aussehe wie auf meinem Foto.«

Lobenstein versuchte, sich Kenton mit Bart vorzustellen. Kenton holte seinen Pass heraus und zeigte das Foto. Aber auch mit Bart sah er Mühlens nicht allzu ähnlich. Lobenstein sagte es ihm.

»Das Foto ist ein paar Jahre alt. Und Sie wissen doch, wie viel man auf Zeugenaussagen geben darf. Sie glauben mir nicht?«

»Es ist ein wenig überraschend. Wann haben Sie sich von Jörgensen getrennt?«

»Wir haben bis etwa halb nach zehn hier gesessen. Ich hatte noch Zeit, aber John hatte es eilig. Er war verabredet.«

Kenton schloss die Augen und massierte seine Nasenwurzel. Er sah müde aus. »Ich habe ihm noch viel Glück gewünscht.«

»Hat Jörgensen von Mühlens gesprochen? Wissen Sie, ob er ihn engagiert hatte? Wollte er ihn an diesem Abend noch treffen? Oder mit wem war er verabredet? Warum ist er überhaupt nach Frankfurt gekommen?«

»Stopp, stopp«, unterbrach Kenton. »Das sind zu viel Fragen auf einmal.« Er sah Lobenstein prüfend an. »Ich sehe, ich soll meine Karten auf den Tisch legen. Aber verzeihen Sie bitte, wenn ich ein wenig zurückhaltend bin. Natürlich, ich habe schon von Ihnen gehört. Aber ich kenne Sie nicht. Entschuldigen Sie meine Offenheit. Doch es geht nicht nur um Johns Tod. Es ist eine Sache mit mehreren Seiten. Sie haben Ihre Geschichte, und ich sehe, Sie glauben mir nicht. Warum soll ich mich Ihnen anvertrauen?«

»Rufen Sie Bornig an«, schlug Lobenstein vor. »Er kennt mich, und ich denke, ihm vertrauen Sie.« Er wollte ihm die Nummer aufschreiben, aber Kenton wehrte ab. Er zog ein abgegriffenes Büchlein aus der Tasche und ging zur Telefonkabine.

»Also gut«, sagte er, als er zurückkam, »versuchen wir es. Ich befürchte jedoch, es wird Ihnen nicht gefallen. Ihre Story ist nämlich falsch.«

Lobenstein zündete sich eine Zigarette an und lehnte sich zurück. »Ich höre.«

»John ist meinetwegen nach Frankfurt gekommen. Es ging um ein neues Thema.«

»Die Sache in der Schweiz?«

Kenton schüttelte den Kopf. »Nein, etwas anderes.«

»Was?«, fragte Lobenstein ungeduldig.

»Ich weiß es nicht. Vielleicht haben Sie gehört, dass John sehr zurückhaltend sein konnte.«

»Aber Mr. Kenton, Sie unterbrechen Ihren Flug nach Afrika, um Jörgensen zu treffen, er kommt hierher, obwohl es ihm, wie ich weiß, eigentlich gar nicht passte, und dann wollen Sie mir erzählen, Sie wüssten nicht, worum es geht?«
»Ich habe ihm Geld gegeben. Zweitausend Pfund. Deshalb haben wir uns getroffen.«
»Und die haben Sie ihm gegeben, ohne zu wissen, wofür?«
»In der Tat, das habe ich. Wenn John mir sagte, er hätte eine Sensation, dann konnte ich das glauben.«
»Nun gut. Mit wem wollte er sich treffen, wann, wo?«
»Er wollte zu irgendeinem Lokal an der Autobahn.«
»Einer Raststätte?«
»Ja, das war es. Es kann nicht weit entfernt sein. Er sagte, er brauche fünfzehn Minuten. Um elf wollte John dort sein. Deshalb hat er nicht gewartet, bis mein Flugzeug ging.«
Lobenstein überlegte. »Fünfzehn Minuten, sagten Sie? Dann kann es nur die Raststätte Langen gewesen sein. Die ist nahe der Eilenbergbrücke, unter der Jörgensens Leiche gefunden wurde. Keine zehn Minuten mit dem Auto.«
»Nun, was sagen Sie jetzt?«
»Sie glauben, dass der Mann, mit dem Jörgensen sich treffen wollte, ihn umgebracht hat?«
»Nein. Die zweitausend Pfund waren für den Mann bestimmt, mit dem John sich treffen wollte. Und es war nur eine Anzahlung. Warum sollte der Mann John umbringen, wenn er noch viel Geld von ihm erwartete?«
»Wie viel?«
Kenton lächelte. »Ich weiß es nicht.«
»Für Mühlens sind zweitausend Pfund sehr viel Geld.«
»Hat man Pfundnoten bei ihm gefunden?«
»Nein, aber was beweist das schon?«

Kenton sah Lobenstein belustigt an. »Natürlich nichts. Ich kann nicht verlangen, dass Sie mir glauben.«
»Warum sollte ich eigentlich?«
»Ich wusste, meine Geschichte würde Ihnen nicht sehr gefallen.«
»Bis jetzt haben Sie Ihre Geschichte noch nicht erzählt. Wenn es überhaupt eine gibt.«
Kenton schwieg.
»Sie müssen doch zugeben, dass das nicht sehr überzeugend klingt, was Sie mir da erzählen. Ich bin gespannt, was die Polizei Ihnen darauf entgegnen wird.«
»Ich habe nicht die Absicht, zur Polizei zu gehen«, erwiderte Kenton ruhig.
»Ich dachte, Sie hätten ein Interesse daran, dass der Mörder gefasst wird?«
»In der Tat, das habe ich.«
»Dann tun Sie etwas dafür.«
»Das werde ich.« Kenton sah auf seine Uhr.
»Wenn Sie wirklich der Meinung sind, dass Mühlens nicht der Täter war, dann müssen Sie zur Polizei gehen.«
Kenton zeigte auf sein zerschrammtes Gesicht. »Denken Sie, dass Ihre Polizei mir mehr Glauben schenken wird als Sie? Informieren Sie die Polizei. Ich komme bald wieder nach Frankfurt.«
»Ich werde es auch Mühlens' Verteidiger mitteilen. Vielleicht kann der etwas damit anfangen. Was wissen Sie noch, Mr. Kenton?«
Kenton versuchte ein Lächeln. »Nichts. In einer halben Stunde geht mein Flugzeug. Rufen Sie mich an, damit wir einen Termin vereinbaren, das heißt, wenn Sie noch Interesse haben.«

»Einen Moment bitte«, sagte Lobenstein und erhob sich. Er ging zum Büfett, zeigte seinen Presseausweis und fragte, ob der Kellner da sei, der Jörgensen und Mühlens gesehen hatte. Er hatte Glück, der Kellner hatte Dienst. Lobenstein bat ihn, mit an ihren Tisch zu kommen.

»Das ist der Kellner«, sagte Lobenstein. »Können Sie sich an ihn erinnern?«

Kenton sah ihn verwundert an. »Was soll das?«

»Sie haben damals Jörgensen und Mühlens hier bedient?«, fragte Lobenstein den Kellner.

»Ja, warum?«

»Kann es sein, dass Sie sich geirrt haben, dass es doch nicht Mühlens war, der mit Jörgensen hier gesessen hat?«

»Nein, ausgeschlossen.«

»Zeigen Sie ihm Ihren Pass«, forderte Lobenstein. Kenton tat es. Unwillig.

»Könnte es nicht auch dieser Mann gewesen sein?«

Der Kellner besah sich das Bild lange, dann schüttelte er den Kopf. »Nein.« Er gab den Pass zurück. »Sind Sie das?«

»Ja, ich habe damals mit Jörgensen hier gesessen. Dort.« Kenton zeigte auf den Fenstertisch. »Wir haben Kaffee und Whisky getrunken, Jörgensen hat auch gegessen. Steak mit Pilzen. Können Sie sich erinnern?«

Der Kellner schüttelte den Kopf. »Was verzehrt wurde, weiß ich nicht mehr. Schließlich war Hochbetrieb. Sonntags ist es immer voll. Eine Menge Ausflügler.« Er sah Kenton lange an. »Und an Sie kann ich mich überhaupt nicht erinnern.«

»Sie müssen mich aber gesehen haben. Ich hatte damals noch einen Schnurrbart.«

»Nein«, beharrte der Kellner. »Ich habe Sie nie in meinem Leben gesehen. Ich weiß gar nicht, was Sie wollen. Gehn

Sie doch zur Polizei. Sie entschuldigen mich wohl.« Damit drehte er sich um und verschwand.
Kenton stand auf. »Nun, haben Sie Ihr Gewissen beruhigt?«, fragte er Lobenstein.

## 29

Maurach war betont höflich. Er machte kein Hehl daraus, was er von Kentons Geschichte hielt. Aber er würde Scotland Yard bitten, die Zeugenaussage aufzunehmen. Schon damit die Verteidigung der Polizei kein Versäumnis vorwerfen könne.
Dr. Wenniger wollte Lobenstein sofort treffen, sie verabredeten sich bei Kranzler. Lobenstein kam zu spät, weil er keinen Parkplatz fand und bis zur Hochgarage an der Hauptwache musste.
»Sehr viel wird das nicht helfen«, meinte Wenniger, »aber ich kann wenigstens eines der schwersten Indizien entkräften, die Aussage des Kellners.«
Lobenstein stotterte ein wenig herum, dann beschrieb er, wie Kenton jetzt aussah, und sagte, dass sie mit dem Kellner gesprochen hatten.
Wenniger starrte ihn fassungslos an. »Das war das Dümmste, was Sie tun konnten«, stöhnte er. »Zeugen räumen ohnehin ungerne ein, dass sie sich geirrt haben. Wie konnten Sie den Mann nur so ansprechen? Ich hätte eine neue Gegenüberstellung erwirken können, mit Kenton und Mühlens, aber jetzt?«
»Wollten Sie etwa warten, bis Kenton der Bart nachgewachsen ist?«, verteidigte sich Lobenstein.

»Warum nicht? Die Möglichkeiten der Verteidigung sind denkbar gering. Ich kann Ihnen gar nicht sagen, wie oft ich schon bereut habe, mich auf diesen Fall eingelassen zu haben. Und Ihr Herr Mühlens ist obendrein nicht im Geringsten bereit mitzuarbeiten. Das Einzige, was ich immer wieder von ihm zu hören bekomme, ist, dass er unschuldig sei.«
»Vielleicht ist er es wirklich?«
Wenniger verzog die Mundwinkel. »Natürlich ist er unschuldig. Haben Sie schon jemals jemanden gesehen, der schuldig ist? Zumindest sind die Umstände schuld.« Wenniger rührte in seinem Kaffee, als müsse er ein halbes Dutzend Zuckerstücke auflösen. »Es ist zum Verzweifeln. Ich kann keines der Indizien erschüttern, und die reichen leider aus, um meinen Mandanten zu verurteilen. Ich gehe nicht gern in einen aussichtslosen Prozess.« Er machte eine wegwerfende Handbewegung. »An den Prozess wage ich gar nicht zu denken. Dieser Mühlens ist kein Angeklagter, der etwas hermacht, sondern eine einzige Jammergestalt. Wenn man die Geschworenen von seiner Unschuld überzeugen will, dann muss er auch wie ein Unschuldiger wirken. Mühlens aber sieht aus wie das personifizierte schlechte Gewissen. Wenn es mir nicht noch gelingt, die Indizien zu entkräften, bleibt nichts anderes, als auf schwere Körperverletzung im Affekt mit Todesfolge hinzuarbeiten. Da käme Mühlens noch einigermaßen glimpflich davon, aber er sperrt sich. Er sei unschuldig. Vielleicht ist er es, aber so, wie die Sache aussieht, wird kein Gericht dieser Welt das glauben. Das Schlimmste dabei ist, dass ich nicht einmal sicher sein kann, dass er nicht plötzlich umfällt und ein Geständnis ablegt.«
»Könnte es nicht doch sein, dass er unschuldig ist? Das

Gespräch mit Kenton hat mich beunruhigt. Wenn er die Wahrheit gesagt hat …«

»Wenn, wenn«, unterbrach der Anwalt unwillig.

»Warum sollte Kenton mich eigentlich angelogen haben? Er hätte doch einfach schweigen können. Niemand wusste, dass er in den Fall verwickelt ist.«

»Es kann Gründe geben. Wissen Sie, was wirklich zwischen Kenton und Jörgensen war?«

Lobenstein sah den Anwalt verdutzt an.

»Ich suche eine Erklärung für sein merkwürdiges Verhalten.«

Wenniger stützte das Kinn in die Hände und massierte sich mit den Kuppen der Mittelfinger die Schläfen. Lobenstein sprach ihn an, aber Wenniger reagierte nicht.

»Wann ist Kenton weitergeflogen?«, fragte er plötzlich. »Kurz vor Mitternacht.«

Wenniger massierte Augenbrauen und Jochbeine. »Was hat Kenton inzwischen getan?«, fragte er, so leise, dass Lobenstein ihn kaum verstehen konnte.

»Wollen Sie etwa Kenton verdächtigen?«

»Warum eigentlich nicht? Zeit genug hätte er gehabt. Und vielleicht sogar ein Motiv. Was wissen wir denn über die Beziehungen zwischen Kenton und Jörgensen?«

»Aber er hätte nicht genug Zeit gehabt, den Wagen zum Autofriedhof zu schaffen.«

»Nein, er nicht.«

»Sie denken an Mühlens?«

»Mühlens steckt in der Sache drin. Ich komme nur noch nicht dahinter, wie tief.«

»Aber warum sollte sich Kenton mit Gewalt in den Fall hineindrängen?«

»Ja, warum? Das ist die Frage.« Wenniger winkte die Kellnerin heran und bezahlte. »Wenn er in den Mord verwickelt ist, gibt es einen Grund. Zum Beispiel, weil Mühlens inhaftiert wurde. Gegen jede Voraussicht. Mühlens wird schweigen, wenn Kenton ihm ein Alibi verschafft.«

»Dann hätte er hier seine Aussage machen müssen und nicht nach London weiterfliegen, das ist unlogisch.«

Wenniger schüttelte lächelnd den Kopf. »Das ist sogar sehr logisch. In London kann er nämlich nur als Zeuge gehört werden.«

»Ich weiß nicht, das klingt mir zu sehr nach Räuberpistole. Wollen Sie das etwa bei Gericht vorbringen?«

»Nicht einmal, wenn ich wüsste, dass es so gewesen ist. Denn dann war es Mord. Ich behaupte auch gar nicht, dass es so war. Ich suche nur eine Erklärung.«

»Es gibt eine viel einfachere. Dass Kentons Behauptungen stimmen.«

»Warum rückt er dann nicht mit der Geschichte heraus, hinter der er und Jörgensen her gewesen sein wollen? Ich möchte mich gern mal mit Kenton unterhalten.«

»Fliegen wir zusammen nach London. Ich will Kenton noch interviewen.«

»Wann?«

Lobenstein ging hinaus. An der Ecke stand eine Telefonzelle, sie war sogar frei. Kenton war nicht in seinem Büro, die Sekretärin nannte die Privatnummer. Kenton sagte, er habe diese Woche keine Zeit, auch nicht für ein Gespräch mit Dr. Wenniger. Nächste Woche. Lobenstein solle wieder anrufen.

Wenniger grinste, als Lobenstein den Bescheid brachte. »Das habe ich mir gedacht. Etwas ist faul an diesem Herrn. Aber was?«

Naumann und Wilhelmi waren beim Verleger, sie würden erst am späten Nachmittag zurückkommen. Engelchens Zimmer stand leer. Lobenstein versuchte, Bornig zu erreichen, aber der schien noch nicht in Frankfurt eingetroffen zu sein. Das Telefon war auf Kundendienst geschaltet. Er hinterließ, dass er am frühen Abend vorbeikommen würde, Bornig solle unbedingt auf ihn warten.

Lobenstein wusste nicht, was er mit sich anfangen sollte, er ging ins Archiv, aber dort hatte man kein neues Material für ihn, in der Kantine saß niemand, mit dem er hätte plaudern mögen, schließlich setzte er sich hinter Engelchens Schreibtisch und nahm Gespräche entgegen, bis sie erschien, eine schwere Tasche in der einen Hand, zwei Päckchen in der anderen.

»Sommerschlussverkauf«, sagte sie und wollte erklären, was sie erstanden hatte.

Lobenstein winkte müde ab. »Bevor ich es vergesse, du sollst eine Birgitt Ammenschläger anrufen, es sei wichtig. Der Stimme nach tippe ich auf Mitte zwanzig.« Sie sah Lobenstein spöttisch an. »Deine Münchner Eroberung?«

Lobenstein grinste. »Ja. Groß, schlank, blond, eine Striptease-Tänzerin. Hat sie hinterlassen, unter welcher Nummer ich sie erreichen kann?«

»Ich habe heute Morgen die REVUE gekauft«, sagte Birgitt Ammenschläger, »auf dem einen Foto sind Schlüssel abgebildet. Das sind aber nicht Jochens Schlüssel.«

»Sie müssen sich irren. Mit diesen Schlüsseln hat Mühlens das Atelier aufgesperrt. Er hat es selbst zugegeben, und es ist ein kompliziertes Sicherheitsschloss.«

»Kann sein, dass es Atelierschlüssel sind, aber nicht Jochens.

Er hatte an seinem Schlüsselbund eine kleine Götzenmaske und auch keinen gewöhnlichen Ring, sondern einen ziselierten Silberreifen, ein Mitbringsel aus Afrika. Irgendein Medizinmann hatte es ihm geschenkt, es war eigentlich ein Ohrring.«

»Vielleicht hatte er ihn an diesem Tag nicht bei sich, oder er hat ihn verloren …«

»Jochen hatte ihn immer bei sich, auch als er nach Frankfurt fuhr.«

»Woher wollen Sie das wissen? Ich denke, Sie haben ihn nicht mehr gesehen?«

»Als er mich anrief, sagte ich, er solle nicht wieder so rasen, und er lachte, ihm könne nichts passieren, er habe ja Lalaopu bei sich. Das ist der Name dieses Götzen.«

## 30

Bornig wurde immer nachdenklicher, je länger Lobenstein erzählte.

»Und ich dachte, ich sei fertig mit dem Bericht«, schloss Lobenstein. »Bis auf die letzte Folge habe ich alles geliefert. Was hältst du davon? Du kennst Kenton doch. Warum sagt er nicht, mit wem Jörgensen sich treffen wollte, wenn es diesen Treff wirklich gegeben hat? Glaubst du, dass er Jörgensen nur auf Treu und Glauben zweitausend Pfund gegeben hat? Er macht mir nicht den Eindruck, als würde er leichtsinnig mit seinem Geld umgehen.«

»So gut kenne ich Kenton nicht. Er war Jochens Freund, nicht meiner. Wir haben uns nur ein paarmal gesehen. Aber ich glaube, er kalkuliert sehr genau. Vielleicht schweigt er deshalb:. Vielleicht ist die Geschichte so viel wert, dass er erst einmal sehen will, was noch zu retten ist, bevor er sich der Polizei offenbart? Du bist unsicher geworden?«

»Ja. Ich bin nicht gerade scharf darauf, widerrufen zu müssen, das kannst du dir denken. Du weißt, wie so etwas wirkt. Das wird man doch nie im Leben wieder los.«

»Was sagt Maurach?«

»Für den ist der Fall abgeschlossen. Maurach wartet nur noch auf das Geständnis. Er glaubt nicht, dass sie noch wesentliche Fakten finden werden. Und wenn schon, bis der Prozess stattfindet, ist seine Pressekonferenz längst vergessen, außerdem ist es nicht so ungewöhnlich, wenn ein Prozess einmal anders ausgeht, als die Polizei geglaubt hat. Aber wenn ein Blatt wie die REVUE einen großen Tatsachenbericht dementieren muss! Einen Tatsachenbericht. Ich werde mir für alle Fälle schon ein Pseudonym suchen.«

»Nun sieh mal nicht gleich zu schwarz. Wie ich dich kenne, wirst du dich schon an die Tatsachen gehalten haben.«

»Ja, ich brauche mir da nichts vorzuwerfen. Das einzig Spekulative sind die Schlussfolgerungen der Polizei. Aber die einfachsten Fakten bekommen ein besonderes Gesicht, wenn sie unter der Überschrift ›Der Star und sein Mörder‹ veröffentlicht werden. Sein Mörder! Das ist eindeutig. Ich hätte die Spur aus Bad Tölz weiterverfolgen sollen. Aber dann hätte ich keine Geschichte für die REVUE gehabt. Ich bin doch, wenn ich ehrlich sein soll, froh gewesen, dass Mühlens so offensichtlich der Täter war und ich die andere Sache fallenlassen konnte. Naumann wollte sowieso nicht ’ran.«

»Worum ging es denn?«

Lobenstein antwortete lange nicht.

»Glaubst du, dass Jörgensen sich an den illegalen Waffenhandel gewagt hätte?«

Bornig überlegte eine Weile, dann schüttelte er den Kopf. »Nein. Und wenn Jochen, Kenton aber sicher nicht. Er scheint mir nicht der Mann zu sein, der mit seinem Leben spielt. Bei Jochen war das nicht so sicher. Wie kommst du auf die Idee, dass die Geschichte etwas mit Waffenhandel zu tun haben könnte?«

»Auf den Bildern aus Bad Tölz sind Leute von ›Packham Overseas‹, ›Intarmco‹ und General a. D. Dahler, der jetzt für die ›Vereinigten Stahlwerke‹ arbeitet, zu sehen. Es ist nicht so eindeutig, dass man daraus schließen könnte, sie hätten sich dort getroffen, und auch nicht so, dass sicher ist, Jörgensen hätte gerade ihnen aufgelauert, aber immerhin. Waffenhandel würde auch die Liste der Zusatzrecherchen erklären, die Jörgensen bei Wabyschewski bestellt hatte. Irgendwie haben diese Firmen alle etwas mit militärischen Lieferungen zu tun. Die ›Acothen-Werke‹ zum Beispiel stellen chemische Kampfstoffe her …«

»Ich kann mir nicht vorstellen, dass die ›Acothen‹ oder die ›Vereinigten Stahlwerke‹ sich mit der ›Intarmco‹ einlassen«, wandte Bornig ein. »Das haben die doch gar nicht nötig. Außerdem, würde so etwas nicht die Lieferung für die Bundeswehr gefährden?«

»Gerade deshalb könnten sie daran interessiert gewesen sein, dass nichts darüber an die Öffentlichkeit kommt.«

»Ich weiß nicht«, sagte Bornig, »solche Unternehmen und Mord? Das passt nicht recht zusammen. Die hätten doch eher versucht, die Geschichte mit Geld zu bereinigen.«

»War Jörgensen käuflich?«

Sie sahen sich lange an.

»Ich befürchte, du musst doch noch mit den Fotos zu Maurach gehen«, sagte Bornig schließlich.
»Das befürchte ich auch. Aber bevor ich einen Offenbarungseid bei der Polizei schwöre, werde ich mir erst noch einmal Mr. Kenton vorknöpfen.«
»Zu wann seid ihr verabredet?«
»Gar nicht. Er will mich vorläufig nicht sehen. Aber das wird ihm nichts helfen. Morgen werde ich nach London fliegen und ihm so lange nicht von der Pelle weichen, bis er mit der Sprache herausrückt.«

## 31

Das Büro der »Television & News Corporation« lag im sechzehnten Stock eines neuen Bürohochhauses in der Feltham Street, direkt am Regents Park. Lobenstein traf erst kurz nach fünf Uhr ein, obwohl er sich am Flughafen ein Taxi genommen hatte.
Kentons Sekretärin war gerade dabei, ihren Schreibtisch abzuräumen. Mr. Kenton sei nicht im Büro. Er sei nur am Morgen für kurze Zeit da gewesen und würde erst am Montag zurückerwartet. Sie wisse nicht, wie er zu erreichen sei. Sie entschuldigte sich wortreich, dass sie Lobenstein nicht helfen könne.
Lobenstein glaubte ihr kein Wort. Er ließ sich von ihr ein Hotelzimmer vermitteln und bat sie, Kenton zu informieren, dass er in London sei und ihn dringend sprechen müsse. Er hielt sich nicht lange im Hotel auf, packte nur seinen Koffer aus und machte sich frisch, dann fuhr er wieder hinunter,

mietete einen Wagen und ließ sich beschreiben, wie er am besten nach West Ham käme.
Kenton wohnte in einem zweistöckigen Reihenhaus. Die Fenster waren dunkel. Auf sein Klingeln reagierte niemand. Lobenstein parkte seinen Wagen gegenüber Kentons Wohnung und machte es sich so bequem wie möglich. Nach einer Stunde verspürte er Hunger, fuhr einen Bogen durch ein paar Straßen, fand eine Kneipe, in der er sich zwei Sandwiches und eine Flasche Cola holte, und bezog dann wieder seinen Posten. Zur Sicherheit klingelte er noch einmal, obwohl noch immer alle Fenster im Dunkeln lagen. Er wartete bis nach Mitternacht, dann gab er es auf.
Am nächsten Morgen fuhr er zur Feltham Street, rief von der Auskunft im Büro der TNC an, ob Kenton sich gemeldet habe, dann setzte er sich in das Espresso, das sich gleich an die Halle anschloss. Durch die großen Fenster konnte er mühelos die Fahrstühle und die Treppe im Auge behalten. Er saß fast bewegungslos da, mit leichtgekrümmtem Buckel und hängenden Schultern, die Augen halb geschlossen, wie ein Indianer auf einem Viertageritt. Er hätte wie ein Schlafender ausgesehen, hätte er nicht ab und zu die Beinstellung geändert, einen Schluck Tee genommen oder eine Zigarette geraucht.
Er hatte es vor Jahren von einem chilenischen Kollegen gelernt, ganze Tage so zu warten. In solchen Stunden erfand er kleine Geschichten und schmückte sie aus, feilte an Formulierungen, bis er nichts mehr zu verbessern fand – er konnte sich darauf verlassen, dass er schlagartig hellwach wurde, wenn das eintrat, worauf er gewartet hatte. Dieses »Indianerspiel«, wie er es nannte, hatte ihm schon oft geholfen und ihm überdies eine Sammlung von Kurzgeschichten

eingebracht, denn spätestens am Abend diktierte er die so entstandenen Storys auf Band. Eines Tages würde er sie veröffentlichen. Und zu jeder auch die Gelegenheit, bei der er sie erfunden hatte.
An diesem Tag hatte er Zeit für zwei Erzählungen. Kenton kam nicht. Lobenstein saß wie festgenagelt auf seinem Platz, und als er doch einmal hinausgehen musste, rief er anschließend bei der TNC an und fragte nach Kenton.
Als die Sekretärin Viertel nach fünf das Haus verließ, gab Lobenstein seinen Beobachtungsposten auf. Er fuhr ins Hotel, duschte lange, aß ausgiebig, dann setzte er sich in seinen Wagen, fuhr wieder nach West Ham und wartete bis Mitternacht. Als er schließlich aufbrach, hatte er nicht nur die beiden Geschichten aus dem Espresso auf seinen Kassettenrecorder diktiert, sondern noch eine dritte.

Am nächsten Morgen bezog er wieder seinen Platz im Espresso. Kurz nach drei Uhr nachmittags wurde seine Geduld belohnt. Kenton betrat die Halle und verschwand im Fahrstuhl. Lobenstein bezahlte und fuhr hinauf in den sechzehnten Stock.
Kentons Sekretärin holte tief Luft und setzte an, als wolle sie ihm erklären, ihr Chef sei immer noch nicht aufgetaucht. Lobenstein ließ sie gar nicht erst zu Wort kommen.
»Melden Sie mich bei Mr. Kenton. Ich habe gesehen, dass er gekommen ist.«
Die Sekretärin verschwand hinter der ledergepolsterten Tür. Es dauerte lange, bis sie wieder herauskam, gefolgt von Kenton, der mit ausgestreckter Hand und freundlichem Lachen auf Lobenstein zukam und ihn in sein Zimmer bat. »Ich habe soeben gehört, dass Sie schon seit zwei Tagen in London sind.

Tut mir leid, aber ich bat Sie ja, vorher anzurufen.« Er sah auf seine Uhr. »Wir haben zwei Stunden Zeit. Ich hoffe, das wird reichen, um Ihre Fragen zu beantworten, sonst können wir uns morgen noch einmal treffen.«

»Ich habe vor allem eine Frage«, begann Lobenstein. »Hat es dieses Treffen gegeben, und mit wem war Jörgensen verabredet?«

»Das waren schon zwei Fragen«, konstatierte Kenton trocken. »Ja, John hatte eine Verabredung an diesem Sonntag. Um elf. Mit wem, kann ich Ihnen nicht sagen.«

»Warum nicht? Sie wissen es doch!«

Kenton lächelte nur.

»Ich verspreche Ihnen, dass ich es nicht veröffentliche, wenn ich Sie dadurch in Verlegenheit bringe. Aber ich muss es wissen, jetzt.«

»Müssen Sie?«

»Sie kennen die Konzeption meines REVUE-Berichtes. Sie wissen, wie ich dastehe, wenn ich nach ein paar Fortsetzungen dementieren muss.«

»Als wäre das das erste Mal, wo so etwas geschieht! Glauben Sie, es würde irgendeinen Leser beunruhigen, wenn Sie eines Tages eine Kehrtwendung machen?«

»Es beunruhigt mich. Für mich wäre es das erste Mal. Ich bin kein Sensationsreporter, Mr. Kenton. Meine Leser sind gewohnt, von mir die Wahrheit zu erfahren und nichts als die Wahrheit. Noch habe ich Zeit, die Geschichte zu korrigieren, aber wenn die Serie erst ein paar Wochen läuft …«

»Und welche Garantie geben Sie mir, dass Sie nicht veröffentlichen, was Sie von mir erfahren?«

»Jede, die Sie wollen. Aber ich versichere Ihnen, Ihre Story interessiert mich nicht, nach dem, was ich weiß.«

»Was wissen Sie?«
Jetzt lächelte Lobenstein. »Zum Beispiel, dass Jörgensen in Bad Tölz gefilmt hat …«
Kenton überlegte eine Weile, dann nahm er einen Kopfbogen seiner Agentur und schrieb ein paar Zeilen darauf. »Unterschreiben Sie mir das?«
Lobenstein nahm das Blatt und las.
»Herr Lobenstein von der REVUE, Frankfurt am Main, verpflichtet sich, alle Informationen, die er von Herrn Kenton über die Gohrmann-Papiere erhält, vertraulich zu behandeln, sie als Eigentum der Television & News Company zu betrachten und darüber völliges Stillschweigen gegenüber jedermann zu üben, so weit er nicht von Herrn Kenton von seiner Schweigepflicht entbunden wird. Wenn Herr Lobenstein diese Vereinbarung bricht, wird er eine Konventionalstrafe in Höhe von 2500 Pfund Sterling an die TNC zahlen.«
»Sie sind ganz schön clever«, sagte Lobenstein.
»Sie können nicht erwarten, dass ich noch Geld zusetze, nur um Ihre Neugier zu befriedigen. Ich muss wenigstens versuchen, meinen Einsatz wiederzubekommen.«
»Ich denke, Sie haben Jörgensen nur zweitausend Pfund gegeben?«
»Oh, ich hatte noch Spesen.«
»Zweitausendfünfhundert Pfund sind eine Menge Geld.«
»Die Story ist das Zwanzigfache wert, mindestens.«
»Ich kann mich aber zu nichts verpflichten, was mich mit den Gesetzen in Konflikt bringen könnte.«
»Das sollen Sie auch nicht. Was die Polizei erfahren muss, wird sie erfahren. Aber so, dass meine Pläne nicht unnötig gestört werden. Und ohne dass Sie sich strafbar machen.« Lobenstein unterschrieb. Kenton bat seine Sekretärin herein und ließ sie

als Zeugen unterschreiben, dann gab er ihr das Blatt, sie solle es in den Safe einschließen.
»Wollen Sie von mir auch eine Verpflichtung über Ihre Informationen?«, fragte Kenton.
»Ja, natürlich. Wie du mir, so ich dir.«
Kenton blickte verständnislos.
»Ein deutsches Sprichwort. Auge um Auge, Zahn um Zahn.«
»Was soll ich schreiben?«
Lobenstein überlegte, dann sagte er: »Ach, lassen wir das. Ohne die Aufnahmen können Sie doch nichts damit anfangen.« Er steckte sich eine Zigarette an und setzte sich bequem. »Bitte.«
»Nach Ihnen«, sagte Kenton.
Lobenstein grinste. »Wie Sie wollen. Ich weiß etwas von einem Treffen zwischen Mr. McShane von ›Packham Overseas‹, Direktor Quinn von der ›Intarmo‹ und General a. D. Dahler von den ›Vereinigten Stahlwerken‹.« Er sah Kenton erwartungsvoll an.
»Und was hat das mit meiner Story zu tun?«, fragte der. Lobenstein bat ihn um einen Whisky.
Kenton verzog sein Gesicht zu einem Lachen; da seine Oberlippe aber noch immer geschwollen war, wurde eine Grimasse daraus. »Sie sollten nicht versuchen, einen alten Pokerspieler zu bluffen. Die Geschichte hat nichts mit Waffenhandel zu tun. Ich bin vielleicht ein bisschen spleenig, aber nicht verrückt.« Er stand auf, ging an seinen Schrank und kam mit einer Flasche House of Lords und zwei Gläsern zurück. Er war sehr sparsam beim Eingießen.
»John hat mich etwa vierzehn Tage vor seinem Tod angerufen, er habe eine große Sache, ob ich nicht mal kommen könnte.«
Kenton blätterte in seinem Kalender. »Vor neun Wochen, Anfang August.«

»Und – war es eine große Sache?«
Kenton lächelte. »In der Tat. Es versprach, eine Sensation zu werden. Am Freitag vor seinem Tod hat er mich angerufen, er brauche sofort zweitausend Pfund. Ich wollte sie ihm überweisen, aber er hatte nicht so viel Zeit. Er wollte sogar nach London kommen, um sich das Geld zu holen, da habe ich ihm vorgeschlagen, auf meinem Flug nach Nairobi in Frankfurt Station zu machen. Das Geld war für einen Informanten. John war um elf mit ihm verabredet.«
»Vielleicht hat der ihn umgebracht?«
»Gohrmann ist nicht der Mörder.« Kenton sagte es mit Überzeugung.
»Woher wollen Sie das wissen? Sie waren schließlich nicht dabei, oder?«
»Ich habe heute mit ihm gesprochen.«
Lobenstein schob sein Glas über den Tisch.
»Deshalb wollte ich Sie erst später sehen. Ich musste vorher mit Gohrmann sprechen.«
»Wo ist er jetzt? Wann kann ich ihn sprechen? Sie müssen mir das ermöglichen!«
»Muss ich? Sehen Sie, Herr Lobenstein, ich habe ebenso viel Interesse daran, dass Johns Mörder gefunden wird wie Sie. Aber ich habe auch noch andere Interessen. Ich will das Material. Unbedingt. Gohrmann ist nicht der Mörder, glauben Sie mir.«
»Was hat er Ihnen erzählt?«
»Nicht viel, wir haben nur telefoniert. Er sagt, er habe John wie verabredet getroffen, sie seien zu einem Parkplatz gefahren, dort habe er sein Material übergeben und dafür das Geld in Empfang genommen. Danach sei er abgefahren. Weiter wisse er nichts.«

»Das hieße, dass Ihr Material verschwunden ist.«
»Es waren Fotokopien. Die Originale hat Gohrmann noch.«
»Sie glauben ihm?«
»Ja. Und ich habe meine Gründe.«
»Wie kann ich ihn erreichen?«
Kenton sah Lobenstein an, überlegte eine Weile, dann sagte er: »Wir treffen uns heute Abend. Ich nehme Sie mit. Aber unter einer Bedingung: Keine Frage nach der Story. Und wenn ich Sie auffordere, verziehen Sie sich.«

## 32

Gohrmann erwies sich als ein rundlicher Herr mit Platte und nichtssagendem Gesicht. Er wirkte wie der Buchhalter einer kleinen Firma. Lobenstein schätzte ihn auf Anfang Sechzig. Er überlegte, ob er ihn irgendwo schon einmal gesehen hatte, aber er konnte sich nicht erinnern. Sie trafen sich in der »Queen Annes Inn«. Kenton hatte ein Spare bestellt.
»Und wer ist dieser Herr?«, fragte Gohrmann misstrauisch.
»Ein Kollege aus Frankfurt«, sagte Kenton.
»Ist er Ihr Partner?«
»Nein, er interessiert sich nur für den Sonntagabend. Wir haben vereinbart, dass er nicht nach unserer Geschichte fragen wird und auch nichts ohne meine Zustimmung veröffentlicht. Herr Lobenstein arbeitet für die REVUE.«
»Das sind Sie? Der Tod des Reporters?« Gohrmann zeigte beim Lachen eine beachtliche Anzahl von Goldzähnen. Lobenstein reichte ihm unaufgefordert Pass und Presseausweis. Gohrmann studierte beides aufmerksam. »Ich weiß nicht«,

sagte er, »welche Sicherheit habe ich, dass er wirklich nichts veröffentlicht?«

Kenton lachte. »Sie haben auch keine Sicherheit, dass ich es nicht veröffentliche.«

»Sie haben ein Interesse daran.«

»Er auch. Sonst muss er Konventionalstrafe zahlen. Ich habe es mir schriftlich geben lassen.«

Lobenstein nickte. »Wo haben Sie sich mit Jörgensen getroffen?«, fragte er Gohrmann.

»An der Raststätte Langen. Auf dem Parkplatz neben der Tankstelle. Dann sind wir ein Stück Autobahn entlanggefahren, bis zu einem Parkplatz, dort hat sich Jörgensen zu mir in den Wagen gesetzt, ich habe ihm das Material gegeben, er hat es sich kurz angesehen und mir das Geld ausgehändigt.«

»Wie viel?«

Gohrmann sah zu Kenton. Der nickte.

»Zweitausend Pfund und fünftausend Mark.«

»Wann ungefähr haben Sie sich von Jörgensen getrennt?«

»Das Ganze hat keine Viertelstunde gedauert. Viertel zwölf spätestens.«

»An welchem Parkplatz war das?«

Gohrmann zeigte wieder seine Goldzähne. »Nicht an der Eilenbergbrücke. Entgegengesetzt, ein Stück in Richtung Darmstadt.«

»Spätestens um drei viertel zwölf lag Jörgensens Leiche schon unter der Eilenbergbrücke. Wenn Sie nicht der Mörder waren ...«

»Ich bin nicht der Mörder«, unterbrach Gohrmann. »Ich bin der Letzte, der ein Interesse an seinem Tod hatte.«

»Wenn Sie es also nicht waren«, fuhr Lobenstein fort, »dann

müsste der Mörder schon an diesem Parkplatz gewesen sein. Sehr unwahrscheinlich, finden Sie nicht auch?«
Gohrmann zuckte mit den Schultern.
»Haben Sie darauf geachtet, ob Ihnen jemand gefolgt ist?«
»Ich war schon eine Weile vorher an der Raststätte, ich habe genau aufgepasst. Jörgensen ist nicht beschattet worden.«
»Und Sie?«, fragte Kenton. »Vielleicht hat man Sie beobachtet?«
Gohrmann schüttelte den Kopf. »Ich bin sehr vorsichtig gewesen, seit ich damals den Verdacht hatte, dass mich jemand beschattet. Sie wissen doch, der Alfa Romeo.«
»Sie meinen in Bad Tölz?«
Gohrmann nickte.
»Sie haben sich in Bad Tölz getroffen?«, fragte Lobenstein erstaunt.
»Ja, mit Herrn Kenton und Jörgensen!«
Lobenstein wandte sich an Kenton. »Ich muss jetzt doch direkt fragen. Wer hat ein Interesse daran, dass Ihre Informationen nicht an die Öffentlichkeit kommen?«
Kenton lächelte. »Das ist die Frage; die Sie nicht stellen sollten.«
»Wann werden Sie zur Polizei gehen und Ihre Aussage machen?«, wandte sich Lobenstein an Gohrmann.
»Ich? Warum sollte ich zur Polizei gehen?«
»Weil ein Unschuldiger verdächtigt und wahrscheinlich verurteilt wird, wenn das stimmt, was Sie soeben erzählt haben!«
»Das ist nicht mein Problem. Soll er sich einen guten Anwalt nehmen.«
»Ist es auch nicht Ihr Problem, Mr. Kenton?«
»Ich bin sicher, dass Herr Gohrmann seine Aussage vor der Polizei machen wird, wenn wir uns einig geworden sind.«

»Ich müsste doch verrückt sein«, sagte Gohrmann aufgebracht. »Wer wird mir glauben, dass ich nicht Jörgensens Mörder bin? Ich habe mir für den Sonntag ein einwandfreies Alibi verschafft. Ich bin nicht so blöd, mich selbst in einen Mordfall zu verwickeln. Wofür denn? Für die zwanzig Prozent Provision?«
Lobenstein sah Kenton überrascht an.
»Herr Gohrmann ist nur unser Verbindungsmann«, erklärte Kenton. »Na, wir reden noch einmal darüber, ja?«
»Da gibt's nichts zu reden. Selbst wenn ich meine Unschuld beweisen könnte, würde ich nicht freiwillig zur Polizei gehen. Sie wissen doch, wie lange man heutzutage in Untersuchungshaft sitzt. Und ich kann nicht beweisen, dass Jürgensen noch lebte, als ich ihn verließ.«
»Dann müssen Sie eben mit zur Polizei gehen«, sagte Lobenstein zu Kenton.
Der hob die Hände und ließ sie auf den Tisch fallen. »Was weiß ich denn? Wenn Herr Gohrmann alles abstreitet …«
»Ja, das werde ich«, fiel Gohrmann ihm ins Wort. »Und wenn Sie noch an dem Material interessiert sind, dann lassen Sie die Finger von der Polizei. Überlegen Sie es sich. Ich rufe Sie in den nächsten Tagen wieder an. Aber überlegen Sie nicht zu lange.«
Er stand blitzschnell auf. Bevor Lobenstein und Kenton sich von der Überraschung erholt hatten, war er verschwunden. Kenton lief ihm nach, aber er kam wenige Minuten später allein zurück. »Das kommt davon, wenn man jemandem einen Gefallen tun will«, schimpfte er. »Was sollte das?« Der Kellner fragte, ob er jetzt servieren könne.
»Mir ist der Appetit vergangen«, knurrte Kenton. »Na gut, bringen Sie schon. Bezahlen muss ich es ja doch.« Lobenstein

wollte gehen. »Nun laufen Sie nicht auch noch weg«, sagte Kenton mürrisch. »Soll ich obendrein drei Portionen essen?« Kenton sprach kein Wort während des Essens. Lobenstein gab es bald auf, ein Gespräch in Gang zu bringen. »Sie müssen mir für die Redaktion bestätigen, was Gohrmann erzählt hat«, sagte Lobenstein, als sie beim Kaffee saßen. »Ich denke nicht daran. Und Sie denken bitte ständig an unsere Abmachung. Ich will das Material. Und ich kann nur über Gohrmann darankommen. Ich habe keine Ahnung, wen er vertritt.«

»Das muss ja eine tolle Story sein. Haben Sie keine Angst, dass man Sie auch umlegen wird?«

»Nein, die Leute, um die es geht, pflegen nicht zu morden. Die würden eher versuchen, das Material zu kaufen!«

»Und – würden Sie verkaufen?«

Kenton antwortete nicht.

»Verkaufen ist mit weniger Risiko verbunden als veröffentlichen«, meinte Lobenstein.

»Ich glaube nicht, dass es Mord war. Wahrscheinlich hat man John das Material wieder abnehmen wollen, und dabei ist es passiert. Deshalb will ich aus der Sache herausbleiben, bis ich das Material habe und veröffentlichen kann. Nach der Veröffentlichung ist jedes Risiko vorbei. Der Skandal wäre zu groß.«

»Die Herren von der ›Intarmco‹ und ihresgleichen werden nicht Ihrer Ansicht sein, befürchte ich.«

»Wie oft soll ich Ihnen noch sagen, dass es nichts mit Waffenschmuggel zu tun hat?«

»Womit denn?«

Kenton lächelte schief. »Es geht um Geld. Um viel Geld, sauberes Geld, das in schmutzige Hände gelegt wird. Und eine ganze Reihe führender Unternehmen Ihres Landes ist in diese Transaktionen verwickelt.«

»Vielleicht diese?« Lobenstein nannte ihm die Namen von Jörgensens Zusatzliste.

Kenton sah ihn aus zusammengekniffenen Augen an. »Woher haben Sie das?«

Lobenstein grinste. »Ich habe es vergessen.«

»Vergessen Sie es ganz.«

»Wer ist Gohrmann? Wie kann ich ihn erreichen?«

»Er hat eine kleine Anwaltspraxis in Hannover. Aber er ist seit Wochen in Urlaub.« Kenton lächelte. »Ich bin sicher, er hat Zeugen dafür.«

»Verraten Sie mir wenigstens noch, ob Jörgensen allein nach Bad Tölz gekommen ist oder ob er noch jemand mitbrachte.«

»Er war allein. Wir sind zusammen nach Bad Tölz und auch wieder nach München gefahren.«

»Wissen Sie, ob er eine Kamera bei sich hatte?«

»Ja, sie lag auf dem Rücksitz. Ich habe ihn noch gefragt, ob er filmen wolle. Warum fragen Sie?«

»Wie war das, als Sie das Hotel verließen, wer ist zuerst gegangen?«

»Gohrmann. Das heißt, John hatte sich schon eine halbe Stunde früher verabschiedet, er müsste noch dringend telefonieren. Warum, zum Teufel, fragen Sie danach?«

»Das sage ich Ihnen, wenn Sie mit der REVUE sprechen.«

# 33

Naumann sagte kein Wort. Er paffte seine Zigarre in Rekordgeschwindigkeit.

»Ich möchte Ihnen ja schon glauben«, begann er schließlich, »aber wie soll ich das, wenn Sie mit Ihren Weisheiten hinter dem Berg halten?«

»Mehr weiß ich auch nicht. Ich habe schon mehr erzählt, als ich darf.« Lobenstein beugte sich vor und sah Naumann in die Augen. »Oder zahlen Sie notfalls für mich die zweieinhalbtausend Pfund Sterling an Kenton? Sie müssen mir schon glauben.«

»Das ist doch keine Frage von Glauben oder Nichtglauben. Morgen erscheint die dritte Fortsetzung. Wir können Mühlens doch nicht stillschweigend aus der Serie verschwinden lassen.«

»Das weiß ich. Aber wir müssen erst einmal Zeit gewinnen. Wir könnten die Überschrift ›Der Star und sein Mörder‹ verschwinden lassen und unter der Dachzeile ›Tod des Reporters‹ jede Woche eine andere Hauptschlagzeile bringen, die auf die jeweilige Fortsetzung abgestimmt ist. Wir könnten die Passagen über Mühlens vorläufig zurückstellen, ohne dass die Leser das vermissen würden. Und wenn wir mit Hochdruck an Jörgensens Liste der Zusatzrecherchen arbeiten, haben wir vielleicht eine Chance, auch ohne Kenton und Gohrmann an die Story zu kommen, hinter der Jörgensen her war. Vielleicht sogar über Gohrmann. Was für Leute sind seine Klienten? Wer sind seine Freunde? Warum sollten wir nicht versuchen, direkt mit Gohrmann zu verhandeln?« Naumann zog die Nase kraus und trommelte ungeduldig mit den Fingern auf der Schreibtischplatte. »Haben Sie schon mit Kriminalrat Maurach gesprochen?«

»Nein, mit niemandem. Ich wollte zuerst mit Ihnen beraten. Außerdem, was kann ich ihm schon groß erzählen?«

»Ich bin nicht so sicher, dass die Polizei sich an den falschen Mann hält. Doktor Wenniger ist doch auch überzeugt, dass Mühlens in die Sache verwickelt ist. Und wenn er als Täter gut genug für die Polizei ist, ist er es auch für die REVUE. Warum wollen wir uns nicht auf die Polizei verlassen? Es sei denn, Sie bringen mir eine neue Geschichte, einen großen Knüller. Aber kommen Sie mir nicht wieder mit Waffenhandel.«

»Das war eine falsche Spur. Ich habe mir die Aufnahmen noch einmal angesehen. Es ist offensichtlich, dass Jörgensen Gohrmann aufgelauert hat. Jörgensen ist damals früher gegangen. Ich denke mir, er hat jedes Mal die Kamera abfahren lassen, wenn die Tür des Kur-Hotels sich öffnete, bis er endlich Gohrmann erwischt hatte. Auch der Schwenk über die Straße erklärt sich so. Wenn man erst einmal weiß, wen Jörgensen im Visier hatte, erkennt man, dass er Gohrmann auf dem Weg zu seinem Wagen verfolgt hat. Die Aufnahmen von den Waffenhändlern sind sicher nur durch Zufall entstanden, es sei denn …«

»Was?«

»… dass Kenton lügt und die Geschichte doch mit ›Intarmco‹ und den anderen zusammenhängt.«

Naumann sah ihn lauernd an. »Dann ist es kein Thema für die REVUE. Vergessen Sie das nicht. Diese Herren sind mir eine Nummer zu groß.«

»Und Mühlens?«

Naumann überlegte eine Weile. »Ich mache Ihnen einen Kompromissvorschlag«, sagte er dann. »Die nächste Nummer ist ausgedruckt. An der übernächsten können wir ohne

großen finanziellen Aufwand auch nichts mehr ändern, Ihre Serie steht nicht mehr auf den aktuellen Seiten. Wir haben also noch eine Woche Zeit. Sehen Sie zu, was Sie bis dahin zusammenbekommen, dann reden wir weiter.«
»Und wenn ich so schnell nicht genug zusammenbekomme?«
»Dann läuft die Geschichte in drei Teufels Namen so zu Ende, wie sie ist. Solange wir die Polizei im Rücken haben, kann uns nichts passieren, nicht einmal eine Schadensersatzklage von Mühlens. Machen Sie sich nicht zu viel Gedanken, Lobenstein, was riskieren Sie schon?«
»Meinen Ruf«, sagte Lobenstein müde und verabschiedete sich.

Lobenstein rief Wabyschewski an, er solle die von Jörgensen bestellten Zusatzrecherchen schicken und versuchen herauszufinden, ob Jörgensen mit jemand von diesen Firmen Kontakt aufgenommen oder sich verabredet hatte. »Sagen Sie, Sie würden die Unterlagen aufarbeiten und abschließen, das ist nicht einmal gelogen.«
Dann ging Lobenstein ins Archiv und bestellte Material über die Firmen der Zusatzliste. Anschließend fuhr er zum Landgericht, wo Wenniger einen Klienten vertrat. Er konnte den Anwalt nur für ein paar Minuten in einer Verhandlungspause sprechen, aber die Zeit reichte, um das Wichtigste über den London-Besuch mitzuteilen.
»Das nutzt leider recht wenig«, sagte Wenniger. »Wir müssen schon handfeste und unwiderlegbare Fakten beibringen. Aber wir haben ja noch Zeit. Es kann noch Monate dauern, bis der Fall verhandelt wird. Mein heutiger Mandant hat über anderthalb Jahre in Untersuchungshaft gesessen.«
»Unschuldig?«

Wenniger lächelte. »Das soll das Gericht entscheiden. Ich muss wieder in die Verhandlung. Ich wünsche Ihnen viel Glück. Vielleicht finden Sie etwas, was Herrn Mühlens helfen kann.«
Lobenstein bat ihn, durch sein Büro Informationen über Gohrmann zu beschaffen. Wenniger versprach es.

Den Abend verbrachte Lobenstein bei Benno Bornig.
»Ich kann dir auch nicht raten«, sagte der, als Lobenstein seinen Bericht beendet hatte. »Wahrscheinlich kann dir im Augenblick niemand helfen. Du wirst wohl oder übel warten müssen, bis Kenton bereit ist, mit der Sprache herauszurücken.«
»Du weißt, ich habe keine Zeit. Ich muss sehen, wie ich schnell und mit Anstand aus der Sache herauskomme.«
»Ja, es sieht so aus, als wenn du ganz schön in der Patsche sitzt.«
»Mühlens sitzt noch viel schlimmer drin. Wenn es stimmt, was Gohrmann erzählt hat, ist er unschuldig. Kannst du dir vorstellen, wie ihm zumute sein muss?«
»Nein, ich habe noch nie gesessen. Aber wenn du hinter das Geheimnis der Gohrmann-Story kommst, hat er eine Chance. Ich befürchte nur, das wird noch eine Weile dauern.«
Lobenstein stützte den Kopf auf und starrte ins Leere. Bornig ging leise hinaus und kam nach einer Weile mit Kaffee wieder, stellte Gläser auf den Tisch, holte eine Flasche und goss ein.
Lobenstein drehte die Flasche und studierte das Etikett. Es war ein kanadischer Bourbon.
»Jochens Lieblingsmarke«, erklärte Bornig. »Was willst du als Nächstes tun?«

»Arbeiten. Schuften wie ein Verrückter. Vielleicht finde ich etwas, wenn ich mich mal mit den Firmen beschäftige, für die Jörgensen sich interessiert hat.«

## 34

Lobenstein fand nichts, so viel er auch las und kombinierte. Wennigers Büro teilte mit, Gohrmann sei ein unbedeutender und unbescholtener kleiner Anwalt, der vorwiegend von Ehescheidungen lebe.

Als Lobenstein Gohrmanns Büro in Hannover anrief und um einen Termin bat, sagte man ihm, Gohrmann sei in Urlaub. Die Adresse könne man ihm leider nicht geben, aber wenn er eine Nachricht hinterließe, würde man versuchen, sie weiterzuleiten. Lobenstein bat um einen Anruf. So schnell wie möglich.

Dann meldete sich Wabyschewski. Er habe für ein paar hundert Mark herumtelefoniert, aber es sähe so aus, als ob Jörgensen mit keiner der Firmen Kontakt aufgenommen hatte.

»Ich habe auch noch die Firmen überprüft«, sagte Wabyschewski, »die Jörgensen für seinen Schweiz-Bericht ins Auge gefasst hatte, ich weiß ja nicht, wonach Sie suchen. Für den Dienstag nach dem Mord hatte Jörgensen sich mit Senator Bovensieck von der ›Mocana GmbH‹ in Augsburg verabredet. Ich weiß nicht, ob Ihnen das etwas hilft.«

»Wo, in Augsburg?«

»Nein, in Bovensiecks Landhaus in der Schweiz.«

Eine Stunde später war Lobenstein auf dem Weg nach Augsburg.

Senator Bovensieck erwartete Lobenstein im Salon, wie die Sekretärin es nannte, einem ziemlich düsteren, mit dunklem Holz getäfelten Raum, von dessen Wänden eine ganze Ahnengalerie von Kaffeehändlern starrte.
Der Senator war nicht bereit, Fragen über seine Schweizer Tochtergesellschaft zu beantworten. »Wenn ich gewusst hätte, dass Sie mich deshalb sprechen wollten, hätte ich Sie gar nicht erst empfangen.«
»Aber Sie wollten doch Jörgensen ein Interview geben.«
»Gewiss, aber nicht darüber. Wir hatten ein Gespräch über den Kaffeemarkt vereinbart. Vielleicht haben Sie davon gehört, dass sich ein Teil der Kaffeeländer zu einem sogenannten Schutzverband gegen uns Europäer und gegen die Amerikaner zusammengeschlossen haben. Wenn Sie mit mir über Kaffee sprechen wollen …« Lobenstein wollte nicht.
»Aber es stimmt, dass Sie am Dienstag, dem Zweiundzwanzigsten, mit Jörgensen verabredet waren?«
»Ja. Ich hatte ihm vorgeschlagen, das Gespräch hier in Augsburg zu führen, am besten in der Großrösterei, aber er wollte unbedingt nach Atterszell kommen. Er brauche die Berge als Kulisse. Er habe ähnliche Aufnahmen von den Kaffeeplantagen in Afrika und Amerika. Ich habe ihm gesagt, dann müsse er am Montag oder Dienstag kommen, ich sei die nächsten Wochen nicht mehr in Atterszell.«
»Wann wollte er bei Ihnen sein?«
»Gegen fünfzehn Uhr. Er wollte die Stimmung des Nachmittags ausnutzen. Sonnenuntergang hinter den Bergen, na ja.«
»Wann haben Sie den Termin vereinbart?«
»Ich glaube, am Sonnabend. Oder Sonntag?«
»Auf jeden Fall also erst kurz zuvor.«
»Ja, ganz bestimmt.«

»Warum haben Sie sich nicht gemeldet, als Sie von Jörgensens Ermordung erfuhren?«
»Sie machen mir Spaß! Sie wissen doch am besten, wie schnell die Presse mit Verdächtigungen ist. Ein Wort zu viel, und man wird mit dem Mord in Verbindung gebracht, ohne sich wehren zu können. Sollte ich mich freiwillig der Presse zum Fraß vorwerfen? Das kennt man doch, diese halben Wahrheiten und doppeldeutigen Anspielungen, möglichst als Frage formuliert, damit man Sie und Ihresgleichen nicht vor Gericht belangen kann. Wenn man es doch kann, dann bringen Sie eine lahme Erklärung, Tage später, möglichst klein, und das Dementi wird so formuliert, dass es eher wie ein Geständnis klingt. Außerdem, was hat das Interview mit dem Mord zu tun?«
»Mit dem nichts. Aber mit dem Mann, den die Polizei verdächtigt.«

Es hatte also doch einen Interviewtermin am Dienstag gegeben! Und Jörgensen hatte ihn erst am Sonnabend vereinbart. Demnach war es durchaus glaubhaft, dass er Mühlens am Sonnabend angerufen und engagiert hatte. Wenn er dazu die Mitteilung von Birgitt Ammenschläger über das Schlüsselbund nahm und Kentons Aussage, er sei der Mann am Flughafen gewesen … Vielleicht ließen sich auch noch andere Aussagen von Mühlens bestätigen.
Lobenstein entschloss sich kurzerhand, nach München zu fahren und noch einmal mit Gerster zu sprechen.
»Ihre Serie gefällt mir ausgezeichnet«, empfing Gerster ihn. »Haben Sie nicht Lust, einmal etwas für uns zu machen?«
»Warum nicht. Wenn ich mit dieser Sache fertig bin. Sie haben sicher jemand an der Hand, der ganz genau über Filmmaterial Bescheid weiß.«

Gerster telefonierte nach seinem Aufnahmeleiter. Der wusste nicht nur, wo man welches Material zu welchen Preisen bekommen konnte, er wusste auch, wo Jörgensen sein Material bezogen hatte.

»Zumindest in den letzten Monaten. Er hatte sich vor seiner Brasilienreise auf Kodak umgestellt, das Material sei besser. Aber er war immer auf der Suche nach neuem, besserem und billigerem Material. Er hat in solchen Dingen sehr scharf kalkuliert. Sein neuester Tipp war japanisches Material, das seit kurzem in Europa angeboten wird.«

»Von wem?«

»Eine Hamburger Firma hat den Vertrieb übernommen, ohne gut organisierten Kundendienst ist so ein Material überhaupt nichts wert.«

»Haben die eine Filiale in Konstanz?«

»Ich glaube schon. Ich müsste mal nachsehen. Wir haben mit den Leuten noch nicht gearbeitet.«

»Wenn ich plötzlich eine größere Menge Material brauchte, wie müsste ich das machen? Kann ich zu irgendeinem Großhändler gehen und das Zeug dort holen? Muss ich bar zahlen? Räumt man Kredit ein?«

»Kein Kredit. Zahlbar innerhalb einer Woche, wenn es eine Firma ist, die einen gut kennt. Sonst Sofortkasse, die Herren von der Filmbranche haben harte Bedingungen.«

»Wenn Jörgensen also Material brauchte und es nicht selbst holen konnte, musste er seinem Assistenten Bargeld oder einen Scheck mitgeben?«

»Bei einem Scheck rufen die erst die Bank an.«

»Wie viel kostet das Material? Wie viel Geld muss man bei sich haben?«

»Wenn ich Sie recht verstehe, geht es um Jörgensens Schweiz-

Reise. Das war Farbe. Also ein paar tausend Mark brauchte er schon. Sagen wir, fünftausend für den Anfang.«
»Wie viel Honorar hätte Jörgensen für seinen Assistenten aufwenden müssen?«
»Das kann man nicht so beantworten. Was für ein Mann, für wie lange, mit welchen Aufgaben?«
»Ich denke an Mühlens und, sagen wir, für zwei Wochen.«
»Nun ja, ein Mann mit seiner Qualifikation, der auch Ton macht, fotografiert und selbst mal eine Kamera in die Hand nimmt, bekommt schon hundertfünfzig Mark pro Tag. Dazu Tagegeld, etwa fünfunddreißig, und Ablösung für den Wagen, sagen wir vierzig.«
Lobenstein hatte mitgerechnet. »Dreitausend Mark wären also nicht zu hoch angesetzt?«
»Nein, eher zu knapp.«

Lobenstein entschloss sich, in München zu übernachten. Er meldete sich nicht bei Schraudenbach, aber er fuhr zu Frau Jörgensen. Sie erkannte ihn nicht gleich; als er jedoch seinen Namen nannte, lächelte sie freundlich und bat ihn herein.
Sie hatte seine Artikel gelesen und sagte ihm ein über das andere Mal, wie gut ihr die Serie gefalle und wie richtig er doch ihren Jungen beschriebe.
Lobenstein fragte, ob sie etwas gehört hätte, wann die Staatsanwaltschaft das Atelier und die Wohnung ihres Sohnes freigeben würde.
»Vorgestern war ein Herr bei mir und hat mir die Schlüssel gebracht.«
Lobenstein fluchte im Stillen über Schraudenbach. Er plauderte noch eine halbe Stunde mit der alten Dame, dann bat er sie um die Schlüssel. Er fragte anstandshalber, ob sie mit-

kommen wollte, aber Frau Jörgensen war glücklicherweise müde.
Es wurde eine lange Nacht. Bis drei Uhr morgens saß er im Atelier, sah alle Schriftstücke und Fotos durch, studierte Notizen und Aufzeichnungen und schimpfte oft genug laut vor sich hin, weil Jörgensens Handschrift so schlecht zu entziffern war. Aber er entdeckte nichts, was er mit der Gohrmann-Story in Verbindung bringen konnte. Auch nicht, als er am nächsten Tag die Wohnung systematisch durchsuchte. Er rief Kommissar Weitzner an und fragte, ob die Polizei oder die Staatsanwaltschaft Material beschlagnahmt hätte. Weitzner verneinte, sie hätten die Sachen nur an Ort und Stelle durchgesehen und überhaupt nichts mitgenommen. Er war sehr kurz angebunden. Lobenstein wünschte ihm besonders freundlich einen schönen Feierabend.

Wenniger nickte anerkennend, als Lobenstein ihm die Ergebnisse seiner Reise nach Augsburg und München berichtete. »Wenn Sie so weitermachen, gibt es vielleicht doch die Möglichkeit, die Indizienbeweise der Polizei zu erschüttern.«
Lobenstein war enttäuscht, dass Wenniger nicht stärker reagierte. Er sagte es ihm.
»Aber ich bitte Sie«, verteidigte der Anwalt sich, »was erwarten Sie denn von mir? Herr Mühlens ist nur einer von vielen Klienten. Und einer der uninteressantesten dazu. Ich freue mich ehrlich über Ihre Ergebnisse, und ich werde sie nach allen Regeln der Kunst vor Gericht nutzen, darauf können Sie sich verlassen, aber mehr …? Wenn Ihr Herr Wilhelmi mich damals nicht angesprochen hätte, hätte ich den Fall gewiss nicht übernommen. Und damals ging es ja auch noch um andere Dinge.«

»Haben Sie Mühlens eigentlich noch einmal wegen einer Zusammenarbeit mit der REVUE angesprochen?«
»Er will nichts davon hören. Ich kann mir zwar nicht vorstellen, dass er einen Beitrag von Ihnen gesehen hat, Veröffentlichungen über den eigenen Fall werden ja sorgsam von der Gefängnisverwaltung aus den Zeitungen herausgeschnitten, bevor der Häftling sie bekommt, aber ich nehme an, einer von den anderen Häftlingen wird es ihm gesteckt haben. Glauben Sie mir, die REVUE und der Name Lobenstein wirken wie ein rotes Tuch auf ihn. Ich werde mich hüten, ihm zu verraten, dass wir zusammenarbeiten. Ich bin doch jedes Mal froh, wenn er mir nicht beim Gespräch zusammenklappt.«
»Hat die Polizei eigentlich einen Zeugen gefunden, der Mühlens in der fraglichen Zeit in der Nähe der Hanauer Chaussee gesehen hat?«
»Nein. Aber wir haben auch keinen Zeugen gefunden, der Mühlens in der Innenstadt gesehen hat, obwohl es mir gelungen ist, dass drei Frankfurter Zeitungen sein Bild und den Zeugenaufruf veröffentlichten.«
»Können Sie mit dem, was ich herausbekommen habe, nicht einen neuen Hauptprüfungstermin erwirken? Vielleicht reicht es, Mühlens aus der Untersuchungshaft zu bekommen?«
Wenniger sah ihn mitleidig an. »Ich glaube nicht einmal, dass Kriminalrat Maurach sich sonderlich davon beeindrucken ließe.«
»Und wenn Kenton nach Frankfurt käme und bei der Polizei aussagte, dass er der Mann vom Flughafen gewesen ist?«
Wenniger zuckte mit den Schultern. »Vielleicht würde das etwas ändern, ich glaube es jedoch nicht. Ist Kenton denn jetzt bereit zu kommen?«

Kenton ließ sich nicht sprechen. Einmal erwischte Lobenstein ihn zu Hause, aber Kenton legte sofort auf, als er den Namen hörte. Auch Gohrmann meldete sich nicht. Wabyschewski hatte nichts mehr herausbekommen. Die Woche verstrich ohne wirklich greifbare Ergebnisse. Lobenstein wurde immer unruhiger. Zum ersten Mal in seinem Leben nahm er Schlaftabletten. Am Sonntagabend fuhr er die Strecke ab, die Mühlens in der Mordnacht zurückgelegt haben müsste, wenn er der Täter war. Lobenstein hoffte einen weiteren Hinweis zu finden, mit dem er wenigstens Naumann überzeugen könnte.

Er notierte sorgsam die Zeiten. Das Hintertor des Autofriedhofes an der Hanauer Landstraße war noch immer nicht verschlossen. Er öffnete es vorsichtig. Das Tor war gut geölt. Lobenstein fuhr auf den Autofriedhof, hielt etwa in der Mitte und steckte sich eine Zigarette an. Niemand schien ihn bemerkt zu haben. Er überlegte, wie lange es wohl dauern mochte, einen Wagen so zuzurichten, wie Jörgensens Mercedes. Er entschied sich für zwanzig Minuten. Dann ging er zu einem Wrack und zerschlug eine Fensterscheibe. Es dauerte über eine Minute, bis er die Scheibe genügend ramponiert hatte, und es machte einen Heidenspektakel, aber niemand erschien.

Als Lobenstein seinen Test beendet hatte und die Zeiten addierte, musste er feststellen, dass er damit überhaupt nichts beweisen konnte.

Obwohl es schon kurz vor Mitternacht war, fuhr er zu Bornig. »Schenk mir eine Stunde Zeit und einen großen Kognak. Ich muss mich ausweinen.«

Sie saßen und diskutierten, bis sich am Horizont schon ein heller Streifen abzeichnete.

»Komm, lass uns endlich zu Bett gehen«, drängelte Bornig. »Ich bin zum Umfallen müde. Wir haben nun alles dreimal hin und her überlegt.«

»Geh schon, ich kann doch nicht schlafen. Irgendetwas spukt mir schon die ganze Zeit im Kopf herum. Als wir uns vorhin unterhielten, hatte ich eine Idee, aber sie war wieder verschwunden, bevor ich sie packen konnte.«

»Kannst du dich wenigstens noch ungefähr erinnern, in welchem Zusammenhang?«

»Wir sprachen über die nächste Woche«, grübelte Lobenstein. »Ich sagte, ich wüsste nicht, was ich noch tun könnte, und du sagtest, du …«

»Ich wüsste es leider zu genau, ich wüsste nur nicht, wie ich es alles schaffen sollte. Und wenn ich jetzt nicht ins Bett gehe, verschlafe ich es morgen früh. Ich muss aber noch vor der Redaktion zum Autohaus und meinen neuen Wagen holen …«

»Das war es«, schrie Lobenstein und sprang auf. »Was für einen Wagen? Einen Alfa. Und Gohrmann hat davon gesprochen, dass er glaubte, in Bad Tölz von einem Alfa Romeo verfolgt worden zu sein. Bei Tisch hat er davon gesprochen. Also, als Jörgensen dabei war. Also ist es möglich, dass er damals auch den Alfa aufgenommen hat! Ich muss sofort den Film ansehen!«

»Du musst erst einmal ins Bett«, sagte Bornig ruhig. »Ich denke, du hast den Film bei der Bank deponiert. Die macht vor morgen früh nicht auf.«

# 35

Gohrmann trat aus dem Schatten des Hotelportals in die Sonne, ging nach links, die König-Ludwig-Allee hinunter; er hielt sich dicht an den Hauswänden und wurde immer wieder von Passanten verdeckt; als er zur Straße hinüberging und in seinen Volvo stieg, war nur ein Stück Schulter von ihm zu sehen. Die Kamera schwenkte langsam über die Vorderfront des Volvo über die Straße, auf die linke Seite, wo sich aus der Reihe der parkenden Wagen gerade ein Auto in Bewegung setzte. Dann war der Film zu Ende. Der anfahrende Wagen war ein Alfa Romeo, und es war sogar ein Stück des Nummernschildes zu sehen. Eine Frankfurter Nummer. Das F, der Bindestrich, dann ein O, der nächste Buchstabe war angeschnitten, ein Längsstrich mit den Ansätzen zweier Querbalken. Es konnte ein F, ein P, ein R oder ein A sein.

Dass Jörgensen den Wagen nicht besser aufgenommen hatte! Lobenstein nahm den Streifen in die Hand, von dem Film war ganz offensichtlich ein Stück abgerissen worden. Lobenstein klingelte bei seinem Nachbarn und fragte, ob der ihm einen Gefallen tun und bei der Zulassungsstelle ein paar Autonummern eruieren könne. Man muss seinen Versicherungsvertreter auch einmal für sich arbeiten lassen.

Dann packte er den Film ein und fuhr in die Redaktion. Er brauchte Bilder von Gohrmann. Vielleicht hatte jemand ihn am Mordtag an der Raststätte Langen gesehen. Lobenstein parkte zwei Straßen vor dem Verlagsgebäude und nahm den hinteren Fahrstuhl. Er wollte niemandem begegnen; die Aufnahmen von Gohrmann kopierte er sich selbst. Anschließend fuhr er zur Raststätte Langen.

Für einen Zehnmarkschein erfuhr er, wer am Mordabend

Dienst gehabt hatte, zwei der Kellner waren auch jetzt da. Lobenstein zeigte ihnen die Fotos, aber sie konnten sich nicht an Gohrmann erinnern, auch nicht an Jörgensen. Die Polizei sei schon vor vierzehn Tagen da gewesen, aber sie habe nur ein Foto von Jörgensen gezeigt. »Und von dem anderen, dem Mörder«, ergänzte der Ältere der beiden Kellner.
»Vielleicht ist es gar nicht der Mörder«, meinte Lobenstein.
»Der? Der ist das bestimmt. Lesen Sie mal die REVUE.«
Lobenstein erkundigte sich, wen er noch fragen könnte. Der Jüngere nannte einen Namen, Lobenstein wollte ihn schon notieren, da kicherte der Kellner: »Wenn Sie einen Zeugen brauchen, für zehn Mark erinnert sich der an jeden.«
Lobenstein ging zur Tankstelle. Die Fotos sagten dem Tankwart nichts, aber an einen Volvo konnte er sich erinnern. »So viele von dieser Sorte laufen bei uns ja nicht, und ich interessiere mich selbst für einen Volvo, da achtet man halt darauf und fragt jeden, wie er zufrieden ist.«
Lobenstein legte ihm noch einmal die Fotos von Gohrmann vor. »Könnte das der Mann mit dem Volvo gewesen sein?«
Der Tankwart sah Lobenstein etwas hilflos an. »Ja, vielleicht. Ich weiß nicht …«
»Können Sie sich erinnern, woher der Volvo kam?«
Wieder ein Schulterzucken. »Hannover? Oder Braunschweig?«
»Wissen Sie, wann das gewesen ist?«
»Es war ein Sonntag. Ich habe mich nämlich anschließend mit einem Bekannten darüber unterhalten, und der kam vom Pferderennen.«
»Aber welcher Sonntag das war, wissen Sie nicht mehr?« Der Tankwart ging zum Wandkalender. »Ich habe alle drei Wochen Wochenenddienst. Das letzte Mal war es nicht, also

am zehnten September oder am zwanzigsten August oder … Nein, im Juli war ich in Urlaub.«
»Also, August oder September. Versuchen Sie, sich zu erinnern. Es ist sehr wichtig für mich. Die Information wäre mir auch was wert.«
»Lassen Sie Ihr Geld ruhig stecken. Ich sage Ihnen auch so, was ich weiß, aber es nutzt Ihnen ja nichts, wenn ich mir was aus den Fingern sauge, oder?«
Er konnte sich nicht mehr erinnern. Lobenstein fragte, ob zur gleichen Zeit vielleicht ein Alfa Romeo, ein Giulia, hier gestanden habe. Der Tankwart schüttelte den Kopf. »Bestimmt nicht. Daran könnte ich mich erinnern.«

Im Briefkasten steckte ein Zettel vom Nachbarn. »Es gibt drei Alfa Romeo, die in Frage kommen: F–OF 525, F–OP 703 und F–OR 221.« Darunter die Namen und Adressen der Besitzer. Der erste gehörte Mario Shinowsky, dem Jockei. Lobenstein rief in der Rennleitung an und fragte, wo Shinowsky am zwanzigsten August gestartet sei. In Frankfurt. Ob er an diesem Tag mit seinem Wagen zum Rennplatz gekommen sei; ein Alfa Romeo mit Frankfurter Nummer habe an diesem Tag in München auf einem Parkplatz einen Blechschaden verursacht. Nein, das sei ausgeschlossen. Shinowsky ließe keinen anderen an seinen Wagen und käme immer mit dem Alfa Romeo zum Rennen. »Er ist halt eitel wie alle kleinen Männer. Und am Zwanzigsten hat er doch den ›Großen Preis von Hessen‹ gewonnen, da hat er sich so besoffen, dass wir ihm die Autoschlüssel abgenommen haben.«
Der zweite Alfa Romeo war am Zwanzigsten in Reparatur gewesen. Die Werkstatt bestätigte es. Der Wagen sei an dem

Tag auch nicht fahrbereit gewesen, man hatte den Motor ausgebaut.
Der dritte Wagen gehörte einem Paul Brüdigam in der Gutzkowstraße. Er hatte kein Telefon. Lobenstein fuhr in die Gutzkowstraße und sah sich die Gegend an. Alte Mietshäuser, ziemlich verfallen, eine triste, graue Straße. Lobenstein ging zum Hausmeister und erkundigte sich nach Brüdigam. Er gab sich als Vertreter einer Kreditkasse aus.
Der Hausmeister war Invalide und geschwätzig – oder vereinsamt. Auf jeden Fall froh, dass ihm jemand zuhörte. Nach einer halben Stunde kannte Lobenstein den Straßenklatsch. Brüdigam ließe sich kastenweis Bier ins Haus bringen, Dortmunder Spezial, aber mit der Miete sei er immer im Rückstand, obwohl er es nicht nötig hätte, verdienen müsse der im »Kakadu« ganz gut, wie könnte er sich sonst so einen Wagen leisten. Ende Vierzig sei er, lebe allein in der großen Wohnung, dabei könnte er sich doch ein Zimmer nehmen und jeden Monat zweihundert Mark sparen.
Lobenstein kannte den »Kakadu«. Ein Striptease-Keller in der Weserstraße und einer der finstersten dazu.
Am Abend fuhr er in die Weserstraße. Der Alfa Romeo parkte auf dem Hof. Lobenstein ging in den Keller. Das Lokal war miefig und vollgequalmt, obwohl noch nicht einmal die Hälfte der Plätze besetzt war. Er setzte sich in eine Nische und sah kaum einmal zur Bühne, wo sich in unaufhörlicher Folge Mädchen mehr oder weniger geschickt auszogen und ihre Show zeigten. Er wartete auf Brüdigam. Schließlich entdeckte er einen Mann, auf den die Beschreibung, die der Hausmeister gegeben hatte, zutraf. Er stand plötzlich an der Bar, unterhielt sich mit den Mädchen, verschwand hinter einem Vorhang und kam mit Bierkästen wieder. Lobenstein

sagte sich, dass es dem nicht schwerfallen würde, auch Dreizentnerlasten davonzuschleppen. Oder eine Leiche über die Eilenbergbrücke zu werfen. Dafür musste sein Intelligenzquotient ziemlich in der Nähe von Null liegen. Lobenstein wartete, bis Brüdigam verschwunden war, dann ging er schnell hinaus.

## 36

»Ich habe Sie gestern erwartet«, empfing ihn Naumann. »Heute ist es fast schon zu spät. Also, was haben Sie erreicht?« Er lehnte sich zurück, faltete die Hände über der Brust und beobachtete Lobenstein durch seine halbgeschlossenen Augen.

Als Lobenstein seinen Bericht beendet hatte, schloss er die Augen völlig und massierte sein Kinn mit den Daumen.

»Ich habe Sie doch noch unterschätzt«, begann er zögernd, »ich hatte nicht gedacht, dass Sie in der kurzen Zeit so viel herausbekommen würden.«

Lobenstein schmunzelte. Er griff nach seinen Zigaretten. Naumann hielt ihm die Zigarrenkiste hin, wählte dann selbst sorgfältig, schnitt bedächtig die Spitze ab und rauchte die Zigarre an.

»Ich habe am Wochenende viel nachgedacht«, sagte er. »Über Sie und diese Serie. Ich habe auch mit dem Verleger darüber gesprochen. Er findet Ihre Arbeit ausgezeichnet, ich soll Ihnen seinen Glückwunsch übermitteln.« Naumann machte eine lange Pause. »Herr Becher hat mich gefragt, warum, um Gottes willen, wir eigentlich die Serie nicht so zu Ende führen wollen, wie sie begonnen wurde.«

Lobenstein beugte sich vor und klammerte sich an die Tischplatte. »Weil sie nicht stimmt! Sie kennen jetzt die neuen Fakten. Ich hoffe, die haben Sie überzeugt.«

»Sie müssen mich nicht überzeugen. Ich habe mich mit unserem Verleger dahingehend geeinigt, dass wir nicht gegen die Polizei vorgehen wollen« – Naumann machte eine abwehrende Handbewegung, als Lobenstein aufbrausen wollte –, »es sei denn, Sie bringen eine Story, die den Hintergrund des Mordes an Jörgensen aufhellt, die zugleich hinreichend bewiesen und ohne Risiko für die REVUE veröffentlicht werden kann. Sie haben nicht solch eine Geschichte, oder?«

Lobenstein antwortete nicht. Er sah Naumann in die Augen, bis der seinem Blick auswich.

»Fahren Sie ins Präsidium, Herr Lobenstein, und sprechen Sie mit Kriminalrat Maurach. Wenn er Ihre Ansicht teilt, bin ich bereit, die Serie zu ändern. Nicht, dass wir Mühlens ganz herausnehmen. Aber wir können stärker in Frage stellen, ob er wirklich der Mörder ist oder nur durch tragische Verknüpfung von Zufällen in die Sache verstrickt wurde. Sie könnten auch die Frage stellen, was aus einem Menschen wie Mühlens wird, wenn sich vor Gericht herausstellt, dass er unschuldig ist, ein wenig über die Problematik des Strafvollzuges philosophieren, die lange Untersuchungshaft, über die Schwierigkeit, die Wahrheit zu ermitteln und die richtige Balance zu halten zwischen dem Schutz der Öffentlichkeit und der Freiheit des Einzelnen – na, Sie verstehen mich schon. Weiter kann ich Ihnen nicht entgegenkommen. Fahren Sie zu Maurach.«

»Sie wissen, wie schwer es ist, abgeschlossene Ermittlungen wieder in Gang zu bringen. Was ist, wenn Maurach meine Argumente nicht akzeptiert?«

»Dann läuft die Serie so weiter.«
»Nicht, wenn ich sie zurückziehe.«
Naumann sah ihn fassungslos an. Es dauerte eine Weile, bis er eine Antwort fand. Er sprach sehr leise und gab seiner Stimme einen väterlichen Ton. »So etwas sollten Sie nicht sagen, nicht zu mir. Außerdem können Sie das gar nicht. Sie haben einen Vertrag mit der REVUE, der ist eindeutig.«
»Aber ich könnte meinen Namen zurückziehen.«
»Ja, das könnten Sie. Solch einen Schritt würde ich mir an Ihrer Stelle jedoch sehr genau überlegen. Ich würde es bedauern, wenn die REVUE einen so fähigen Mitarbeiter verliert.«

## 37

Maurach war nicht zu überzeugen.
»Gut, es gab einen Termin in der Schweiz«, sagte er. »Ich glaube Ihnen das schon. Aber was beweist das? Dass Jörgensen Mühlens engagiert haben kann, nicht mehr. Dass er ihm, vielleicht, die Schlüssel gegeben hat. Aber es kann auch so sein, dass Jörgensen ihm lediglich von der Schweiz-Reportage erzählt hat, ohne ihn zu engagieren, und dass Mühlens sich das Ganze zurechtgelegt hat, nachdem er Jörgensen ermordet hatte. Aber wir werden Ihre Aussage zu Protokoll nehmen, auch was die Finanzen betrifft, wir werden auch alles an die Staatsanwaltschaft weitergeben, aber wenn Sie mich fragen, das ändert nicht viel.«
»Es bringt einige der wichtigsten Indizien ins Wanken, denke ich, und damit die ganze Anklage. Oder haben Sie inzwischen direkte Tatspuren entdeckt, Blut an seiner Kleidung

zum Beispiel? Oder das Mordinstrument? Oder den Tatort? Mit Spuren, die eindeutig auf Mühlens hinweisen?«

Maurach sah ihn prüfend an. »Wollen Sie uns jetzt mangelhafte Arbeit nachweisen? Ist das Ihre neue Taktik? Wenn ein Mann von Mühlens' Intelligenzgrad einen Mord begeht, dann ist er auch klug genug, das Tatwerkzeug und seine Kleidung zu vernichten. Aber wir haben die Blutspuren im Kofferraum und Mühlens' Fingerabdrücke an der Kofferraumklappe. Und seine Aussage, dass er nie am Kofferraum war!« Der Kriminalrat wurde immer lauter. »Das sind Indizien, auf die man schon eine Anklage aufbauen kann. Und es sind nicht die einzigen.«

»Und das Schlüsselbund? Und Kentons Aussage?«

»Die Schlüssel beweisen nicht mehr, als dass Jörgensen wie jedermann mehrere Paar hatte. Wenn Jörgensen sein Schlüsselbund mit dem afrikanischen Götzen auf der Reise nach Frankfurt bei sich hatte, dann liegt das heute sicher irgendwo auf der Strecke nach München im Straßengraben. Und Kentons Aussage …« Maurach legte seine Stirn in Falten. »Ich weiß nicht, welche Rolle Mr. Kenton in der ganzen Sache spielt. Ich würde ihn gerne einmal befragen, aber er hat im Augenblick unglücklicherweise keine Zeit.« Der Kriminalrat kratzte sich am Kinn. »Leider kann ich ihn nicht vorladen lassen. Warum ist er wohl damals nicht eine Nacht in Frankfurt geblieben und hat seine Aussage gemacht? Warum kommt er jetzt nicht? Warum will er Mühlens entlasten?« Maurach sah Lobenstein fragend an. »Haben Sie eine Erklärung dafür? Kenton behauptet, er sei der Mann am Flughafen gewesen, aber er sieht Mühlens nicht sehr ähnlich. Gewiss, er hat früher mal einen Schnurrbart getragen. Auch noch am Mordtag? Ich habe einen Zeugen, der Mühlens aus unmittelbarer Nähe gesehen hat. Der Mann bleibt bei seiner Aussage. Warum soll ich Kenton mehr glauben als meinem Zeugen? Dieser Kellner hat kein Interesse an einer falschen Aussage. Kenton kann ein Interesse haben.«

Maurach stand auf und ging langsam durch den Raum, blieb einen Augenblick vor dem Fenster stehen und setzte dann seine Wanderung fort. »Warum findet sich denn kein Zeuge, der Mühlens in Frankfurt gesehen hat? Weil er am Flughafen gewesen ist, dafür haben wir einen Zeugen. Und wir haben noch etwas. Wir haben uns die Mühe gemacht und die Filme von Mühlens durchgesehen, alle, die er in der letzten Zeit gemacht hat. Wir haben noch drei Filme Frankfurt bei Nacht gefunden. Einer davon ist einwandfrei zu terminieren.« Maurach blieb direkt vor Lobenstein stehen und sah ihn von oben herab an. »Diese Aufnahmen wurden am Freitag gemacht. Zwei Tage vor dem Mord.« Maurach setzte sich wieder hinter seinen Schreibtisch und nahm sich eine Zigarette. »Für uns ist der Fall abgeschlossen. Wie lange sollen wir uns noch mit Mühlens aufhalten? Das ist schließlich ein Fall von vielen. Von zu vielen.«

Lobenstein überlegte einen Augenblick, dann sagte er: »Ich war in London. Ich habe den Mann gesprochen, der Jörgensen um elf getroffen hat.«

Maurach hätte sich beinahe die Finger verbrannt. Lobenstein erzählte, was er von Gohrmann erfahren hatte, auch, dass der behauptet hatte, er habe ein Alibi für die Mordnacht. »Aber vielleicht war es ein Bluff, oder sein Alibi ist nicht so gut, wie er denkt.«

»Rufen Sie mich heute Abend an«, sagte Maurach und öffnete die Tür.

Lobenstein rief nicht an, er fuhr zum Präsidium. Er musste lange im Vorzimmer warten, Maurach war zur Chefbesprechung.

»Ach, da sind Sie ja wieder«, rief der Kriminalrat, als er endlich kam. Der höhnische Unterton war nicht zu überhören. »Tut mir leid, Herr Lobenstein, aber Gohrmann hat wirklich ein Alibi. Und zwar durch erstklassige Zeugen.« Maurach drehte sich um. »Auf Wiedersehen.«

»Kann ich Sie noch einen Augenblick sprechen?«

»Wenn es unbedingt sein muss.« Maurach sah auf seine Uhr. »Zehn Minuten, nicht länger.« Er bat Lobenstein in sein Zimmer, aber er setzte sich gar nicht erst. »Also, was haben Sie noch?«

»Gohrmann lügt, und seine Zeugen auch.«

»Ja, ich weiß, alle lügen, nur Sie sagen die Wahrheit. Herr Gohrmann hat Zeugen, die über jeden Verdacht erhaben sind. Ich beginne langsam, mich zu fragen, welches Interesse Sie wirklich an diesem Fall haben. Oder brauchen Sie nur noch eine neue Sensation für Ihre Serie? Was steckt eigentlich dahinter?«

»Leider weiß ich das nicht. Ich weiß nur von Kenton, dass es um sehr viel Geld geht und dass eine Reihe großer Unternehmen darin verwickelt ist.«

Maurach sah ihn mitleidig an. »Und die großen Bosse der großen Unternehmen haben sich ein paar Mörderchen gedungen, um Jörgensen umzubringen, was? Ist das die Sensation, die Ihnen fehlt?«

Lobenstein zwang sich, ruhig zu bleiben. »Ich habe Gohrmann gesprochen.«

»Dann ist Gohrmann also der Mörder?«

»Das habe ich nicht behauptet.«

Maurach stellte sich dicht vor Lobenstein und wippte auf den Zehenspitzen. »Nein? Wer war es dann? Sagen Sie's ruhig. Mich kann nichts mehr erschüttern.«
»Gohrmann war in Langen«, sagte Lobenstein wütend. »Ich habe mit dem Tankwart an der Raststätte gesprochen, er kann sich an einen Volvo erinnern, der an jenem Sonntag da war. Gohrmann fährt einen Volvo.«
»Und ein paar tausend Bundesbürger dazu. Kann der Tankwart sich auch an Gohrmann erinnern? Sicher haben Sie ihm doch Fotos gezeigt, oder? Ich werde auch das überprüfen lassen, mein lieber Herr Lobenstein. Aber ich warne Sie. Meine Geduld ist nicht grenzenlos. Ich könnte es auch als Versuch zur Irreführung der Behörden auffassen. Haben Sie sonst noch etwas?«
Lobenstein winkte ab. »Lassen Sie es sein. Es hat doch keinen Sinn.«

## 38

Lobenstein fuhr zur Redaktion der FRANKFURTER NACHRICHTEN und wartete auf Bornig. Der machte ein besorgtes Gesicht, als er Lobenstein sah. »Komm mit zu mir«, sagte er, »und weine dich aus.«
Lobenstein wollte schon im Wagen anfangen, sein Herz auszuschütten, aber Bornig winkte ab. Erst nachdem sie gegessen und die ersten zwei Whisky getrunken hatten, war er bereit zuzuhören. Er legte sich auf die Couch und schloss die Augen.
Als Lobenstein seinen Monolog beendet hatte, sah Bornig

ihn mitleidig an und sagte nur: »Scheiße.« Dann schloss er wieder die Augen, setzte ein paarmal an zu sprechen, schluckte es aber immer wieder hinunter. Schließlich sagte er: »Ich glaube, du musst in den sauren Apfel beißen und Maurach von dem Film erzählen.«

»Und dann? Das Einzige, was dabei herauskommt, wird sein, dass er mir ein Verfahren wegen Unterschlagung von Beweismaterial anhängt.«

»Sag doch, du hättest den Film gefunden, als du jetzt in München warst.«

»Das wird er mir gerade glauben. Es war sonst kein Stück Sechzehn-Millimeter-Film da. Weitzner würde sich daran erinnern. Mit Vergnügen. Außerdem würde die Polizei schnell feststellen, wann ich in Bad Tölz war. Und glaubst du wirklich, dass Maurach die Sache mit dem Alfa Romeo ernst nehmen würde? Woraufhin denn? Gohrmann streitet ab, Kenton weiß von nichts.«

»Aber alles zusammen ergibt eine runde Geschichte. Es sind schon Storys veröffentlicht worden, die auf viel dünneren Beinen standen. Naumann …«

»Naumann will nichts mehr hören. Ich habe vorhin noch einmal mit ihm gesprochen. Für ihn ist der Fall erledigt. Er hält sich an die Version der Polizei.«

»Kannst du es ihm verdenken? Er ist Chefredakteur und muss auf andere Dinge Rücksicht nehmen.«

»Ja, ich weiß«, sagte Lobenstein wütend, »auf die Polizei, die Parteien, den Verleger, die Kirchen, die Anzeigenkunden – auf die vor allem. Ich will dir mal was sagen: Ich glaube, Naumann ist ganz zufrieden, dass ich ihm die Story nicht bringen konnte. Was denkst du, wie er zusammengezuckt ist, als ich ihm die Liste der Firmen zeigte, für die Jörgensen sich interessiert hat? Wenn ich ihm doch die Story bringe und er sie ablehnt, dann verliert Naumann sein Gesicht. Jetzt bin ich der Gelackmeierte. Ich habe diese verdammte Jörgensen-Story geschrieben. Mein Name steht dick darunter. Mit mir kann er ja Schindluder treiben. Nein, mit mir nicht!«

Lobenstein sprang auf und lief durch den Raum.

»Was, um Gottes willen, willst du denn machen?«, fragte Bornig besorgt. »Überleg erst einmal in Ruhe. Lass dir ein paar Tage Zeit, dann sieht alles anders aus. In vier Wochen ist die Serie zu Ende, dann spricht kein Mensch mehr davon. Und bis der Prozess stattfindet, läuft noch viel Wasser den Main hinunter. Wenn sich bis dahin neue Fakten finden, wird Naumann auch mit sich reden lassen.«

»Aber ich werde nicht mehr mit Naumann reden. Ich werde meinen Namen zurückziehen, und sobald die Serie ausgelaufen ist und ich wieder Bewegungsfreiheit habe, werde ich zu einer anderen Zeitung gehen und dort schreiben, was wirklich los ist.«

»Was willst du schon schreiben? Du machst dich nur unglücklich. Glaubst du, die warten woanders nur darauf, dass du an die Tür klopfst? Gewiss, du hast dir einen guten Namen erworben, aber nun werde nicht gleich größenwahnsinnig. Und denkst du, woanders geht es dir besser? Wir sind doch abhängig von den Verlagen. Ohne Ausnahme.«

»War Jörgensen abhängig?«

»Vielleicht nicht. Aber er hatte die finanzielle Basis dazu. Was hast du denn? Nur deinen Kopf. Und der ist genauso viel wert, wie einer bereit ist, dafür zu zahlen. Und vergiss eins nicht: Jochen ist umgebracht worden.«

»Eben daran denke ich. Seine Mörder laufen frei herum,

und ein Unschuldiger sitzt im Gefängnis, und unter meinem Namen und dank meiner Arbeit wird er Woche für Woche in über einer Million Exemplaren der REVUE öffentlich verurteilt.«

»Du kannst nichts mehr daran ändern. So ist nun mal diese Welt.«

»Doch, ich kann etwas ändern«, sagte Lobenstein störrisch, »und ich werde es tun. Noch ist nicht aller Tage Abend.«

»Manchmal erinnerst du mich sehr an Jochen. Ist dir eigentlich aufgefallen, dass ihr ein Jahrgang seid?«

»Ja. Mühlens auch. Komm, wir gehen aus. Wir werden uns diesen Herrn Brüdigam mal genauer ansehen. Wenn Gohrmann sich nicht geirrt hat und der Alfa Romeo hinter ihm her gewesen ist, dann muss Brüdigam etwas wissen, was mir weiterhelfen kann. Ich werde auch ohne Kenton und ohne Gohrmann und ohne die REVUE an die Geschichte kommen, und dann wird sich auch ein Blatt finden, das sie veröffentlicht.«

»Willst du nicht lieber erst noch einmal versuchen, dich mit Kenton zu arrangieren?«

»Kenton spricht nicht mehr mit mir.«

»Aber mit mir.«

Bornig griff zum Telefon und rief in London an. Er verhandelte ein paar Minuten mit Kenton, aber der ließ sich nicht überreden.

»Er kommt nächste oder übernächste Woche nach Frankfurt«, sagte Bornig, als er das Gespräch beendet hatte. »Du müsstest schon solange warten.«

»Einen Scheißdreck werde ich. Ich werde mir Brüdigam vorknöpfen. Machst du mit?«

»Nein, danke. Mir genügt es, dass ich dein Beichtvater und Mitwisser bin. Komplice ist zu viel.«

# 39

Vier Tage lang spielte Lobenstein Indianer, dann kannte er Brüdigams Tagesablauf. Morgens um Viertel sechs verließ Brüdigam den »Kakadu« und fuhr nach Hause, ging in die Küche, die vom Hof einzusehen war, da Brüdigam nie die Vorhänge vorzog, trank Bier, begann sich dabei auszuziehen; er trug langärmlige Unterhemden und bestickte Hosenträger. Eine zweite Flasche Bier nahm er regelmäßig mit in das Schlafzimmer, leerte sie auf einen Zug am offenen Fenster, spuckte auf den Bürgersteig und ließ dann die Rouleaus herunter. Gegen ein Uhr mittags wurden die Rouleaus wieder hochgezogen, ein noch völlig verschlafener Brüdigam reckte sich am Fenster, ging in die Küche und trank Bier. Fast pünktlich um zwei verließ er das Haus, fuhr in die Stadt, setzte sich in ein »Wienerwald«-Restaurant und verdrückte eine doppelte Portion Brathuhn oder aß im »Schnellen Willi« Bratkartoffeln mit Schnitzel und Ei. Nach dem Essen fuhr er in eine Kneipe in Sachsenhausen, wo er bis abends Billard spielte.
Sonnabendnacht entschloss sich Lobenstein, Brüdigam am nächsten Vormittag zu überrumpeln, aber da nahm Brüdigam eine aufgedonnerte Blondine mit nach Hause, und die Vorhänge blieben bis zum Abend geschlossen.
Montag früh kam er wieder allein zur Gutzkowstraße. Lobenstein wartete, bis Brüdigam im Schlafzimmer verschwunden war. Dann fuhr er nach Hause und legte sich noch einmal hin. Er bestellte einen Weckruf für zehn Uhr. Als das Telefon ihn aus dem Schlaf holte, brauchte er eine Weile, bis er zu sich kam. Er zog das Sakko an, steckte das Diktaphon in die große Brusttasche und klemmte das Mikrophon unter den Schlips. Zehn Minuten vor zwölf klingelte er Sturm bei Brüdigam.

Der war noch völlig benommen, als er die Tür öffnete, so schlaftrunken, wie man eben zehn Minuten vor dem Aufwachen ist. Lobenstein stellte sofort einen Fuß in die Tür, hielt Brüdigam seinen Presseausweis dicht vor die Nase, dass der garantiert nichts entziffern konnte, und sagte »Kriminalpolizei«. Das »Polizei« murmelte er undeutlich, dass Brüdigam nur »Kriminal« richtig verstehen konnte. So konnte Lobenstein immer behaupten, er habe sich als Kriminalreporter ausgegeben.

Brüdigam zog sich verdutzt die Hosen hoch. Lobenstein nutzte die Gelegenheit und trat ein. »Ich darf doch?«, fragte er, aber da hatte er die Tür schon hinter sich geschlossen. »Ziehen Sie sich ruhig erst etwas über.«

Brüdigam schaukelte seine zweieinhalb Zentner in das Schlafzimmer. Lobenstein folgte ihm und sah zu, dann dirigierte er ihn sofort in das Wohnzimmer, bevor Brüdigam in die Badestube oder in die Küche gehen konnte.

»Es wird nicht lange dauern«, sagte Lobenstein und schaltete das Diktaphon an. »Ich habe nur ein paar Fragen. Was haben Sie am achten August in Bad Tölz gesucht?«

»In Bad Tölz?«

»Sie waren doch in Bad Tölz. Leugnen Sie nicht, Sie sind gesehen worden. Wen haben Sie beschattet? Gohrmann oder Jörgensen?«

»Jörgensen nicht«, sagte Brüdigam so schnell und betont, dass ein Blinder darüber gestolpert wäre.

»Aber vielleicht haben Sie am zwanzigsten August Jörgensen beschattet? Oder wieder Gohrmann?«, hackte Lobenstein nach. »Wo waren Sie am Abend des zwanzigsten August?«

»Na, wo ich abends immer bin. Im ›Kakadu‹. Das müssten Sie doch wissen.«

»Nicht an diesem Sonntag. Ich bin sicher, dass Sie sich sehr genau erinnern können. Also, wo waren Sie?«
Brüdigam reckte sich. Man konnte fast sehen, wie er versuchte nachzudenken. Nur nicht zur Ruhe kommen lassen, dachte Lobenstein.
»Ich will es Ihnen sagen. Sie sind mit Ihrem Auto unterwegs gewesen. Aber nicht Sie allein. Wer war mit Ihnen zusammen? Kurz vor elf waren Sie an der Autobahnraststätte Langen. Sie sind einem Wagen nachgefahren. Soll ich Ihnen sagen, wo Sie waren? Oder geben Sie freiwillig zu, was dann geschehen ist?«
Brüdigam war in sich zusammengesunken und spielte an seinen Fingern.
»Sie haben den Mann zusammengeschlagen! Aber es war nicht Ihre Idee, ihn von der Brücke zu stürzen und damit umzubringen. Oder?«
Er wartete kurz, ob Brüdigam etwas sagen wollte, aber der stierte nur vor sich hin.
»Ich glaube nicht, dass es Ihre Idee war, ihn von der Brücke zu stürzen, damit sind Sie halbwegs raus, dann kommen Sie nur wegen Körperverletzung dran. Also, reden Sie schon, wer hatte die Idee mit der Brücke? Oder ist Ihnen eine Anklage wegen Mord lieber?«
»Ich hab damit nischt zu tun«, quetschte Brüdigam endlich heraus. »Bestimmt nischt. Ich hab'n ja nur festhalten wollen, aber da is er mir weggewischt, wie ich' n aus' m Wagen gezogen hab, und da hab ich ihm eine übergezogen, damit er mir nicht wieder wegkommt.«
»Womit haben Sie ihn niedergeschlagen? Mit einem Totschläger?«
»Nee, nich, was Sie denken. Ich hau mal mit der Faust zu, aber

nich mit ’n Knüppel oder mit ’n Totschläger.« Er legte seine Pranke auf den Tisch. »Hab ich das nötig, mit ’n Totschläger?«

»Und dann haben Sie ihn in den Kofferraum gepackt.«

»Nee, so war’s nich. Ich hab nischt damit zu tun. Hammer hat ’n noch ein’ übergebraten. Weil er doch wütend war, weil der andere uns entwischt war, und wie wir ’n wieder in sein’ Wagen setzen wollten, da hat er kein Mucks mehr gesagt, und da hat Hammer gesagt, nu muss er verschwinden, und denn haben se ihn in ’nen Kofferraum gepackt, und wir sind auf de Autobahn. Aber ich hab damit nischt zu tun, bestimmt nich, ich hab ja die ganze Zeit in mein’ Wagen gesessen, ich bin ja immer hinterhergefahren, und denn sind wir …« Brüdigam brach mitten im Satz ab und sah an Lobenstein vorbei. Lobenstein blickte sich um. In der Tür stand ein Mann. Er war höchstens eins fünfundsechzig. Er trug eine rot und lila gemusterte Krawatte zu einem hellgrauen Anzug. Die Hand hatte er in der Tasche.

»Was ist denn hier los?«, fragte er.

»Nichts Besonderes«, sagte Lobenstein. »Ich hatte nur ein paar Fragen an Herrn Brüdigam. Wir waren gerade fertig.« Er stand auf.

»Darf ich bitte mal Ihren Ausweis sehen?«, fragte der Kleine.

»Warum, was geht Sie das an?«

»Das geht mich eine ganze Menge an. Also, darf ich bitten?«

Brüdigam war aufgestanden. Lobenstein spürte seinen Atem im Nacken.

»Greif ihm mal in die Tasche«, sagte der Kleine.

Brüdigam holte Lobensteins Brieftasche hervor und gab sie dem anderen. Der schlug sie auf und studierte den Presseausweis.

»Also nicht von der Polizei?«

»Eben. Und nun lassen Sie mich gehen.« Lobenstein riss ihm die Brieftasche aus der Hand. Ein paar Geldscheine fielen zu Boden. Er bückte sich nicht. Er schob den Kleinen zur Seite und machte einen langen Schritt zur Tür.

»Halt«, sagte der Kleine. »Stehen bleiben und Hände hoch!« Lobenstein sah sich um. Der Kleine hatte eine Pistole in der Hand. Lobenstein nahm die Hände in die Höhe.

»Hinsetzen!«, sagte der Kleine und zeigte mit der Pistole auf einen Sessel. »Und du, Brüdigam, setz dich auch. Ich kann es nicht ausstehen, wenn du vor mir stehst.«

Idiotisch, dachte Lobenstein. Einfach idiotisch. Wie in einem billigen Western. Oder im Krimi. Dritter Teil. In der dritten Fortsetzung haben immer die Ganoven Oberwasser.

»Hören Sie«, sagte er, »ich weiß nicht, wer Sie sind und was Sie wollen …«

»Maul halten«, unterbrach der ihn. »Schön ruhig sein, ja?«

»Kann ich nicht wenigstens die Hände runternehmen?« Der andere lachte. »Können schon. Aber ich bin dagegen. Also bleiben sie schön oben, gell?«

Er wird nicht schießen, dachte Lobenstein. Nicht, wenn er überlegt. Ich muss ihm Zeit lassen nachzudenken. Brüdigam hockte unbeweglich auf seinem Stuhl neben der Tür, die Hände gefaltet, in sich zusammengesunken. Er schien dreißig Zentimeter kleiner geworden zu sein, seit der Kleine da war.

»Ich möchte nur wissen, was der Idiot Ihnen schon alles erzählt hat.«

»Nischt«, sagte Brüdigam. Sein Ton war ziemlich kläglich, und da er sich bemühte, leise zu sprechen, piepste seine Stimme. »Wirklich nischt. Ich werd doch nischt verraten. Was denn auch. Ich weiß doch nischt. Und wie werd ich …«

»Halt's Maul!«, sagte der Kleine ganz leise und sanft, beinahe freundlich. Brüdigam gehorchte sofort, zog die Schultern hoch und kroch wieder in sich wie ein geprügelter Hund. »Können wir nicht in Ruhe miteinander sprechen?«, sagte Lobenstein. »Hat doch keinen Sinn, hier Kintopp zu spielen. Er hat wirklich nichts gesagt. Ich bin ja gerade erst gekommen. Machen Sie keine Dummheiten, und lassen Sie mich gehen. Oder erzählen Sie mir was. Ich zahle anständig.«
»Nicht frech werden«, sagte der Kleine. »Stehen Sie doch noch mal auf.«
Lobenstein gehorchte. »Umdrehen, Hände an die Wand.« Lobenstein fühlte, wie der Kleine ihn mit seiner linken Hand abtastete. »Was haben wir denn hier?« Er zog das Diktaphon aus der Tasche und machte das Mikrophon los. »Schön stehen bleiben.«
Der Kleine ließ das Band zurücklaufen und abspielen.
»Ich hab 'n ja nur festhalten wollen, aber da is er mir weggewischt …«, tönte Brüdigams Stimme vom Band.
»So, du hast also nicht geplaudert«, sagte der Kleine. »Ich hätte nicht wenig Lust, mit euch beiden kurzen Prozess zu machen.«
Lobenstein stierte auf die Wand. Der Tod des Reporters, dachte er. Wirklich, eine feine Story.

## 40

Die Hände begannen zu kribbeln, als steckten sie in einem Ameisenhaufen.
»Was willst'n mit ihm machen, Hammer?«, fragte Brüdigam.

Der Kleine gab keine Antwort. Lobenstein drehte den Kopf langsam zur Seite, aber er wurde sofort zurechtgewiesen.
»Mach ihm mal die Taschen leer«, kommandierte Hammer. Brüdigam schien Übung darin zu haben, er nahm ihm sogar die Uhr ab. Zum Schluss öffnete er Lobenstein die Schnürsenkel und zog ihm den Gürtel aus der Hose, die sogleich zu rutschen begann.
»Jetzt können Sie sich umdrehen.« Hammer wies Lobenstein einen Sessel zu und befahl Brüdigam, sich neben die Tür zu setzen. »Ja, was machen wir nun mit Ihnen?« Er rieb sich die Nase. »Was würden Sie denn an meiner Stelle tun?«
Lobenstein gab keine Antwort. Hammer brauchte lange, bis er zu einem Entschluss kam.
»Wo haben Sie Ihren Wagen stehen?«
Lobenstein schwieg.
»Dann eben nicht.« Hammer ging zur Tür. »Pass gut auf ihn auf«, sagte er zu Brüdigam. »Lass dich nicht wieder übertölpeln. Ich werde euch zur Sicherheit einschließen.«
Brüdigam rückte seinen Stuhl dicht vor Lobenstein. »Leg die Pfoten in den Nacken«, kommandierte er. »Eine falsche Bewegung, und es knallt.«
Lobenstein kroch in sich zusammen und begann sich die Geschichte zu erzählen, die er gerade erlebte. Sie wurde nicht glaubwürdiger dadurch. Irgendwann hielt ein Wagen vor der Tür, Hammer kam wieder.
»Ich habe mich mal bei Ihnen zu Hause umgesehen. Keine Angst, ich hab keine Unordnung gemacht, nur Ihr Material angeguckt. Sind Sie durch das hier auf Brüdigam gestoßen?« Er legte das Foto von dem Alfa Romeo, das Lobenstein sich von dem Bad-Tölz-Film kopiert hatte, auf den Tisch. »Wo haben Sie das her?«

Gut, dass ich den Film wieder in der Bank deponiert habe, dachte Lobenstein. Er überlegte fieberhaft. Vielleicht war es am besten, wenn er die ganze Sache herunterspielte.
»Ich habe das Bild gefunden, als ich jetzt in München war und Jörgensens Sachen durchgesehen habe«, sagte er. »Da habe ich mich natürlich dafür interessiert, wem der Wagen gehört. Das ist alles. Mehr weiß ich wirklich nicht. Mit den anderen Fotos konnte ich nichts anfangen. Haben Sie die auch mitgehen lassen?«
»Nein«, sagte Hammer sanft. »Wozu auch? Nur das hier. Sie haben ja doch keine Verwendung dafür.« Seine Stimme wurde hart. »Jetzt nicht mehr, oder Sie werden es bereuen. Haben Sie das Negativ?«
»Nein. Keine Ahnung, wo das sein könnte.«
Hammer nickte Brüdigam zu, der nahm Lobensteins Finger und bog sie um. Es war ein höllischer Schmerz. Lobenstein stöhnte auf. »Wirklich, ich weiß es nicht.«
»Was wissen Sie noch?«
»Nichts. Ich schwöre es Ihnen.«
Hammer sah ihn misstrauisch an. »Na, ist auch egal. Wir machen jetzt eine kleine Spazierfahrt. Wenn Sie tun, was ich Ihnen sage, passiert Ihnen nichts. Wir sind keine Killer.« Er kicherte. »Es wäre mir sogar ausgesprochen unangenehm, wenn Ihnen etwas zustieße.«
Er stopfte sich Lobensteins Sachen in die Taschen. Lobenstein hatte Mühe, einigermaßen mit Haltung zu gehen. Beinahe wäre er mit seinen schlappenden Schuhen gestolpert.
»Mach ihm die Schuhe wieder zu!«
Brüdigam gehorchte. Die Hose musste Lobenstein weiter mit der Hand festhalten. Sie stiegen in den Alfa Romeo. Brüdigam klemmte sich hinter das Lenkrad. Lobenstein

musste neben Hammer auf dem Rücksitz Platz nehmen. Hammer presste ihm den Pistolenlauf in die Seite.
»Wohin?«, fragte Brüdigam.
Hammer sah Lobenstein an. »Wohin möchten Sie denn gerne? In die Alpen? An die Nordsee? Oder an den schönen Rhein? Ach, fahren wir doch mal Richtung Hannover.« Sobald sie auf der Autobahn waren, begann Brüdigam zu rasen. Die Tachometernadel tanzte bei hundertsechzig. Hinter Hildesheim verließen sie die Autobahn, kurz darauf bogen sie in einen Walweg ein und hielten schließlich vor einem zweistöckigen, strohgedeckten Landhaus.
»Aussteigen!« Hammer dirigierte Lobenstein mit der Pistole in das Haus, über eine geräumige Diele in eine Art Herrenzimmer mit einem Kamin und mächtigen Ledersesseln. Die Wände hingen voller Geweihe und alter Waffen. »Sehen Sie es sich gut an«, sagte Hammer.
»Setzen! – So, jetzt hierhin. Hände auf den Tisch.« Er nahm eine Vorderladerpistole von der Wand und drückte sie Lobenstein in die Hand. »Weiter.« Lobenstein musste die Treppe hinaufgehen und einen Blick in ein kleines Zimmer mit schräger Wand werfen, in dem ein Bett stand. »Anfassen!«, kommandierte Hammer und wies auf das Bettbord. Als Lobenstein nicht gehorchte, nahm Brüdigam seine Finger und drückte sie auf den Bettrahmen und die Nachttischplatte. »Leg dich mal rein!« Brüdigam kroch in das Bett, deckte sich zu. »Genug.« Hammer holte Lobensteins Taschentuch heraus und legte es unter das Kopfkissen, dann nahm er das Feuerzeug und ließ es neben dem Bett zu Boden fallen.
Danach gingen sie wieder hinunter. Am Treppenansatz stand ein älterer Mann mit Glatze und Brille. »Herr Pet-

ruschat«, stellte Hammer vor. Sie sahen sich an. Petruschat verzog keine Miene.
»Weiter«, kommandierte Hammer. Draußen stand jetzt auch Lobensteins Wagen. Lobenstein musste auf dem Vordersitz Platz nehmen. Sie fuhren zurück in Richtung Autobahn. Der Alfa Romeo folgte ihnen. Auf dem Waldweg gebot Hammer Halt.
»So, da wären wir.«
Lobenstein spannte alle Muskeln an.
»Angst?«, fragte Hammer.
»Man wird mich suchen.« Lobenstein zwang sich, ruhig zu sprechen.
»Ja, wird man? Nicht so schnell. Ich hab in der REVUE angerufen. Die wissen nicht, wo Sie sind.«
»Es gibt noch andere, die mich vermissen würden.«
»Ihr Freund Bornig etwa?« Hammers Grinsen wurde noch hämischer. »Bei der REVUE hatte man mir geraten, ihn anzurufen. Wenn überhaupt jemand, dann müsste er wissen, wo Sie sind. Er hatte keine Ahnung. Ich hab nämlich gesagt, Sie würden ganz dringend in der Redaktion gebraucht.«
»Selbst wenn Sie mich umbringen und hier irgendwo verscharren, Sie wird man finden.«
»Tatsächlich, wird man?«
»Ja«, sagte Lobenstein wütend, »und an den Galgen bringen.«
»Vergessen Sie nicht, dass die Todesstrafe bei uns abgeschafft ist. Aber wir werden Ihnen nichts tun. Im Gegenteil. Wir sind nur um Ihr Wohl besorgt. Wir tun das alles nur, um Sie vor Ungelegenheiten zu bewahren. Als Gegenleistung erwarte ich, dass auch Sie sich in Zukunft ein wenig mehr Sorge um Ihr kostbares Leben machen. Wäre doch schade um Sie – ein Mann in den besten Jahren und so begabt.« Seine

Stimme wurde leise und bestimmt. »Lassen Sie Ihre dreckigen Pfoten von der Geschichte. Das ist eine sehr ernste Warnung! Wir können auch anders. Und damit Sie sich keine Illusionen machen, Sie haben nichts gegen uns in der Hand, reineweg nichts. Für den Sonntag damals haben wir beide ein einwandfreies Alibi. Und für heute auch. Wir haben Sie nie gesehen. Wir waren heute überhaupt nicht in Frankfurt. Dafür gibt es Zeugen. Na, was sagen Sie jetzt?«
Lobenstein sah ihn nur an.
»Und Sie haben heute Vormittag in Hannover angerufen und wollten Rechtsanwalt Gohrmann sprechen. Das wollten Sie doch immer, nicht wahr? Man hat Ihnen gesagt, er wolle zu Petruschat nach Emmingen fahren. Emmingen, verstanden? Das Haus heißt ›Karinhall‹.« Hammer kicherte. »Prominenter Name, was? Werden Sie sich leicht merken können. Aber Gohrmann war nicht da. Ist auch nicht gekommen, obwohl Sie auf ihn gewartet haben. Herr Petruschat wird Ihnen das gerne bestätigen, wenn Sie eine Entschuldigung für Ihre Redaktion brauchen.«
Er wandte sich zu Brüdigam. »Mach mal das Handschuhfach auf und gib mir die Flasche raus.«
Er zeigte Lobenstein das Etikett. »Sie sehen, wir haben keine Kosten gescheut. Ich hoffe, Sie mögen Black & White.«
»Viel zu schade für dieses Schwein«, brummte Brüdigam.
»Du kannst noch saufen, so viel du willst, wenn wir hiermit fertig sind. – Mach den Liegesitz runter.«
Brüdigam begann am Fahrersitz zu schrauben.
»Den anderen, du Blödsack. So, nun halt unseren Gast mal schön fest.«
Brüdigam packte Lobenstein, dass der sich nicht wehren konnte, und drückte ihn nach hinten. Hammer schraubte

die Flasche auf, nahm einen Probeschluck, schmatzte zufrieden, klemmte Daumen und Zeigefinger in Lobensteins Wangen, dass der den Mund öffnen musste, sosehr er sich auch sträubte, und schüttete ihm Whisky in den Rachen. Lobenstein blieb nichts anderes übrig, als zu schlucken, wenn er nicht ersticken wollte. Der Whisky war warm. Er brannte in der Kehle. Lobenstein merkte, wie der Alkohol zu wirken begann.
»Jetzt kannst du ihn loslassen«, hörte er Hammer wie aus weiter Ferne, dann schwanden ihm die Sinne.

## 41

Lobenstein erwachte mit einem entsetzlichen Kater. Er sah zur Uhr. Kurz vor drei. Warum verwunderte es ihn, dass er die Uhr am Handgelenk trug? Er kniff die Lider ein paarmal zusammen, richtete sich auf, alles verschwamm vor den Augen. Er zwang sich zur Konzentration, sah den Waldweg und begann sich zu erinnern. Er untersuchte seine Taschen. Schlüssel, Kleingeld, Brieftasche – das Geld war vollzählig da. Der Gürtel steckte in der Hose. Der Kassettenrecorder lag auf dem Rücksitz. Die Kassetten waren leer. Er wollte sich eine Zigarette anzünden, fand aber das Feuerzeug nicht. Da fiel ihm ein, dass das unter dem Bett im ersten Stock von »Karinhall« lag. Es roch penetrant nach Alkohol. Er öffnete die Türen und ließ frische Luft in den Wagen strömen. Dann stieg er aus. Er hatte Mühe, gerade zu stehen. Er war noch völlig betrunken. Es wäre sinnlos gewesen, in diesem Zustand Auto fahren zu wollen. Er setzte

sich in den Wagen, ließ sich nach hinten sinken und schlief kurz darauf ein.
Als er wieder wach wurde, war es schon dunkel. Er wendete den Wagen und fuhr den Waldweg hinunter, bis er an das schilfgedeckte Haus kam. »Petruschat« stand auf dem Schild über dem Briefkasten. Kein Fenster erleuchtet. Lobenstein klingelte, es meldete sich niemand. Die Tür war verschlossen und der Drahtzaun zu hoch, als dass Lobenstein Lust gehabt hätte hinüberzuklettern.
Er fuhr den Weg weiter. Nach drei Kilometern kam er an ein kleines Dorf. Das Schild am Ortsausgang kündete an, dass es noch siebzehn Kilometer bis Braunschweig seien.
Er fuhr im Schneckentempo die paar Kilometer und kehrte im ersten Hotel in Braunschweig ein. Die Zeitung auf dem Tresen der Anmeldung war vom Dienstag. Also hatte er fast einen ganzen Tag im Wald geschlafen. Er bestellte sich ein Omelett und telefonierte gleich nach dem Essen mit Frankfurt. Zuerst mit dem Präsidium, dann versuchte er es auf Maurachs Privatanschluss, es meldete sich niemand. Auch nicht bei Bornig.
Er wurde früh wach und machte sich noch vor sieben auf den Weg.
Er hatte nun genug Zeit, sich zu überlegen, was er jetzt tun wollte. Auf keinen Fall aufgeben. So etwas durfte niemand ungestraft mit ihm machen. Mit ihm nicht. Und wenn der Kleine angenommen hatte, er könne ihn tatsächlich einschüchtern, dann hatte der sich mächtig in den Finger geschnitten. Als Erstes musste er Maurach informieren, dann in die Redaktion fahren, Naumann aufklären und besprechen, wie sie die Serie ändern und mit der neuen Situation arbeiten konnten.

Maurach glaubte kein Wort. »Ihre Geschichten werden immer phantastischer«, sagte er. »Aber ich mach mir langsam ein Hobby daraus, Ihre Angaben überprüfen zu lassen. Ich bin gespannt, wie weit Sie noch gehen.«

»Wann haben Sie meine Angaben überprüft? Wann soll ich wiederkommen?«

»Sie werden einstweilen hierbleiben.«

»Soll das heißen, dass ich …«

»Das heißt nur, dass Sie sich zu meiner Verfügung halten sollen, zumindest die nächsten Stunden.«

Er ließ Lobenstein in ein Nebenzimmer führen. Lobenstein bat um Zeitschriften. Es dauerte nicht lange, bis man ihm die gewünschten Hefte brachte. Und ein Kännchen Kaffee. Um ein Uhr wurde ihm Mittagessen hereingereicht. Lobenstein fragte, wie lange es noch dauern könne. Der Beamte hatte keine Ahnung. Ob er wenigstens mit seiner Redaktion telefonieren könne. Nein. Aber man würde die REVUE informieren, wenn er es wolle. Lobenstein verzichtete.

Am späten Nachmittag wurde er zu Maurach geführt. Lobenstein hatte den Eindruck, dass der Kriminalrat sich zwingen musste, sachlich zu bleiben.

»Wir haben Ihre Angaben überprüft«, sagte er. »Ich will nicht darüber sprechen, welchen Aufwand wir Ihretwegen getrieben haben. Ich möchte Sie nur warnen. Noch einmal werden wir es nicht tun. Also: Wir haben die Aussage von Frau Gohrmann aus Hannover, dass Sie am Dienstagvormittag bei ihr angerufen und nach ihrem Mann gefragt haben. Sie hat Ihnen gesagt, dass ihr Mann wahrscheinlich bei Herrn Petruschat in Emmingen sei. Herr Petruschat, übrigens ein honoriger und unbescholtener Geschäftsmann, sagt aus, dass Sie am Dienstag gegen vierzehn Uhr bei ihm aufgetaucht seien und versucht hätten, Informationen über Gohrmann zu bekommen, als Sie erfuhren, dass der nicht da war. Am Nachmittag sind Sie zusammen im Wald gewesen, dann haben Sie zu Abend gegessen und hinterher ziemlich viel Whisky getrunken und sich schließlich in einem der Gästezimmer hingelegt. Als Herr Petruschat Sie morgens wecken wollte, waren Sie verschwunden und Ihr Wagen auch; er ist daraufhin nach Braunschweig gefahren. Aber das stimmt wohl alles nicht, was?«

Maurach sah Lobenstein lauernd an.

»Weiter. Brüdigam ist seit Sonntag verreist. Er macht Ferien in Italien. War gar nicht so einfach, das herauszubekommen. Das Alibi ist natürlich wieder gefälscht, das wollten Sie doch wohl sagen?«

Lobenstein sagte nichts.

»Und Hammer gibt es eine halbe Spalte im Telefonbuch. Drei, auf die Ihre Beschreibung zutrifft. Ein Oberregierungsrat, ein Pfarrer in Sachsenhausen und ein Juwelier. Der Pfarrer hatte Bibelstunde am Montagmittag, der Oberregierungsrat saß in seinem Zimmer in der Landesregierung, und der Juwelier war in Düsseldorf. Er ist erst gestern wieder nach Frankfurt gekommen. Wer war es denn nun? Ich tippe auf den Pfarrer. Und Sie?«

Lobenstein ging ohne ein Wort hinaus.

Bornig war zu einer UNESCO-Tagung nach Genf gefahren. Engelchen musste Überstunden machen. Es würde mindestens bis neun Uhr dauern, ob sie sich dann treffen wollten.

»Ich weiß noch nicht. Verbinde mich erst mal mit Naumann.«

Naumann ließ ihm sagen, er habe heute keine Zeit, Lobenstein solle sich an Wilhelmi wenden oder morgen kommen.

Lobenstein fuhr wütend nach Hause. Als er auf der Treppe war, hörte er in seiner Wohnung das Telefon anschlagen, aber bis er in sein Arbeitszimmer gekommen war, hatte der Anrufer schon aufgelegt. Eine Stunde später klingelte es wieder. Es war Kenton.

## 42

Kenton platzte fast vor Wut, und Lobenstein konnte feststellen, dass der Engländer nicht nur nahezu akzentfrei sprach, sondern auch alle deutschen Schimpfwörter zu kennen schien.

»Was ist denn nun wirklich geschehen?«, fragte er, als Kenton endlich einmal Luft holte.

»Tun Sie doch nicht so scheinheilig«, brüllte Kenton schon wieder los. »Wer hat denn die Polizei auf Gohrmann gehetzt? Sie etwa nicht? Jetzt ist die Geschichte gestorben. Aber das sage ich Ihnen, die zweieinhalbtausend Pfund bezahlen Sie mir, auf Heller und Pfennig.«

»Shilling und Penny«, korrigierte Lobenstein. »Kommen Sie her, und holen Sie es sich.«

»Am liebsten würde ich das und gleich einen Knüppel mitbringen.«

»Kommen Sie ruhig vorbei, wenn Sie mal in Frankfurt sind. Ich habe Ihnen auch allerhand zu erzählen. Zum Beispiel, wer Jörgensen umgebracht hat.«

»Ich bin in Frankfurt. Und in einer halben Stunde bei Ihnen!«

Er war in knapp zwanzig Minuten da, und er wurde immer friedfertiger, je mehr Lobenstein erzählte.

»Wie sind Sie auf die Idee gekommen, dass Brüdigam in den Fall verwickelt ist?«

»Das sage ich Ihnen, wenn Sie mir verraten, was eigentlich hinter der ganzen Sache steckt.«

»Einverstanden, jetzt ist sowieso schon alles egal. Die Story ist erst einmal verschwunden, und ich befürchte, sie wird nie wieder auftauchen.« Kenton setzte sich bequem. »Ich weiß nicht, wie John an die Sache geraten ist, aber ich denke mir, dass Gohrmann sich an ihn wandte. John hatte schon ein paarmal mit ihm verhandelt, bevor wir uns in Bad Tölz trafen. Gohrmann trat tatsächlich nur als Vermittler auf. Es geht um die Finanzierung der Nazipartei.«

»Ein ziemlich alter Hut.«

»Nicht der NSDAP, Ihrer neuen Nazis. Und nicht nur der NDP, all der rechtsextremen Organisationen seit fünfundvierzig. Jemand aus dem Parteivorstand der Nationaldemokraten, der die Geschichten alle genau kennt, wollte auspacken. Es ist doch eines der bestgehüteten Geheimnisse, wer immer wieder diese Leute finanziert.«

»Nun, Sie übertreiben. Einiges weiß man sehr wohl. Doktor Oetker zum Beispiel, Thyssen, etliche Ruhrkonzerne ...«

»Was weiß man? Nichts. Man vermutet. Es gibt keine Beweise. Es konnte bisher immer wieder abgestritten werden. Vielleicht erinnern Sie sich, dass Herr Oetker sogar den Journalisten verklagt hat, der ihn beschuldigte, die Nazis zu finanzieren. Und Oetker hat recht bekommen, weil das Gericht die Beweise als nicht ausreichend befand. Nur ganz Wenige wissen, wer da alles seine Finger im Spiel hat. Gohrmanns Klient war eingeweiht. Er hatte Beweise. Durchschläge, Fotokopien, Notizen, die Konten bei schweizer und deutschen Banken, auf die das Geld überwiesen wurde, wer sich hinter den Deckadressen und Codezahlen verbirgt. Er könne sogar etwas über den Verbleib des bei Kriegsende verschwun-

denen Nazivermögens sagen. Er wusste, in welchen Firmen das Geld steckt, zumindest ein Teil davon.«
»Warum wollte er plötzlich sein Wissen verkaufen?«
»Darüber hat Gohrmann nichts gesagt.«
»Was sollte das Material kosten?«
»Der Mann war größenwahnsinnig. Zuerst hatte er eine halbe Million Dollar verlangt. Schließlich haben wir uns auf zehntausend Pfund geeinigt. Wenn sein Material wirklich gut war.«
»Ziemlich viel Geld für eine Story, finde ich.«
»Nicht zu viel, wenn sie richtig aufgezogen wurde. Denken Sie an den Kennedy-Mord, damit sind Millionen verdient worden. Das Geld hätten wir wieder reinbekommen und sogar noch gut daran verdient. Diese Story hätte man nicht nur in Europa, sondern auch in Amerika und Kanada verkaufen können. Jeweils eine Geschichte für eine große Illustrierte oder ein Magazin und ein Report für das Fernsehen. Da war mindestens eine Million drin.«
»Und wenn das Material nichts taugte?«
»Das war der springende Punkt. Klar, er wollte es nicht ohne Geld aus der Hand geben. Wir wollten nicht die Katze im Sack kaufen. Ich würde nicht einmal einem Gentleman so viel Geld auf Verdacht geben. An jenem Sonntag sollte John einen Teil der Unterlagen bekommen, Kopien, an denen er die Qualität des Materials überprüfen konnte. Die Übergabe des restlichen Materials, der Originale und vor allem ein Interview mit dem Mann sollten bei mir in London erfolgen. Auch der Vertrag mit ihm sollte über meine Agentur laufen und die Veröffentlichungen. Schon wegen der komplizierten Rechtslage, Sie verstehen.«
Lobenstein konnte sich vorstellen, wie die betroffenen

Unternehmen versuchen würden, solche Veröffentlichungen zu verhindern. Von der Bundesrepublik aus könnte man eine derartige Aktion schlecht starten. Aber wenn das Material wirklich aufschlussreich war, dann konnte es eine internationale Sensation werden.

„Eines verstehe ich immer noch nicht«, sagte er, »wenn das so eine Bombe war, wie konnten Sie dann seelenruhig in Urlaub fahren?«

»John wollte selbst recherchieren. Deshalb hat er überall erzählt, er wolle sich mit seiner Schweiz-Story viel Zeit lassen. Außerdem wollte Gohrmanns Klient erst Ende Oktober nach London kommen.«

»Man müsste Gohrmann dazu bringen, dass er den Namen seines Klienten preisgibt.«

»Das ist aussichtslos. Ich habe mit ihm verhandelt, deshalb bin ich herübergekommen. Aber er tut so, als habe er nie etwas von der Geschichte gehört.«

»Vielleicht haben Sie ihm nicht genug geboten.«

Kenton schüttelte den Kopf. »Ich habe ihm sehr viel geboten. Er scheint das Geld nicht mehr so dringend zu brauchen. Gohrmann hat seinen Vorteil aus der Geschichte gezogen.«

Lobenstein sah ihn fragend an.

»Er hat einen Posten als Justitiar bekommen, bei den ›Vereinigten Stahlwerken‹.«

»Deshalb hat er bei der Posse mitgemacht. Und Mühlens sitzt unschuldig im Gefängnis. Wir müssen sofort etwas unternehmen.«

»Was denn?«

»Sie müssen endlich zur Polizei gehen.«

»Gut, und was geschieht dann? Nichts. Ich habe doch keine Beweise. Haben Sie welche? Selbst wenn wir beide aussagen, was Gohrmann uns erzählt hat, er kann es abstreiten, er kann sogar abstreiten, dass er uns jemals gesehen hat.«

»Aber er kann nicht leugnen, dass Jörgensen ihn in Bad Tölz gefilmt hat.«

»Nur ihn? Und Sie können nicht mal beweisen, dass John es gefilmt hat; selbst wenn Sie zugeben, woher der Film stammt. Schlimmstenfalls wird er sich irgendeine harmlose Geschichte ausdenken, über die wir gesprochen hätten.«

»Versuchen Sie sich zu erinnern, gibt es nicht doch einen Anhaltspunkt, wer Gohrmanns Klient gewesen sein könnte?«

»Ich habe mir darüber weiß Gott schon den Kopf zerbrochen.«

Lobenstein stand auf und wanderte unruhig durch das Zimmer. »Es ist doch zum Verrücktwerden«, sagte er. »Wir wissen, worum es geht, wir wissen sogar, wer Jörgensen umgebracht hat und wie es geschehen ist, aber wir können nichts beweisen. Aber wenn das, was wir wissen, auch nicht als Beweis vor Gericht gilt, für eine gute Story reicht es alle Mal. Und wenn die REVUE die nicht drucken will, dann vertreiben Sie eben den Bericht über Ihre Agentur.«

»Was versprechen Sie sich davon?«

»Dass die Ermittlungen wieder aufgenommen werden. Die Sache wird Aufsehen erregen, und die Polizei kann dann nicht mehr so tun, als ginge sie das nichts mehr an.«

»Die Sache würde bestimmt Aufsehen erregen«, sagte Kenton, »aber ich befürchte, ganz anders, als Sie es sich vorstellen. Nein, die Story ist gestorben, tot, beerdigt. Das Material ist verschwunden, wahrscheinlich für immer, und damit ist die Sache für mich abgeschlossen. Ich bin Geschäftsmann. Ich investiere nichts in ein aussichtsloses Geschäft.«

Lobenstein wollte ihn gerade daran erinnern, dass er bereits

zweieinhalbtausend Pfund investiert hatte, verkniff es sich aber. »Und Mühlens?«, fragte er schließlich.
»Das ist nicht mein Problem. Ich habe nicht über ihn geschrieben.«

# 43

»Vergessen Sie das Ganze«, riet Naumann. »Sie haben doch nichts in der Hand als Vermutungen. Erzählen Sie es Doktor Wenniger, vielleicht hilft es ihm, die Indizien zu erschüttern. Mehr können Sie nicht tun. Vor allem, schließen Sie das Thema schnell ab. Schreiben Sie die letzte Folge, stellen Sie von mir aus in Frage, ob Mühlens der Täter ist, schreiben Sie, dass das erst das Gericht feststellen muss und so weiter, und dann …«
Naumann richtete sich auf und lehnte sich über den Schreibtisch. Er stützte die Hände auf, schlug mit den Fingern auf die Tischplatte und lächelte Lobenstein ins Gesicht. »Ich habe ein phantastisches Angebot für Sie!«
»Da bin ich aber gespannt.«
»Ich habe gestern Abend Herberger von den ›Acothen-Werken‹ getroffen. Die Chemie hat eine große Publicity-Aktion vor, eine Art weltweite Offensive gegen den Druck der Amerikaner und Japaner. Ein ganzes Programm. Eine der Ideen ist eine Reihe von Storys, die in die großen Magazine und Illustrierten lanciert werden sollen. Reportagen und Berichte, die den Fortschritt zeigen, den die Chemie der Menschheit bringt. Das wäre doch genau das Richtige für Sie! Sie können nach Indien reisen und Brasilien und Zentralafrika, wohin Sie wollen, und sich an Ort und Stelle das Material beschaf-

fen, das Sie brauchen. Wie Menschen heute noch leben. Hunger, den man nur mit Düngemitteln bekämpfen, Ungezieferplagen, deren man nur mit Schädlingsmitteln Herr werden kann, synthetische Fasern für die Nackten der Welt, Impfstoffe gegen Seuchen und so weiter. Die Chemie finanziert die Reisen und sorgt auch für den Vertrieb der Beiträge. Eine seriöse Sache. Sie sind zu nichts weiter verpflichtet, als den tatsächlichen Anteil der deutschen Chemie im Kampf gegen das Elend dieser Welt zu schildern. Seriös, unaufdringlich, wie man so etwas eben macht.«

Lobenstein sah ihn staunend an. »Haben Sie mich dafür vorgeschlagen?«

»Nein, das war Herbergers Idee. Er hält große Stücke auf Sie.«

»Das gibt es also wirklich«, sagte Lobenstein, »der goldene Käfig.«

»Ich verstehe Sie nicht.«

»Ich soll weg von hier. Düngemittel, Kunststofffasern und Weizen für die Welt, Antibabypillen, DDT; in Indien und Thailand und Südamerika und im afrikanischen Busch. Nur nicht in Frankfurt. Die Herren lassen es sich etwas kosten, das muss ich gestehen.«

»Ich glaube, ich verstehe Sie immer noch nicht.«

»Herberger steht auf Jörgensens Liste, haben Sie das wirklich schon vergessen? Jörgensen wusste genau, warum er über die ›Acothen‹ und die anderen Firmen recherchieren ließ. Es war keine Fehlinformation. Er war goldrichtig. Er hatte mitten in den Dreckhaufen gefasst. Deshalb wurde er umgebracht. Nicht wegen der lächerlichen zehntausend Mark, die er bei sich hatte, und nicht wegen seiner Kamera-Ausrüstung. Es geht um ganz andere Beträge.«

»Sie sind hirnverbrannt. Das ist doch absoluter Nonsens. Wollen Sie im Ernst behaupten, diese Konzerne hätten Jörgensen umbringen lassen? Grotesk!«

»Das behaupte ich nicht. Brüdigam und Hammer dürften zu den Leuten gehören, die das Geld bekommen haben, zur NPD oder was weiß ich. Als jetzt einer ihrer Leute auspacken wollte, mussten sie versuchen, das zu verhindern. Und das Material sicherstellen. Dabei haben sie Jörgensen umgebracht.«

»Glauben Sie eigentlich selbst diese Ammenmärchen? Industriebosse, die die NPD und dergleichen finanzieren? Wozu sollten sie? Wenn ein Mann wie Herberger etwas will, dann ruft er den Minister an, ob das nun ein Christdemokrat ist oder ein Sozialdemokrat oder sonst was für ein Demokrat, oder er spricht mit ein paar Abgeordneten. Nennen Sie mir einen einzigen Grund, warum Herberger diesen obskuren Leuten von der Rechten Geld geben sollte.«

»Vielleicht tut er es wirklich nicht mehr«, sagte Lobenstein. »Vielleicht hat er das nur früher getan. Ich kann es nicht beweisen. Das Material ist offensichtlich wieder verschwunden, und der Mann, der es verkaufen wollte, auch. Und der famose Herr Gohrmann ist Justitiar bei den ›Vereinigten Stahlwerken‹. Vielleicht ist es den Herren von der Industrie jetzt nur peinlich, wenn herauskommt, wen alles sie finanziert haben, solange sie sich nicht sicher waren, ob sie diese Leute nicht doch eines Tages wieder brauchen würden. Eine kleine Reserve für schwere Tage sozusagen, wenn die feineren Methoden nicht mehr ausreichen. Das wäre doch ein hinreichender Grund.« Lobenstein hatte sich in Wut geredet. »Und Grund genug, mich zu finanzieren, dass ich das Maul halte.«

»Soll das etwa heißen, dass Sie das Angebot nicht interessiert? Überlegen Sie es sich in Ruhe. Mann, Lobenstein, jeder andere würde Herberger die Füße für solch eine Chance küssen.«

»Genau das will ich nicht. Ja, es ist ein verlockendes Angebot. Zu verlockend. Und der Preis ist zu hoch: meine Selbstachtung. Was bin ich nach dieser Reise? Eine von diesen vielen miesen, käuflichen Schreiberseelen, die man mit einem Arschtritt verjagen kann. Man liebt zwar den Verrat, doch niemals den Verräter. Ich will nicht aufhören, mich nass zu rasieren, weil ich den Anblick meines Gesichtes nicht mehr ertragen kann. Ich will mir jeden Morgen in die Augen sehen können. Ich will mein Gesicht nicht verlieren. Das will ich.« Naumann sah ihn spöttisch an. Er hatte sich zurückgelehnt und die Arme über der Brust verschränkt.

»Und dass die REVUE die Serie ändert, will ich. Dass diese Schweinerei nicht länger unter meinem Namen veröffentlicht wird.«

»Sie haben es doch geschrieben, oder?«

»Ja, und deshalb verlange ich, dass der Bericht sofort geändert wird, sofort!«

»Tut mir leid, die Serie läuft so, wie sie ist.«

»Dann ohne meinen Namen.«

»Bitte, wie Sie wollen. Auf Wiedersehen. Nein, leben Sie wohl, Herr Lobenstein.«

# 44

Lobenstein fuhr ins Ermlandhaus. Dr. Wenniger wollte ihn zuerst gar nicht empfangen, und Lobensteins Erklärungen wollte er auf keinen Fall hören. »Sparen Sie sich Ihre Worte. Mühlens ist nicht mehr mein Klient.«

»Will die REVUE Sie nicht mehr bezahlen?«

Der Anwalt lachte sauertöpfisch. »Das auch. Aber Mühlens hat mich abgelehnt. Er ist mit meiner Arbeit nicht zufrieden.« Wenniger breitete seine Arme aus wie ein Unschuldsengel. »Er will partout unschuldig sein, und das kann ich ihm einfach nicht abkaufen. Er ist in die Sache verwickelt, das steht für mich fest. Und selbst wenn er es nicht wäre, ist es nicht damit getan, dass er seine Unschuld beteuert, da muss man schon hart arbeiten, um es auch beweisen zu können. Ich hoffe, dass er wieder einen guten Anwalt bekommt.« Wenniger lächelte ironisch. »Kann ja sein, dass mein Nachfolger erfolgreicher ist. Ich glaube jedenfalls, dass Mühlens nur noch ein stichfestes Alibi retten könnte, aber wo sollte das herkommen?«

Lobenstein ging zur Staatsanwaltschaft.

»Ich will nicht unterstellen, dass Sie sich das ausgedacht haben«, sagte der Staatsanwalt, »aber Sie werden einräumen, dass es sehr abenteuerlich klingt. Und ich wüsste nicht, was wir noch unternehmen könnten. Die Kriminalpolizei ist allen Ihren Angaben nachgegangen, wie ich sehe. Kriminalrat Maurach ist einer unserer besten Beamten. Ein erfahrener Kriminalist. Wollen Sie ihm Amtspflichtverletzung vorwerfen? Ich kann keine Versäumnisse entdecken. Vielleicht versuchen Sie es einmal beim Bundesverfassungsschutz?«

»Ich habe mir alles ausgedacht, ja?«
»Das habe ich nicht gesagt. Es gibt nur leider keine Beweise für die Richtigkeit Ihrer Angaben. Nicht einmal einen Hinweis, dass sie stimmten könnten. Im Gegenteil.«
»Und die Aussage von Kenton?«
»Liegt mir vor. Ich nehme an, sie wird im Prozess berücksichtigt werden. Das hängt ganz von der Verteidigung ab. Ich messe dem nicht sehr viel Bedeutung zu. Aber auch das wird das Gericht entscheiden. Wir ermitteln nur. Wir urteilen nicht.« Er hatte ein sehr vornehmes Lächeln.
»Aber Mühlens ist unschuldig. Da kann man doch nicht einfach abwarten und die Daumen drehen.«
»Das ist Ihre Ansicht, Herr Lobenstein. Ich weiß nicht, woher Sie die Sicherheit für Ihre Meinung nehmen, aus den Tatsachen wohl kaum. Mühlens ist hinreichend verdächtig. Wenn er unschuldig sein sollte, wird das Gericht das gewiss feststellen. Ich habe sehr viel Vertrauen zu unseren Gerichten. Wir leben schließlich in einem Rechtsstaat.«
»Gib auf«, sagte Bornig. »Was denkst du denn, wer das drucken soll? Ohne Beweismaterial bringst du diese Geschichte nicht einmal bei einem linken Blatt unter. Dafür wirst du Besuch von den Herren Hammer & Co. erhalten. Nimm die Drohung um Gottes willen ernst. Niemandem ist damit gedient, wenn du eines Tages so endest wie Jochen.«
»Ein Toter ist denen schon zu viel«, entgegnete Lobenstein. »Dass ich noch lebe, ist der beste Beweis dafür. Es ist doch offensichtlich, dass Jörgensens Tod nur eine Panne war. Und selbst wenn die Leute um Hammer wütend werden, die Firmen, die in die Sache verwickelt sind, können nicht an einem neuen Skandal interessiert sein. Die werden schon dafür sorgen, dass mir nichts passiert. Denk doch daran, was die

sich einfallen lassen, um mich aus Frankfurt wegzubekommen. Ein Mord wäre billiger.«

»Ich glaube nicht, dass diese Publicity-Aktion extra deinetwegen erfunden wurde. Du bist nur der geeignete Mann dafür …«

»Nein, das bin ich nicht, will ich auch nicht sein. Ich setz mich nicht freiwillig in einen Käfig, und wenn er noch so gut vergoldet wäre!«

»Hast du bisher etwas anderes getan? Machst du dir wirklich noch Illusionen? Immer noch? Du hattest so lange Handlungsfreiheit, wie du nicht an den Stäben deines Käfigs gerüttelt hast. Da durftest du auch ruhig mal das Nest beschmutzen. Das war sogar erwünscht. Das gab dem Ganzen einen Hauch der viel gepriesenen Freiheit und schadete dem System nicht im Geringsten, im Gegenteil. Aber jetzt willst du den wirklich Mächtigen auf ihre mit so viel Mühe und Geld weiß gehaltenen Westen spucken, und sie sollen es auch noch veröffentlichen … Wem gehören denn die Verlage? Von wem sind sie abhängig? Gib endlich auf! Nimm Vernunft an, du brichst dir sonst nur das Genick. Und danach kräht kein Hahn!«

»Und Mühlens?«

»Der hat eben Pech gehabt. Wie viele Menschen sterben jeden Tag durch Autounfälle – waren die schuldig? Wie viele sitzen unschuldig hinter Gittern – tu doch nicht so, als wüsstest du das nicht.«

»Mühlens hat kein Pech gehabt«, sagte Lobenstein böse, »er hat mich gehabt. Du kannst das in der REVUE nachlesen: ›Unser Reporter lieferte die entscheidenden Indizien.‹ Ich habe mich noch damit gebrüstet. Wer hat Maurach die Eilenbergfotos gebracht? Wer hat ihn gefragt, ob er auch die Autofriedhöfe kontrolliert hätte? Wer hat die Gamsfeld aufgestöbert und dadurch die Polizei erst auf den Flughafen angesetzt? Wer weiß, ob der Kellner sich jemals gemeldet hätte, die Gamsfeld bestimmt nicht. Wer hat gefragt, warum Mühlens auch die Fünfunddreißig-Millimeter-Kamera eingepackt hat? Wer hat …«

»Nun mach dir mal nicht in die Hosen«, unterbrach Bornig. »Du hast ebenso gut Fakten recherchiert, die für Mühlens sprechen. Nimm dich nicht schon wieder zu wichtig. Du hast schließlich nichts anderes getan als sonst auch – eine Story geschrieben.«

»Genau das ist es! Ich habe eine Story geschrieben – wie sonst. Wir haben den ganzen Redaktionsapparat in Bewegung gesetzt – wie sonst. Um die Wahrheit zu finden? Nein, um meine Version abzusichern. Soll ich mich hinstellen und sagen, mein Name ist Hase, ich weiß von nichts? Ich kann mir nicht selbst etwas vormachen. Ich war nur zu schnell bereit, die Suche nach der Story aufzugeben und mich auf Mühlens zu stürzen, damit ich meinen Beitrag für die REVUE bekam. Warum? Weil ich nicht versagen wollte. Weil ich glaubte, es mir nicht leisten zu können, dass ich mit leeren Händen dastand. Dabei waren meine Hände nicht einmal leer. Jörgensens Leben bot Stoff genug für eine Geschichte, aber das war ja nicht sensationell genug für die REVUE, das hätte wie eine Niederlage aussehen können. – Ich wollte mit Gewalt einen Knüller bringen. Nur keine Niederlage einstecken, das könnte dem Image schaden …«

»Maurach …«, setzte Bornig an, aber Lobenstein ließ ihn nicht zu Wort kommen.

»Maurach wollte den Fall schnell abschließen. Hier hätte mein Verstand einsetzen müssen. Ich wusste doch, wie schnell bei uns verhaftet wird, wie wenig Zeit man für die

Ermittlungen aufwendet und wie leicht einer in falschen Verdacht kommen kann.«

»Ich sehe nichts Ehrenrühriges daran, sich auf die Ermittlungen der Polizei zu stützen.«

»Die Polizei legt ihre Ermittlungsergebnisse dem Gericht vor, und das urteilt danach. Aber ich habe Mühlens schon vorher öffentlich verurteilt. Ohne Prozess. Jeder Verbrecher kann sich vor Gericht verteidigen. Wer kann sich gegen unsere Verdächtigungen wehren? Ein Mann wie Mühlens jedenfalls nicht. Nehmen wir an, er wird tatsächlich freigesprochen. Wann? Wird man ihn wegen erwiesener Unschuld freisprechen? Höchstens mangels hinreichender Beweise. Du weißt, was das bedeutet. Der Mann ist erledigt. Ich habe die Leser doch davon überzeugt, dass Mühlens ein Mörder ist. Wochenlang. In einer Million Exemplaren pro Woche. Ich weiß aber jetzt, dass er unschuldig ist. Ich weiß sogar, wie und von wem Jörgensen umgebracht wurde und weshalb. Wie kann ich da die Hände in den Schoß legen? Ich habe mir gestern die Leute, die Hammer heißen, angesehen.«

Bornig blickte überrascht hoch.

»Ja, ich habe meinen Hammer gefunden. Juwelier! Ein Laden für An- und Verkauf von Uhren und Schmuck im Bahnhofsviertel ist es. Er kannte mich natürlich nicht: Er hätte mich nie gesehen. Dabei hat er mich angegrinst, dass ich ihm am liebsten eine in die Fresse gegeben hätte.«

»Warum hast du es nicht getan?«

»Sein Ladendiener, oder was das war, wich ihm nicht von der Seite, und der sah so aus, als wäre er mal Landesmeister im Schwergewicht gewesen. Sollen diese Schweine ungeschoren davonkommen?«

»Was ist mit Kenton, kann er nicht …«

»Ich war mit Kenton bei Maurach. Wir haben unsere Aussage zu Protokoll gegeben. Mehr ist bei Kenton nicht zu erreichen.«
»Wie hat Maurach reagiert?«
»Gelächelt.«
»Es wird noch so weit kommen, dass alle Welt dich mitleidig auslacht. Du hast keine Beweise.«
»Ich selbst bin ein Beweis. Was ich gesehen, gehört und erlebt habe. Und ich bin – Gott sei Dank – nicht irgendwer, ich habe einen Namen, den werde ich einsetzen, um die Sache wieder in Gang zu bringen. Es gibt auch noch unabhängige Zeitungen. Und das Fernsehen.«

Lobenstein schloss sich ein paar Tage ein und schrieb einen Bericht, in dem er die Geschichte seiner Nachforschungen im Fall Jörgensen niederlegte.
Zuerst fuhr er nach München und bot Gerster das Manuskript als Exposé für einen Beitrag in dessen Fernsehmagazin an. Gerster wollte es nicht. »Sie haben keine Beweise. Keine Tatsachen.«
»Meine Aussagen sind Tatsachen. Setzen Sie mich vor die Kamera, und befragen Sie mich. Geben Sie das Ganze als meine Story aus. Sagen Sie von mir aus, dass Sie mir kein Wort glauben, dass die Sache aber so verrückt ist, dass man sie schon wieder interessant finden kann. Verkaufen Sie mich als Kuriosität. Die Leute schreien nach Kuriositäten.«
»Ich weiß nicht, ob Sie verrückt geworden sind, ich jedenfalls bin es nicht. Das wäre meine letzte Sendung. Wenn sie überhaupt über den Sender ginge. Wenn ich Ihnen raten darf – geben Sie die Sache auf. Es ist aussichtslos. Schreiben Sie für uns die Serie über die ›Wunder der Medizin‹, die Jörgensen begonnen hatte.«

Lobenstein steckte nicht auf. Er bedankte sich bei Gerster für das Angebot, er würde es sich überlegen. Dann klapperte er die anderen Fernsehredaktionen ab, danach die großen Illustrierten und Magazine, schließlich ging er sogar zur HANNOVERSCHEN RUNDSCHAU und zum WELTBLICK. Man empfing ihn überall mit offenen Armen. Aber sobald man den Beitrag gelesen hatte, versteinerten die Gesichter. Man bedauerte. Im Augenblick hätten sie nicht einmal ein anderes Thema, das sie ihm anbieten könnten. Man verabschiedete ihn mit mitleidigen oder besorgten Blicken.
Drei Wochen reiste er mit seinem Manuskript umher, dann rief er Gerster an.
»Freut mich für Sie«, sagte Gerster. »Ich wusste, eines Tages würden Sie vernünftig werden.«
Lobenstein stürzte sich auf die »Wunder der Medizin«. Er meldete sich bei niemandem. Engelchen besuchte ihn ab und zu, erzählte Redaktionsklatsch und machte stillschweigend ein wenig Ordnung in der Wohnung. Bornig war nach Marokko in Urlaub gefahren. Lobenstein unternahm lange Spaziergänge und ging oft ins Kino. Als er eines Abends nach Hause kam, lag ein Zettel auf dem Korridor.
»Ich muss Sie dringend sprechen. Ich versuche es morgen um zehn, wenn Sie nicht abtelefonieren. Meyer. (Von der FREIHEIT. Ich hoffe, Sie erinnern sich meiner noch. Sie haben mich mal über Mühlens befragt.)«

## 45

Meyer kam nicht allein. Er brachte einen alten Mann mit, dem es sichtlich schwergefallen war, die eine Treppe hochzusteigen.

»Wie geht es Ihnen?«, fragte Meyer.

»Sind Sie gekommen, mich danach zu fragen?«

»Ja.«

Lobenstein sah ihn verblüfft an. Er half dem alten Herrn aus dem Mantel und bat sie in sein Arbeitszimmer. Er musste erst ein paar Stühle abräumen.

»Sie werden es mir nicht übelnehmen, wenn ich mich wundere. Womit habe ich Ihre plötzliche Anteilnahme für mein Wohlbefinden verdient?«

»Ich habe gehört, dass Sie einen Artikel geschrieben haben und eine Zeitung suchen, die ihn druckt. Vielleicht sind wir interessiert.«

Lobenstein stützte die Ellenbogen auf den Tisch, legte das Kinn auf die gefalteten Hände und sah Meyer spöttisch an.

»Ach, wissen Sie, Herr Meyer, wenn ich scharf darauf wäre, für die FREIHEIT zu schreiben, dann hätte ich Sie schon angerufen. Ich befürchte, wir haben zu verschiedene Ansichten, als dass wir miteinander auskommen könnten. Außerdem habe ich keine Zeit, noch zusätzliche Arbeiten zu übernehmen. Ich bin sozusagen voll beschäftigt.«

»Wozu das Versteckspielen? Sie wissen genau, von welchem Artikel ich spreche. Und für den haben Sie noch keine Zeitung gefunden, oder? Übrigens, ich habe vergessen, Ihnen Doktor Langhans vorzustellen. Er ist der Verteidiger von Mühlens.«

»Ich hoffe, Sie können meinem Mandanten helfen«, sagte Langhans.

»Nein, das kann ich nicht. Ich habe es wirklich versucht, aber nun sehe ich keine Möglichkeit mehr, tut mir leid.« Langhans sah Lobenstein prüfend an. »Ich kenne Sie nicht. Ich habe nur Ihre Artikel gelesen und mir danach ein Bild von Ihnen gemacht. Ich habe Sie sehr geschätzt. Ich rechnete Sie zu den wenigen bürgerlichen Journalisten, die sich noch ein Gespür für Recht und Unrecht, ein Gefühl für Moral und ein Quantum Verantwortungsbewusstsein erhalten haben. Ich hoffe nicht, dass ich mich da geirrt habe. Es geht schließlich darum, einen Unschuldigen zu retten. Oder sind Sie abgebrüht genug, den Rest Ihres Lebens mit dem Gedanken zu verbringen, dass ein Unschuldiger hinter Gittern sitzt, den Sie vielleicht hätten retten können?«
»Was wollen Sie eigentlich von mir? Kann ich noch mehr tun? Wer sagt mir, dass es das nächste Mal so glimpflich ausgeht? Warum soll ich eigentlich meinen Kopf für einen Mann riskieren, den ich nicht einmal gesehen habe? Warum? Sagen Sie mir einen Grund.«
»Um leben zu können. Um Ihrer Selbstachtung willen. Ist es Ihnen nichts wert, sich sagen zu können, dass Sie sich menschlich verhalten haben?«
»Hören Sie mir auf mit Menschlichkeit. Ich kann das Wort nicht mehr hören. Im TAG steht es jeden Tag zehnmal. Menschlichkeit ist nur noch ein feiles Schlagwort, das billig gehandelt wird. Haben Sie denn immer ›menschlich‹ gelebt?«
»Ich habe zwölf Jahre unter unmenschlichen Bedingungen gelebt. In Zuchthäusern und Konzentrationslagern. Ich glaube, das gibt mir das Recht, von Menschlichkeit zu sprechen und sie zu fordern, zumal für einen Unschuldigen.«
»Verzeihen Sie bitte.«
»Schon gut. Ich möchte Ihnen einen Vorschlag machen. Las-

sen Sie uns gemeinsam überlegen, ob und wie Mühlens zu helfen ist, und entscheiden Sie dann, was Sie dazu beitragen wollen. Einverstanden?«

Es wurde eine lange Beratung.

»Wenn wir Glück haben«, sagte Langhans schließlich, »finden wir ein Gericht, das ihn aus Mangel an Beweisen freispricht. Aber nach meinen Erfahrungen mit der Justiz möchte ich mich nicht auf das Glück verlassen. Wir brauchen Beweise für seine Unschuld.«

»Wir müssen versuchen, die Öffentlichkeit zu interessieren«, sagte Meyer. »Vielleicht melden sich dann doch noch Zeugen, die Mühlens irgendwie entlasten können. Durch den Druck der Öffentlichkeit könnten sich auch Polizei und Staatsanwaltschaft gezwungen sehen, noch einmal mit den Ermittlungen zu beginnen.«

Lobenstein sah Meyer spöttisch an. »Und wie wollen Sie die Öffentlichkeit erreichen? Wie wollen Sie Druck erzeugen? Mit der FREIHEIT etwa? Wer reagiert bei uns schon auf eine Veröffentlichung in der kommunistischen Presse? Doch höchstens der Staatsanwalt. Mit dem Verbot der Zeitung. Da funktioniert unsere Pressefreiheit phantastisch. Jeder hat die Freiheit, so etwas einfach nicht zur Kenntnis zu nehmen.«

»Nicht, wenn Sie schreiben.«

»Soll ich Ihnen sagen, was das Ergebnis wäre, das einzige Ergebnis? Ich wäre völlig ruiniert. Glauben Sie, dass dann irgendeine Zeitung auch nur noch eine Zeile von mir druckt? Oder dass das Fernsehen mich noch haben will?« Er lachte bitter. »Ich habe Jörgensen beerbt, wenn Sie so wollen. Das ist aber auch alles, was mir der Fall eingebracht hat. Ein Thema, das er einmal angefangen hat: ›Wunder der ‚Medizin‹. Ein schönes, ruhiges Thema. Absolut ungefährlich. Und sehr verdienstvoll.«

»Wir könnten es so arrangieren, dass Sie weitgehend aus der Sache herausbleiben«, schlug Meyer vor. »Wir müssen den Artikel nicht von Ihnen bekommen. Wir könnten aus dritter Hand von der Sache erfahren haben und darüber berichten. Das kann uns niemand verwehren. Nicht einmal Sie. Sie können sich, wenn Sie wollen, sogar bei uns beschweren. Wir werden schildern, was Sie angeblich erfahren haben, was Sie versucht hätten, wie es Ihnen dabei ergangen ist und dass Sie nun aufgesteckt haben, weil sich niemand für Ihre Version interessiert.«

»Kein Mensch wird das auch nur zur Kenntnis nehmen.«

»Doch, man wird. Nicht die ganze Presse in der Bundesrepublik, da mache ich mir keine Illusionen, aber das Ausland wird reagieren. Und wegen der Reaktion im Ausland wird man sich gezwungen sehen, den Fall wieder zu diskutieren.«

»Niemand wird sich zu nichts gezwungen sehen.«

»Wussten Sie, dass Mühlens einen Selbstmordversuch unternommen hat?«, fragte Langhans plötzlich.

Lobenstein schwieg betreten. »Okay«, sagte er dann, »machen Sie, was Sie wollen, aber nicht unter meinem Namen.«

## 46

Meyer hatte nur zum Teil richtig vorhergesagt. Eine Reihe von Zeitungen, Rundfunk- und Fernsehanstalten des Auslands gingen auf die Veröffentlichung ein, aber die Reaktion in der Bundesrepublik hatte er weit überschätzt. Außer in den wenigen antifaschistischen und einigen unbedeutenden linksliberalen bürgerlichen Blättern wurde die Sache totgeschwiegen. Dafür klingelte es drei Tage nach der Veröffentlichung bei Lobenstein. Zwei Kriminalbeamte forderten ihn auf, sie zu Maurach zu begleiten.

»Und wenn ich nicht mitkomme?«, fragte Lobenstein.

»Dann bekommen Sie in einer halben Stunde eine schriftliche Vorladung. Kriminalrat Maurach meinte, es wäre Ihnen sicher lieber, ihn so zu besuchen.«

»Ich hätte nicht gedacht, dass wir uns in dieser Angelegenheit noch einmal wiedersehen«, begrüßte ihn Maurach. »Aber Sie lassen mir keine Wahl.«

»Sie nehmen den Fall also wieder auf? Sie interessieren sich jetzt doch noch für meine Aussage?«

»Ihre Aussagen interessieren mich sogar sehr. Aber ich habe nicht die Absicht, mir noch einmal Ihre Räubergeschichten anzuhören. Ihre Angaben sind sorgfältig geprüft worden. Wir haben nichts finden können, das uns Anlass gegeben hätte, unsere Auffassungen zu revidieren.«

»Warum haben Sie mich dann holen lassen?«

»Ich muss Ihnen mitteilen, dass gegen Sie ein Untersuchungsverfahren wegen Unterschlagung von Beweismaterial, Diebstahl und vorsätzliche, böswillige Behinderung der polizeilichen Arbeit im Mordfall Jörgensen eingeleitet wurde. Sie sind hier, um zu diesen Vorwürfen Stellung zu nehmen. Wollen Sie, dass wir einen Beamten zum Protokoll hinzuziehen, oder sind Sie mit einer Tonbandaufzeichnung Ihrer Aussagen einverstanden?«

»Ich halte nicht viel von Tonbändern.«

»Gut, wie Sie wollen.« Maurach rief einen Beamten. »Was haben Sie also zu sagen?«

»Nichts, solange Sie mir nicht verraten, aus welchem Grund Sie ein derartiges Verfahren eröffnet haben.«
»In dem Artikel, der in der FREIHEIT erschienen ist, steht, dass Sie in Baden-Baden mit Fotos recherchiert haben, die Jörgensen noch kurz vor seinem Tode aufgenommen hatte. Woher haben Sie diese Fotos?«
Lobenstein zwang sich, ruhig zu bleiben. Er überlegte fieberhaft. »Ich bin nicht verpflichtet, Ihnen über die Herkunft von Materialien und Informationen, die ich verwende, Auskunft zugeben«, sagte er. »Ich darf mich da auf das Grundgesetz berufen. Solche Informationen unterliegen dem Pressegeheimnis. Ich habe das Recht, meine Informanten zu schützen.«
»So, haben Sie?«
»Außerdem ist der Artikel in der FREIHEIT nicht von mir. Es sind Vermutungen von Leuten, für die ich nicht arbeite und mit denen ich keine Verbindung habe.«
»Sie haben am Zweiundzwanzigsten dieses Monats von –«, Maurach blätterte in seinen Papieren, »von zehn Uhr morgens bis zwanzig Uhr abends in Ihrer Wohnung mit dem stellvertretenden Chefredakteur der FREIHEIT verhandelt. Fünf Tage darauf ist der bewusste Artikel in der FREIHEIT erschienen. Wollen Sie mir erzählen, dass nicht über den Artikel gesprochen wurde?«
»Es wurde über einen Artikel gesprochen, den ich vor längerer Zeit geschrieben und vergeblich unterzubringen versucht habe. Ich habe es abgelehnt, ihn der FREIHEIT zum Druck zu überlassen. Für die Veröffentlichung in der FREIHEIT bin ich nicht verantwortlich.«
»Nun, wir werden auch das herausbringen.«
»Der beste Beweis ist doch, dass die Zeitung nicht meinen Artikel gebracht hat, sondern einen eigenen. Da brauchen

Sie niemanden zu fragen. Zumal ich nicht glaube, dass die Leute von der FREIHEIT Ihnen bereitwillig Auskunft über redaktionsinterne Dinge geben werden.«

»Vielleicht nicht bereitwillig. Sie wissen jedoch, dass ich Herrn Meyer in Beugehaft nehmen kann, um ihn zur Preisgabe seines Informanten zu zwingen. Aber erklären Sie mir bitte, worüber Sie dann mehr als zehn Stunden beraten haben?«

»Diese zehn Stunden sind auch nur eine Ihrer unbewiesenen Behauptungen.«

»Ich muss Sie enttäuschen. Mir liegt eine Aussage über Beginn und Ende der Unterredung vor.«

»Ich wusste nicht, dass Sie mich überwachen lassen. Darf ich den Grund erfahren? Das ist Berufsbehinderung. Ich werde mich beschweren.«

»Vielleicht hat man nicht Sie überwacht? Die Zeit stimmt jedenfalls.«

»Wenn Sie so gut unterrichtet sind, dann wissen Sie sicher auch, dass noch ein dritter Mann dabei war. Mühlens' Verteidiger. Ich wusste nicht, dass es strafbar ist, sich mit einem ordnungsgemäß zugelassenen Strafverteidiger zu unterhalten.«

»Woher haben Sie die Fotos? Oder wollen Sie abstreiten, dass Sie in Bad Tölz Fotos herumgereicht haben? Soll ich Ihnen die Zeugenaussagen des Hotelpersonals vorlesen?«

»Ich bestreite gar nicht, dass ich Fotos gezeigt habe. Aber ich verstehe nicht, was das mit Ihrem Vorwurf zu tun haben soll. Es ist üblich, dass Journalisten Fotos besitzen.«

Maurach schlug mit der Faust auf den Tisch. »Aber es ist nicht üblich, dass Journalisten ihre Fotos während einer polizeilichen Untersuchung am Tatort stehlen.«

»Wer hat Ihnen denn diesen Bären aufgebunden?« Maurach lächelte. »Ja, das möchten Sie wissen. Das glaube ich Ihnen ausnahmsweise einmal. Ich habe dafür einen Zeugen. Einen glaubwürdigen Zeugen.« Sein Lachen war reines Arsen.

Möbius! Aber der konnte nichts beweisen, der hatte den Film und die Fotos nie gesehen. Er lehnte sich entspannt zurück. »Auf Ihren Zeugen bin ich neugierig.«

»Sie denken, dann steht Aussage gegen Aussage? Warum sollte Ihre ehemalige Chefredaktion falsch gegen Sie aussagen?«

Diese Schweine, dachte Lobenstein.

»Sie können sicher nachweisen, woher Sie die Aufnahmen haben«, sagte Maurach. »Solange halte ich mich an die Tatsachen. Tatsachen sprechen eine eindeutige Sprache.«

»Das sieht man am besten im Fall Mühlens. Sie werden begreifen, dass ich Ihren Tatsachen etwas skeptisch gegenüberstehe.«

»Wollen Sie damit sagen, dass die Kriminalpolizei vorsätzlich Tatbestände nicht untersucht oder Fakten fälscht?«

»Nein, das will ich natürlich nicht sagen.« Lobenstein drehte sich zu dem Protokollbeamten um. »Haben Sie das? Ich werde es mir überlegen«, fuhr er fort, »ob ich Ihnen über die Herkunft der Fotos, die ich in Bad Tölz hatte, etwas verraten kann.«

»Vor allem werden Sie mir die Fotos geben und den Film dazu.«

»Welchen Film? Von was für einem Film reden Sie bloß?«

»Gut, wie Sie wollen. Dann werde ich eben bei der Staatsanwaltschaft Beugehaft gegen Sie beantragen, bis Sie das Material herausgeben und über seine Herkunft aussagen. Ich dachte, ich könnte mich gütlich mit Ihnen einigen, aber wenn Sie nicht wollen …« Er ging aus dem Zimmer. Es dauerte über eine halbe Stunde, bis er zurückkam.

»Also, wollen Sie jetzt aussagen und Film und Fotos herausgeben?«
»Die Fotos können Sie haben, die sind bei mir zu Hause. Das ist alles, was ich zurzeit für Sie tun kann.«
»Wir werden sehen. Meine Beamten werden sie holen. Hier ist der Hausdurchsuchungsbefehl.« Er hielt Lobenstein das Schreiben hin.
»Ich verlange einen Verteidiger«, sagte Lobenstein. »Ich protestiere gegen meine Festnahme.«
»Wieso Festnahme? Sie können gehen. Aber Sie hören noch von mir.«

## 47

»Wie war es in Brüssel?«, fragte Lohenstein Langhans. »Hatten Sie ein angenehmes Wochenende?«
»Ich habe mit Kenton telefoniert. Sie können sich auf ihn berufen. Er wird aussagen, dass er Ihnen die Fotos gegeben hat. Aber nur in London. Er wird deshalb nicht nach Frankfurt kommen. Fühlen Sie sich nun wohler?«
»Das kann man sagen. Ich bekomme neuerdings viel Post. Anonyme Briefe: Kommunistensau – rotes Dreckschwein – Judas verrecke. Sie wissen sicher, was in solchen Fällen üblich ist.«
»O ja, ich habe schon eine hübsche Sammlung zu Hause. Erstklassige Zeugnisse, wie bei uns die Vergangenheit bewältigt worden ist.«
»Da die großen Zeitungen, Fernsehen und Rundfunk nichts über unsere Angelegenheiten gebracht haben, finde ich die Menge der Briefe beachtlich. Ob die Briefschreiber alle die FREIHEIT lesen?«

Sie mussten beide lachen.
»Was gibt es sonst noch Neues?«
»Telefonanrufe. Aber daran habe ich mich inzwischen gewöhnt.«
»Das geht vorüber.«
»Wenn unser Einsatz wenigstens einen Sinn gehabt hätte. Wenn wir es geschafft hätten, Mühlens aus dem Gefängnis zu holen.«
»Wir dürfen die Hoffnung nicht aufgeben. Haben Sie Geduld.«
»Geduld, Geduld! Was muss denn noch passieren, bis ich die Geduld verlieren darf? Das Fernsehen bedauert, dass man mich für die Serie ›Wunder der Medizin‹ leider doch nicht unter Vertrag nehmen könne. Mir fehlten die fachlichen Voraussetzungen. Ich bin wieder mal arbeitslos. Keine der großen Zeitschriften will eine Zeile von mir.«
»Warum schreiben Sie nicht ein Buch über diese Geschichte?«, fragte Langhans.
»Glauben Sie, dass mir das ein Verlag abnimmt?«
»Warum nicht? Es ist doch eine packende Geschichte – das Schicksal dreier Journalisten in unserer Zeit, drei so unterschiedliche Wege. Wenn ich es richtig sehe, haben Sie doch alle zur gleichen Zeit in diesem Beruf angefangen ...«
»Wir sind sogar ein Jahrgang.«
»Na bitte, Sie müssen ja keine Dokumentation daraus machen. Schreiben Sie einen Roman ...«
»Und ein Nachwort dazu, dass das Ganze auf Tatsachen beruht«, ergänzte Lobenstein, er war schon Feuer und Flamme.
»Glauben Sie, dass ich dafür einen Verlag finden könnte?«
»Dabei kann ich Ihnen helfen.« Langhans telefonierte eine Weile, dann fuhren sie in die Stadt. Langhans hatte nicht

zu viel versprochen. Der Cheflektor des Euro-Verlages war begeistert von der Idee. Lobenstein solle schnell eine Konzeption einreichen.

Lobenstein fuhr Langhans nach Hause. Er bekam Lust, sich in ein Lokal zu setzen und wieder einmal richtig zu dinieren. Das Essen in der gepflegten Atmosphäre des »Rheinischen Hofes« tat ihm gut. Auf dem Heimweg fuhr er am Bahnhof vorbei und kaufte sich zwei Flaschen Mosel.

Als er in der Kellergarage den Wein von den Hintersitzen nehmen wollte, sah er neben seinen Füßen einen dritten Schuh. Er kroch schnell aus dem Wagen und drehte sich um. Da traf ihn ein Schlag ins Gesicht. Er schloss die Augen und nahm die Hände vor den Kopf. Ein Schlag in den Magen riss ihm die Hände herunter, ein dritter warf ihn zu Boden. »Das ist die letzte Warnung«, sagte einer. Es waren mindestens zwei, die lachten. Lobenstein krümmte sich und versuchte, sein Gesicht vor den Schlägen und Fußtritten zu schützen. Dann spürte er keine Schmerzen mehr, nur dumpfes Dröhnen, wenn ihn wieder ein Schlag traf. Er sah blaue Blitze und orangefarbene Sterne in einem grünen Meer schwimmen. Langhans sah ihn an. Sein Gesicht war blutüberströmt. Er wankte einen Weg entlang. Er wollte ihm etwas zurufen, aber er brachte nur einen Schrei heraus. Ein Auto fuhr auf ihn zu. Er sprang von einer Brücke und stürzte ins Endlose.

Als er wieder zu sich kam, war sein Körper ein riesiger, schmerzender Kloß. Er erinnerte sich sofort. Er konnte die Augen kaum öffnen. Es war stockfinster. Er überlegte, wie lange er schon so liegen mochte. Um halb neun etwa war er hier gewesen. Halb neun. Eine Stunde? Zwei? Um elf kam der Nachbar nach Hause. Vielleicht war es bald so weit. Und wenn der nicht kam? Er musste raus hier. Er durfte nicht liegen bleiben.

Er versuchte seine Glieder zu bewegen. Zuerst die Finger. Dann die Handgelenke, den linken Arm, die Zehen. Er testete sich durch, wie man eine Rakete vor dem Countdown prüft. Jede Bewegung kostete Überwindung. Es schien nichts gebrochen zu sein.
Schlafen. Einfach liegen bleiben und schlafen. Irgendjemand würde ihn finden.
Raus hier, befahl er sich. Er tastete die Umgebung ab. Der Pfeiler? An der hinteren Wand. Ein Meter weiter der Lichtschalter. Er kroch. Es erschien ihm, als brauchte er eine Stunde dafür und eine weitere Stunde, um sich aufzurichten und an der Wand hochzuschieben. Er rutschte weg. Er weinte vor Wut und Schmerz und Schwäche.
Ein Lichtblitz knallte ihm ins Gesicht. Es dröhnte über den Beton. Der Nachbar fuhr seinen Wagen in die Garage.
Er wollte Lobenstein vorsichtig aufstellen, doch dessen Beine sackten zusammen. Da nahm der Nachbar ihn auf den Rücken und trug ihn die Treppen hinauf, legte ihn auf das Bett, rief einen Arzt und die Polizei.
Keine inneren Verletzungen, stellte der Arzt fest. Nur Prellungen. Keine Brüche. In einer Woche ist das meiste überstanden. Die Polizei wollte ein Protokoll. Morgen. Brauchen Sie Hilfe? Er nannte Engelchens Nummer.
Engelchen war in zehn Minuten da. Sie schob den Nachbarn hinaus, nahm Lobensteins Hand und saß bei ihm, bis er eingeschlafen war. Als er aufwachte, saß sie noch immer neben dem Bett. Wieder. Das Zimmer war aufgeräumt. Es roch nach Kaffee. »Willst du?« Es ist verdammt schwer, mit geschwollenen Lippen Kaffee zu trinken.
Der Arzt hatte recht, nach einer Woche war das Schlimmste überstanden. Sein Körper sah zwar noch immer aus wie eine

Landkarte, das rechte Auge war von Blau über Lila und Grün zu Braun gewechselt, aber die Lippen waren nicht mehr geschwollen, und es tat kaum noch weh, wenn er Engelchen küsste.
Langhans besuchte ihn jeden Tag. Er war der einzige Besucher. Meyer hatte kommen wollen, aber Lobenstein hatte ihn gebeten, darauf zu verzichten, da hatte er Blumen geschickt und eine Flasche Kognak.
»Keine Spur von den Banditen«, berichtete Langhans. »Die Polizei vermutet, dass es Halbstarke waren, die von Ihnen überrascht worden sind. Zumal das Geld aus Ihrer Brieftasche verschwunden ist. Es hat in den letzten drei Wochen siebzehn ähnliche Überfälle in dieser Gegend gegeben.«

Engelchen hatte ein paar Tage Urlaub genommen, dann ging sie wieder arbeiten, kam aber gleich nach Feierabend mit vollen Taschen und bekochte ihn, wie sie es nannte. Sie kochte gut, und jeden Tag lud sie Langhans ein, am nächsten Abend wieder zum Essen zu kommen.
»Eigentlich ein sehr hübsches Mädchen«, sagte Langhans eines Abends, als Engelchen abwaschen ging, »wirklich schade, dass sie ...« Er brach erschrocken den Satz ab.
»Dass sie mit solch einer Nase herumlaufen muss«, ergänzte Lobenstein.
Langhans nickte. »Ich habe schon ein paarmal überlegt, woher ich sie kennen könnte, aber ich komme nicht darauf.«
»Wahrscheinlich aus der REVUE.«
»Ich war nie in der Redaktion.«
»Ich meine die Zeitung. Engelchen war mal so etwas wie eine Berühmtheit.«
Langhans sah Lobenstein misstrauisch an.

»Ja, sie war sogar auf dem Titelbild. Wegen ihrer Nase.« Langhans kannte die Geschichte nicht. Lobenstein erzählte sie ihm.
Engelchens Nase war einst sehr schmal gewesen und sehr lang, bis Engelchen versucht hatte, sie von Chirurgen schönheitskonkurrenzfähig machen zu lassen. In einem der obskuren Institute, die in den Illustrierten-Annoncen Wunder versprachen und ihr für einen phantastischen Preis ein ewig geschwollenes, immer gerötetes Etwas hinterließen. Engelchen hatte sich das Leben nehmen wollen. Im Krankenhaus lag sie apathisch in ihrem Bett, bis eine Krankenschwester ihren Freund, einen jungen Journalisten, mitbrachte und der wiederum eines Tages eine Kosmetikerin anschleppte.
Engelchen ließ alles willenlos über sich ergehen, sich betupfen, bepudern, bemalen, kämmen, Perücken und Brillen durchprobieren und musste dann nur noch den Mut aufbringen, in den vorgehaltenen Spiegel zu sehen.
Sie erblickte ein unbekanntes Gesicht, gar nicht so hässlich, die Nase fiel auf den ersten Blick nicht mehr auf. Mit dem Gesicht konnte man leben.
Der Journalist hatte dann einen Artikel für die REVUE geschrieben, über die sogenannten Schönheitschirurgen, denen das Geschäft alles und das Schicksal ihrer »Betriebsunfälle« nichts galt, dazu ein Foto mit Hakennase vor und eines mit Knollennase nach der Operation und ein ganzseitiges Pin-up-Foto im Badeanzug, auf dem Engelchens Figur gut zur Geltung kam. Die Geschichte brachte der REVUE über dreihundert Leserbriefe, darunter achtzehn Heiratsangebote für Engelchen. Die REVUE druckte sechs Wochen lang Briefe und trieb mit Engelchens Nase die Auflage über

die Millionengrenze und konnte so für die Anzeigenseite fünftausend Mark mehr verlangen.
»Zur Belohnung hat Naumann sie dann als Sekretärin in die Redaktion geholt«, schloss Lobenstein. »Das ist es doch, was die Chefredakteure suchen, Menschlichkeit, Schicksal, Tragik und ein Happyend.«
»Was ist aus dem jungen Reporter geworden?«, fragte Langhans lächelnd.
»Der ist ein dummer Junge geblieben, der sich noch heute verprügeln lässt«, antwortete Engelchen und servierte den Kaffee.
Lobenstein lud Langhans ein, das Wochenende bei ihm zu verbringen. »Statt allein in Ihrer Wohnung zu hocken, können Sie lieber mir die Zeit vertreiben.«
»Gut. Aber ich werde meine Unterlagen mitbringen und Ihnen helfen, die Konzeption für Ihr Buch zu machen.«
»Ach, ich weiß nicht«, zögerte Lobenstein. »Ich glaube, das war doch keine gute Idee.«
Langhans schleppte tatsächlich seine Akten an und tat so, als habe er nichts Wichtigeres zu tun, als an dem Fall zu arbeiten. Von Zeit zu Zeit stellte er Lobenstein eine Frage, schließlich erhob der sich von seinem Lager, setzte sich zu Langhans und fing an, in den Unterlagen zu blättern. Langhans schmunzelte vergnügt.
Sie saßen bis tief in die Nacht und diskutierten die Konzeption. Bald lagen nicht nur der Schreibtisch voller Papier, sondern auch Tisch und Stühle und der größte Teil des Fußbodens. Engelchen schimpfte nicht über die Unordnung. Sie saß mit zufriedener Miene im Schaukelstuhl, las einen Krimi und beteiligte sich ab und zu an der Diskussion.
Als Langhans schließlich zu Bett ging, wollte Lobenstein noch aufbleiben, aber Engelchen blieb hartnäckig und bestand dar-

auf, dass auch Lobenstein sich schlafen legte. Dafür saß er schon am Morgen wieder an den Unterlagen.
»Wir Idioten«, schrie er plötzlich und sprang auf, humpelte durch das Zimmer, beschimpfte sich und lächelte dabei glücklich, aber das sah eher aus wie das Grinsen eines ganz bösen Filmbösewichts, denn seine rechte Gesichtshälfte war immer noch verschwollen.
»Sehen Sie doch bloß«, sagte er und hielt Langhans ein Foto unter die Nase. Es zeigte ein Stück leere Straße. An einer Bushaltestelle, neben einer Vitrine, in der exotische Masken ausgestellt waren, stand ein Mann, so unscharf, dass nicht einmal zu erkennen war, ob es ein junger oder ein alter Mann war.
»Das ist doch eines der Bilder, die Mühlens …«
»… in der Mordnacht aufgenommen hat. Und wenn ich recht behalte, bringt es uns das Alibi für Ihren Schützling.«
»Und wie? Die Bilder sind doch alle ein paarmal überprüft worden, nicht nur von mir, auch von der Polizei und meinem Vorgänger.« Langhans studierte das Bild. »Tut mir leid, ich kann nichts entdecken, was uns helfen könnte.«
»Und was ist das hier?« Lobenstein wies auf das Foto. »Ein Filzpantoffel«, sagte er triumphierend. »Ein echter deutscher Filzpantoffel.«

## 48

Das Radio spielte »Weiße Weihnacht«, und die Jacob-Sisters schnulzten durch den Winterwald. Der Schnee war grau, matschige Rillen, in denen Wasser stand. Auch die trübe Sonne konnte die trostlose Straße nicht freundlicher ma-

chen. Hier lockten weder Tannenbäume noch leuchtende Reklamen oder Weihnachtsdekorationen.
Lobenstein und Engelchen saßen im Wagen, sahen schweigend auf das große graue Tor in der hohen Mauer und warteten.
Als das Tor sich öffnete, stiegen sie aus. Der Mann neben Langhans ging mit müden Schritten. Der Mantel schien zwei Nummern zu weit zu sein. Sein Gesicht war grau wie die Gegend. Er blinzelte in die Sonne.
»So, da haben wir unseren Schützling«, sagte Langhans. »Und das hier ist Herr Lobenstein.«
Der andere gab Lobenstein die Hand und blickte ihm in die Augen. »Ich weiß gar nicht, wie ich Ihnen …«
»Schon gut«, wehrte Lobenstein ab. Engelchen schnäuzte sich. »Dass die Weiber in solchen Augenblicken immer heulen müssen.« Aber Lobenstein fühlte sich auch flau in der Magengegend.
Sie fuhren zu Lobenstein und stießen mit Sekt an.
»Ich bin froh, dass wir Sie doch noch zu Weihnachten herausbekommen haben, Herr Mühlens«, sagte Langhans.
»Ich erst. Manchmal habe ich gedacht, ich komme da nie wieder raus.«
»Das ist jetzt vorbei. In ein paar Wochen ist das nur noch ein finsterer Traum, und Sie werden sich fragen, ob es das überhaupt gegeben hat.«
»Ich möchte es gerne glauben. Aber ich befürchte, diesen Albtraum werde ich mein Leben lang nicht mehr los.«
»Es ist ganz gut, wenn man nicht zu schnell vergisst«, sagte Langhans. »Es wird sowieso zu schnell und zu viel vergessen bei uns. Hauptsache, Sie sind erst einmal wieder unter Menschen.«

»Ja, aber nun verraten Sie mir endlich, wie Sie das geschafft haben. Ich hatte wirklich alle Hoffnungen aufgegeben.«
Langhans und Lobenstein sahen sich an und lachten. »Wir auch. Wir auch.«
»Ich hatte schon völlig aufgesteckt«, begann Lobenstein.
»Aber Lobenstein hatte die entscheidende Idee, die Ihnen schließlich zum Alibi verhalf, das heißt, eigentlich haben Sie es sich selbst beschafft«, ergänzte Langhans.
Mühlens sah sie verständnislos an.
»Na, Ihre Fotos, die Sie in der Mordnacht geschossen haben.«
»Meine Fotos? Ich denke, die waren absolut nicht zu gebrauchen?«
»Sie mögen ja ganz gut für das Thema gewesen sein«, erklärte Lobenstein, »als Alibi waren sie tatsächlich miserabel. Als Doktor Langhans bei uns zu Besuch war und wir in den Unterlagen wühlten, bekam ich die Fotos wieder in die Hände. Ich musste daran denken, welche Rolle ein paar andere Fotos gespielt hatten, die ich auch schon weggelegt hatte, die aber dann plötzlich wichtig wurden …«
»… und unseren Freund Lobenstein fast hinter Gitter gebracht hätten. Aber das ist eine andere Geschichte. Sie müssen sich das vorstellen, Herr Mühlens, plötzlich springt er auf, das heißt, richtig springen konnte er damals noch nicht, und beschimpft sich und uns als Idioten. Dabei hat er eines Ihrer Fotos in der Hand. Ein Foto, auf dem so gut wie nichts zu sehen ist.«
Lobenstein ging zum Schreibtisch und holte die Aufnahmen hervor. »Sehen Sie hier.« Er zeigte auf eine dunkle Ecke. »Die meisten Aufnahmen waren doch Zeitbelichtungen, alle Gesichter verwischt, niemand zu erkennen. Es war nicht einmal festzustellen, dass sie an einem bestimmten

Tag aufgenommen sein mussten. Aber auf diesem Foto ist außer verwischten Gestalten noch die Kontur eines Gesichtes. Auch verrissen, aber nicht so stark wie die anderen. Der Mann musste also stillgestanden haben, sonst wäre er nicht einmal als Mann zu identifizieren gewesen. Und hier«, Lobenstein deutete ein paar Zentimeter tiefer, »was sehen Sie hier? Einen Filzpantoffel. Einen simplen Filzpantoffel mit dem in Deutschland seit Jahrzehnten so beliebten Kamelhaarmuster. Das war es. Ein Mann, der in Filzpantoffeln auf der Straße stand, musste irgendwo in dieser Gegend wohnen. Er musste längere Zeit dort gestanden haben, also war es wahrscheinlich, dass er Sie bemerkt hatte. Es musste gewesen sein, nachdem die Kinos geschlossen hatten, das ging aus der Reihenfolge der Fotos hervor. Irgendwann zwischen halb elf und Mitternacht. Wenn der Mann sich an Sie erinnern konnte, hatten Sie ein Alibi, denn dann konnten Sie unmöglich um halb elf am Flughafen gewesen sein und bis drei viertel zwölf Jörgensen ermordet und von der Eilenbergbrücke gestürzt haben und um Mitternacht wieder in einer Bar in der Kaiserstraße sitzen. Das hätten Sie selbst mit einem Rennwagen nicht schaffen können. Wir brauchten nur den Mann zu finden.«

»Nur ist gut«, sagte Mühlens. »Ich hätte sicher nicht geglaubt, dass man ihn finden könnte.«

»Ich habe es auch nicht geglaubt. Ich war schnell wieder runter von meiner Siegerstimmung, als ich mir ausmalte, wie unser lieber Freund Maurach reagieren würde, wenn wir ihm mit dieser Idee kämen. Und selbst die Häuser abklappern? Der Mann musste ja nicht dort wohnen, wo Sie ihn aufgenommen hatten. Er konnte aus einer Kneipe kommen. Wie Sie auf der Ausschnittvergrößerung sehen, hatten wir wirklich kein Porträt von ihm, das wir nur herumzuzeigen brauchten.«

Die Vergrößerung zeigte ein Monster, ein Schemen mit dreifachen Konturen, sechs Augen, drei Nasen und einem riesigen Mund.

»Damit haben Sie es geschafft?« Mühlens sah sie ungläubig an.

»Na ja, wir nicht allein. Ich wollte schon aufgeben, als in den Häusern in der Nähe des Aufnahmeortes niemand gefunden wurde. Aber es haben sich Helfer gefunden. Doktor Langhans hat eine Menge Freunde. Ich weiß nicht, wie viele Häuser abgeklappert worden sind, bis wir den Mann doch gefunden hatten.«

»Es sind schließlich schon ein paar Monate seit der Aufnahme vergangen«, erklärte Langhans weiter. »Es war ein Glück, dass der Mann sich nicht nur an Sie erinnerte, sondern auch noch den Beweis lieferte, dass das Foto nur an diesem Tag aufgenommen sein konnte. Er brachte einen zweiten Zeugen, der bestätigte, dass es zwischen drei viertel elf und elf fotografiert worden sein musste.«

Mühlens sah sie an wie ein Kind den Weihnachtsmann.

»Die Erklärung ist ganz einfach. Der Mann hatte an diesem Tag eine Bekannte von außerhalb an der Bushaltestelle Münchener Straße erwartet und dabei beobachtet, wie Sie fotografiert haben. Natürlich hat er sich gewundert, dass ein Verrückter da fotografiert, wo es doch gar nichts zu sehen gab. Seine Bekannte hat Sie auch gesehen. Sie haben sich noch über Sie unterhalten. Und diese Frau konnte beweisen, dass sie gerade an diesem Sonntag in Frankfurt gewesen war. Da blieb der Staatsanwaltschaft schließlich nichts anderes übrig, als Sie freizulassen. So einfach ist das.«

»Trinken wir auf die guten alten Filzpantoffeln«, sagte Lobenstein.
»Es hing also an einem Kamelhaar, dass ich nicht den Rest meines Lebens hinter Gittern verbringen muss.«
»Uns wäre sonst bestimmt noch etwas anderes eingefallen. Langhans ist ausdauernd wie ein Marathonläufer.«
»Ich kann mir vorstellen, was Maurach für ein Gesicht gemacht hat«, sagte Mühlens, »als er das erfuhr. Wieder ein offener Fall. Ich bin gespannt, wann er ihn endgültig abschließen kann.«
»Ich befürchte, nie. Machen wir uns keine Illusionen. Wer hat schon Interesse, dieses Verbrechen aufzuklären? Maurach wird die Akte zu den anderen unerledigten Fällen legen.«
»Ich werde aus Frankfurt verschwinden«, sagte Mühlens. »Ich fürchte, ich kann nicht ruhig schlafen, solange die Mörder frei herumlaufen.«
»Eines Tages werden auch die Hintergründe dieses Falles an die Öffentlichkeit gelangen«, behauptete Langhans.
Lobenstein lachte. »Sie sind und bleiben ein unverbesserlicher Optimist, aber das gefällt mir. Ich muss Sie mal interviewen. Ich möchte doch dahinterkommen, woher Sie Ihren Optimismus nehmen. Bei Ihren Erfahrungen.«
»Eben, daher. Aber Mühlens hat recht. Wir sollten auch weiterhin vorsichtig sein, besonders Sie, Herr Lobenstein. Wenn Sie erst einmal dahinterkommen, was es mit Ihrem Buch auf sich hat …«
»Ach was, ich habe ja jetzt einen Schutzengel.«